Rainer Stuhlmann
Das eschatologische Maß im Neuen Testament

RAINER STUHLMANN

Das eschatologische Maß
im Neuen Testament

GÖTTINGEN · VANDENHOECK & RUPRECHT · 1983

Forschungen zur Religion und Literatur
des Alten und Neuen Testaments
Herausgegeben von
Wolfgang Schrage und Rudolf Smend
132. Heft der ganzen Reihe

CIP-Kurztitelaufnahme der Deutschen Bibliothek

Stuhlmann, Rainer:
Das eschatologische Maß im Neuen Testament / Rainer Stuhl-
mann. — Göttingen : Vandenhoeck & Ruprecht, 1983.
   (Forschungen zur Religion und Literatur des Alten und
   Neuen Testaments ; H. 132)
   ISBN 3-525-53804-9
NE: GT

MEINEN ELTERN

HERTA UND WOLFGANG STUHLMANN

IN DANKBARKEIT

Vorwort

Die vorliegende Arbeit wurde im WS 1978/9 von der Evangelisch-
Theologischen Fakultät der Rheinischen Friedrich Wilhelms-
Universität in Bonn unter dem Dekanat von Prof. Dr. A.H.J.
Gunneweg als Dissertation angenommen. Für den Druck wurde
sie geringfügig überarbeitet und erweitert.

Auf dem langen Weg der Entstehung dieser Arbeit haben mir
viele Menschen geholfen. Ihnen danke ich sehr herzlich.

Dankbar gedenke ich meines Lehrers Prof. Dr. D. Joachim
Jeremias DD. Die Arbeit wurde von ihm angeregt. Er hat in mir
die Liebe zu exegetischer Detailarbeit geweckt und gefördert
und darüber hinaus meinen Lebensweg hilfreich begleitet.
Nach seiner Emeritierung und seinem Umzug nach Tübingen hat
er meine Pläne bereitwillig unterstützt, die Arbeit in Bonn
fertigzustellen und einzureichen. Ein halbes Jahr vor seinem
Tod konnte er das Ergebnis noch lesen.

Als ich, erfüllt von den Aufgaben eines Gemeindepfarrers, den
Plan schon aufgegeben hatte, die Arbeit fertig zu stellen,
hat mir Prof. Dr. Wolfgang Schrage Mut gemacht, sie erneut in
Angriff zu nehmen. Er hat mich für die Zeit von 1976-1980
auf seine Assistentenstelle geholt und mir dort nicht nur
reichlich Zeit gelassen, die Arbeit fertig zu stellen, sondern
mich auch in eine fruchtbare exegetische und theologische
Arbeitsgemeinschaft einbezogen und so viele Anregungen gegeben,
meine pfarramtliche Praxis zu reflektieren. Seiner "Theologie
für die Gemeinde" verdanke ich wichtige Impulse für meine
jetzige Arbeit als Gemeindepfarrer. Schließlich hat er die
Drucklegung der Arbeit trotz erheblicher Schwierigkeiten un-
ermüdlich vorangetrieben.

Die Kirchenleitung der Evangelischen Kirche im Rheinland hat
mich für die Assistentenzeit vom Pfarramt beurlaubt; dabei
hat sich vor allen Präses D. Gerhard Brandt für mich einge-
setzt. Zum Druck der Arbeit hat sie einen namhaften Zuschuß
gewährt.

Prof. Dr. Klaus Wengst, jetzt Bochum, hat sich unter erhebli-
chem Termindruck der Mühe des Korreferats unterzogen und mir
zahlreiche Vorschläge zur Verbesserung gemacht.

Prof. Dr. Bertold Klappert, Gemeindeglied meiner ehemaligen
Wuppertaler Gemeinde, hat mich ermutigt, die Assistentenstelle
in Bonn anzunehmen. Er hat den Fortgang der Arbeit begleitet
und mir an einigen Stellen wichtige Einsichten vermittelt.

Frau Lieselotte Schmidt, Sankt Augustin, hat mir zuverlässig und aufopfernd den größten Teil des Typoskripts erstellt. Prof. Dr. Rudolf Smend hat der Aufnahme in die Reihe der "Forschungen" zugestimmt. Mitarbeiter in Verlag und Druckerei haben sich um die Drucklegung der Arbeit gemüht und es verständisvoll hingenommen, daß sich die Arbeit mangels weiterer Zuschüsse leider nicht in der gewohnten Typographie der Reihe herstellen ließ.
In den verschiedenen Phasen der Entstehung der Arbeit habe ich immer wieder und oft über Gebühr die Geduld, Zeit und Kraft meiner Frau und meiner Kinder beansprucht.

Sankt Augustin – Mülldorf   Rainer Stuhlmann
30. Dezember 1982

Inhaltsverzeichnis

1. Begriffsbestimmung

Der Begriff "eschatologisches Maß" bezeichnet ein Motiv
aus der Vorstellungswelt antik-jüdischer und urchristlicher Eschatologie. Als Vorstellungsmotiv hat es keinen
einheitlichen und keinen eigenen sprachlichen Ausdruck
gefunden. Die Aussagen, die von diesem Motiv bestimmt
sind, können also nicht direkt mit Hilfe von Konkordan-
zen zusammengestellt und nicht einfach durch Begriffs-
exegesen erhellt werden. Das Motiv hat vielmehr verschiedene Aussagen geprägt und bestimmt.

Hinter diesen verschiedenen Aussagen, von denen die wich-
tigsten für das NT unten zusammengestellt sind, ist folgende Vorstellung erkennbar:

> Gott hat vorab der Zeit bis zum Weltende ein Maß
> gesetzt. Der Termin des Weltendes ist darum kon-
> ditioniert durch die Füllung dieses von Gott gesetz-
> ten Maßes. Der Inhalt dieses Maßes ist dabei verschie-
> den bestimmt.

Konditioniert ist der Termin des Weltendes 1. durch einen
von Gott vorab limitierten <u>Zeitraum.</u> Das Ende kommt erst,
wenn ein bestimmtes Maß an Zeit verstrichen ist. In dieser
Gestalt ist das eschat. Maß eine rein theonome Bedingung
für das Kommen des Endes, da der Ablauf der Zeit menschlicher Verfügung radikal entzogen ist.

Das Ende ist darüber hinaus 2. bedingt durch das Maß eines
bestimmten Geschehens in dieser Zeit. Das Ende kommt erst,
wenn ein bestimmtes <u>Maß an Leiden</u> oder ein bestimmtes <u>Maß
an Sünden</u> komplettiert ist. Das Ende ist schließlich 3.
bedingt durch eine bestimmte <u>Anzahl von Heilsempfängern.</u>
Das Ende kommt erst, wenn eine bestimmte Anzahl von Menschen das Heil empfangen haben.

Das Maß der Leiden und der Sünden und auch die Anzahl der
Heilsempfänger können das Ende sowohl theonom bedingen -
wenn die Komplettierung des jeweiligen Maßes als kontin-
gent angesehen wird, als auch anthroponom, - wenn dadurch
die Möglichkeit menschlicher Mitwirkung eingeräumt wird.

2. Die nt. Texte

Sprachlichen Niederschlag hat die Vorstellung vor allem
in zwei einander korrespondierenden Aussagen gefunden:

      1. Das Maß ist gesetzt.

      2. Das Maß wird gefüllt.

Darüber hinaus findet sich die Aussage:

      3. Das Maß wird nachträglich geändert.

Und schließlich hat das Motiv

      4. verschiedene Metaphern geprägt und
         für eschat. Aussagen adaptiert.

1. Im NT ist die erste Aussage nur in der Apk belegt.
   a) Die Limitierung der Unheilszeit wird hier nicht
   nur konstatiert (6,11; 12,12; 20,3), sondern zugleich
   wird auch die Größe dieses Maßes in Zahlangaben mitge-
   teilt: 2,10 (zehn Tage), 12,14 (dreieinhalb Zeiten),
   11,2; 13,5 (42 Monate); 11,3; 12,6 (1260 Tage).

   b) Die Größe der Zahl der Heilsempfänger wird mit
   144 000 angegeben: 7,4ff; 14,1ff.

2. Die meisten Stellen – über das NT verstreut – finden
   sich für die Sätze, die die Füllung des Maßes zum Ausdruck bringen.
   a) Füllung des Zeitmaßes: Mk 1,15; Gal 4,4; Eph 1,10;
   Lk 21,24; Mk 16,14 (W); Mt 1,17; 8,29.

   b) Füllung des Leidensmaßes: Kol 1,24.

   c) Füllung des Sündenmaßes: Mt 23,32; 1Thess 2,16.

   d) Komplettierung einer Anzahl von Heilsempfängern:
   Röm 11,12.25f; Apk 6,11.

3. Die nachträgliche Korrektur des Maßes ist nur in
   Mk 13,20 par Mt 24,22 ausgesprochen.

4. Metaphorisch ist das Motiv verwendet in Mk 4,29; Mt
   13,30; Jak 5,7 (Reifezeit); Mt 13,48; Mt 22,10 par Lk
   14,23 (numerus clausus).

a) Das Motiv vom eschat. Maß ist eines unter mehreren
ähnlichen Motiven. Daß das Ende der Welt konditioniert
ist, kann auch mit Hilfe anderer Vorstellungen zum Ausdruck gebracht werden. Neben anderen anthroponomen Bedingungen, etwa bestimmten moralischen Leistungen der
Menschen, von denen das Kommen des Endes abhängig gemacht wird[1], stehen auch andere theonome Bedingungen.
D. h. auch die eigentliche Terminierung kann anders
gedacht werden als mit Hilfe der Maßvorstellung. Sie
kann z. B. so vorgestellt werden, daß Gott einen bestimmten Tag für das Ende aus allen Tagen ausgesucht hat[2].
Oder sie kann als Produkt einer allgemeinen Nezessität des
geschichtlichen Ablaufs gedacht sein[3].
Das Motiv vom eschat. Maß ist also ein Motiv unter anderen, das sich in den Rahmen dessen fügt, was gelegentlich als "Geschichtsdeterminismus" bezeichnet wird[4]. Die
mit diesem Stichwort signalisierte Problematik kann im
Rahmen dieser Arbeit so wenig erörtert werden, wie die sie
implizierenden Fragen allein vom Motiv des eschat. Maßes
her beantwortet werden können. Wohl aber kann die Untersuchung des eschat. Maßes im NT exegetische Sachverhalte
darstellen und so für die weitere Erörterung dieser Problematik Argumente bereitstellen.

b) Der gleiche Vorbehalt gilt gegenüber dem Problemkreis
unter dem Stichwort "Apokalyptik". Angesichts der nach wie
vor äußerst kontroversen Diskussion (schon um das Wesen
der Apokalyptik als solcher, erst recht in ihrer Bedeutung
für das NT), in der zudem eine heillose Sprachverwirrung

---

1) Cf. BILLERBECK I, 162ff. 559f; IV,992f.

2) So z. B. PsSal 17,21: "Laß ihnen erstehen ihren
   König David zu der Zeit, die du erkoren (εἰς τὸν
   καιρὸν ὃν εἴλου σύ)"; Apg 1,7; χρόνους ἢ καιροὺς οὓς
   ὁ πατὴρ ἔθετο ἐν τῇ ἰδίᾳ ἐξουσίᾳ.

3) Hierher gehört die durch die griechische Übersetzung
   von Dan 2, 28.29.45 (V.45 nur bei Theodotion) ἃ δεῖ
   γενέσθαι gebildete eschat. δεῖ - Tradition; cf.
   GRUNDMANN, ThWNT II, 21-25.

4) Cf. z. B. vRAD, ThAT II, 324.333-337; Weisheit 337-363;
   VIELHAUER, Apokalyptik 414-417.

herrscht[5], versuche ich in dieser Arbeit möglichst radikal die Terminologie "Apokalyptik", "apokalyptisch" etc. zu vermeiden – in der Überzeugung, das jeweils damit Ausgedrückte auch anders, und d. h. eindeutig formulieren zu können. Mir scheint, daß eine solche vorläufige Sprachaskese durchaus hilfreich sein kann, die Lösung der anstehenden Sachprobleme weiterzutreiben, die durch Streit um die Terminologie eher vernebelt werden. Ohne Zweifel ist das Motiv des eschat. Maßes ein Kernelement dessen, was man vielfach als Wesen der Apokalyptik bezeichnet[6].

Einerseits bildet das Motiv vom eschat.Maß die Voraussetzung aller Berechnungen des Endtermins[7]. Andererseits ist es aber auch das Fundament für die Bestreitung ihrer Möglichkeit und für eine aus dieser Einsicht folgende Polemik gegen alle Terminberechnungen[8]. Die übliche Charakterisierung solcher Polemik als "antiapokalyptisch"[9] steht dann in dem Dilemma, (als Konsequenz des Motivs vom eschat. Maß) zugleich zentral "apokalyptisch" zu sein.

Die Vorstellung vom eschat. Maß hat zwar vor allem in der Literatur ihren Niederschlag gefunden, die man als "apokalyptisch" bezeichnet[10], sie findet sich aber auch darüber hinaus. Das wird besonders deutlich an dem außerordentlich häufigen Vorkommen des Motivs in Pseudo-Philos Liber antiquitatum biblicarum, der allenfalls Teileelemente dessen aufweist, was in der Regel als apokalyptisch bezeichnet wird, keineswegs aber eine Apokalypse darstellt[11].

Schließlich muß so nicht bei jeder Stelle, an der das

---

5) Cf. exemplarisch: KOCH, Ratlos, und die Rezension HANHARTs; für Pls zuletzt: BAUMGARTEN, Paulus bes. 9-53; 227-243.

6) Deshalb wird der Begriff "eschat. Maß" gelegentlich auch durch "apokalyptisches Maß" ersetzt (z. B. KLAUCK, Allegorie 225).

7) VOLZ 141.

8) Cf. HARNISCH, Verhängnis 313.318-321; STROBEL, Kerygma 85ff.

9) zB CONZELMANN, Mitte 114.

10) Cf. die übersichtliche Zusammenstellung bei SCHREINER, Apokalyptik 17-72.

11) Cf. DIETZFELBINGER, Pseudo-Philo 135ff.

Motiv im NT entdeckt wird, gleich miterörtert werden, ob
der Vf. ein "Apokalyptiker" ist und welche Rolle die
"Apokalyptik" bei ihm spielt.

c) Das Motiv ist endlich abzugrenzen gegenüber der Lehre
der beiden מדות, die in rabbinischer Literatur eine große
Rolle spielt[12]. Es mag sein, daß hier Zusammenhänge bestehen. Eine Untersuchung solcher Zusammenhänge aber würde
den Rahmen der Arbeit sprengen; ihnen wird deshalb hier
nicht nachgegangen.

4. Forschungsgeschichtliche Orientierung

Der Begriff "eschatologisches Maß" ist von JOACHIM JERE-
MIAS geprägt worden[13]. Ohne daß dieser Terminus dafür
gebraucht wurde, ist das Phänomen allerdings schon für
die antik-jüdische Literatur kurz von WILHELM BOUSSET
und HUGO GRESSMANN[14] und etwas ausführlicher von PAUL
VOLZ[15] beschrieben worden.
P. VOLZ hat einen Teil der Belegstellen aus der antik-
jüdischen Literatur für das Motiv zusammengetragen. Wenn
Exegeten zu nt. Stellen - gelegentlich und nebenbei - auch
auf das Motiv vom eschat. Maß eingehen, stehen meist die
Ausführungen von P. VOLZ im Hintergrund. Die Zusammenstellung der Belege durch P. VOLZ und ihre Systematisie-
rung hat aber den Nachteil - der bekanntlich weite Teile
seines Buches zeichnet -, daß er die verschiedenen Belegstellen einfach flächenmäßig nebeneinander reiht, ohne
darauf zu achten, daß die Schriften aus sehr verschiedenen

---

12) Cf. GÜTTGEMANNS, Recht und Gnade.

13) Zwar findet sich der früheste literarische Beleg
für diesen Terminus 1948 in GÜNTHER HARDERs Auslegung von Mk 4,26-29 (Gleichnis 67). G. HARDER
hat diesen Begriff aber nach Auskunft von J. JERE-
MIAS von diesem übernommen. Der älteste literarische
Beleg in J. JEREMIAS' Schriften ist die Auslegung von
Mk 4,26-29 in der 2. Auflage seines Buches "Gleichnisse Jesu" (1952), 94 A.5.

14) Religion 248

15) Eschatologie 138-140

Zeiten stammen[16], daß die zitierten Sätze verschiedenen
Gattungen zuzuordnen sind, daß sie verschiedene Sitze im
Leben sehr verschiedener Gruppen haben. So hilfreich nach
wie vor P. VOLZ' Kompendium zur antiken jüdischen Eschatologie ist, so sehr sind seine Darstellungen aber auch durch
form- und traditionsgeschichtliche Fragestellungen zu modi-
fizieren. Das gilt eben auch gegenüber seiner Darstellung
des Motivs vom eschat. Maß.

Der einzige, der seither das Motiv selbständig und sehr
gründlich untersucht hat, ist WOLFGANG HARNISCH. In seinen
"Untersuchungen zum Zeit- und Geschichtsverständnis im 4.
Buch Esra und in der syr. Baruchapokalypse" unter dem Titel
"Verhängnis und Verheißung der Geschichte" hat er dem Motiv,
soweit es in diesen beiden Schriften eine Rolle spielt,
umfangreiche Analysen und Darstellungen gewidmet[17]. Der
speziellen Verwendung des Motivs in den beiden Schriften
entspricht W. HARNISCHs Konzentration auf die mensura temporum und den numerus iustorum. Seinen Ausführungen verdanke
ich entscheidende Einsichten. Für das besondere Profil dieses
Motivs innerhalb der theologischen Konzeption des 4Esr und
sBar habe ich über die überzeugenden Darlegungen W. HAR-
NISCHs hinaus nichts zu sagen.

W. HARNISCH beschränkt sich aber darauf, Gestalt und
Funktion des Motivs innerhalb der Theologie der beiden
Schriften zu untersuchen. Auf traditionsgeschichtliche
Fragestellungen hat er weitgehend und für das Motiv des
eschat. Maßes ganz verzichtet[18]. Und seine ohnehin spär-
lichen Hinweise auf das NT sind bei diesem Themenkomplex
auf Mk 13,20par; 1Kor 7,31; Apk 6,9f beschränkt[19].

---

16) Der Titel der ersten Auflage seines Werkes "Jüdische
 Eschatologie von Daniel bis Akiba" nennt immerhin
 zwei Vertreter jüdischer Eschatologie, deren Lebens-
 daten 300 Jahre auseinanderliegen.

17) Verhängnis 248-321.

18) Cf. auch die in die gleiche Richtung zielende Kritik
 RAUs (Kosmologie 28f) an HARNISCHs Buch.

19) AaO 272; 274 A.2; 280 A.3; 308.

Demgegenüber ist meine Arbeit vor allem an der Erhellung
der Aussagen innerhalb des NT interessiert, in denen das
Motiv Ausdruck gefunden hat. Das religionsgeschichtliche
Material ist gegenüber der Sammlung von P. VOLZ erweitert.
Im Gegensatz zu den Arbeiten von P. VOLZ und W. HARNISCH
versuche ich mit Hilfe vor allem traditionsgeschichtlicher
Fragestellungen das religionsgeschichtliche Vergleichs-
material differenzierter zu sehen und auszuwerten, um so
das möglicherweise spezifische Profil der nt. Aussagen
herauszuarbeiten[20]. Damit ist der Aufriß der Arbeit gegeben: Orientiert an den drei inhaltlich verschieden bestimmten
Maßen (Maß der Zeit, Maß des Leidens und der Sünde, Anzahl
der Heilsempfänger) werden in drei Kapiteln jeweils mit
Hilfe traditionsgeschichtlicher Analysen Wurzel und Entstehung des Motivs untersucht und dann auf diesem Hintergrund die nt. Aussagen exegesiert.
Der Schlußteil faßt den Ertrag der Untersuchungen kurz
zusammen und zeigt Fragestellungen und Problemkreise auf,
zu deren Klärung das Motiv vom eschat. Maß möglicherweise
einen Beitrag liefern kann.

---

20) Daß ich mich dabei auf religionsgeschichtliches Material
    aus dem Bereich des Judentums beschränkt habe, könnte als
    Engführung angesehen werden. Angesichts der Ergiebigkeit
    der untersuchten Quellen dürfte diese (vielleicht vor-
    läufige) Beschränkung gleichwohl legitim sein. Keinesfalls
    soll damit bestritten werden, daß auch nichtjüdische an-
    tike Texte Analogien zur Maßvorstellung darbieten (Cf.
    vor allem die Belege für die Vorstellung eines Maßes der
    Zeit bei BAUER, WB 1331 Nr. 2; DELLING, ThWNT VI, 286;
    ERNST, Pleroma 5).
    Material aus der rabbinischen Literatur habe ich nur spo-
    radisch herangezogen. Hier sind sicher auch im Hinblick
    auf das Motiv vom eschat. Maß noch manche Schätze zu he-
    ben (cf. zB BILLERBECK IV, 977-1015). Die Konzentration
    des Themas auf das NT rechtfertigt m.E. jedoch hier den
    Verzicht auf Vollständigkeit - zumal bei vielen Belegen
    die Datierung Schwierigkeiten macht, ihre Relevanz für
    das NT also strittig ist.

I. Wurzel und Entstehung des Motivs
-.-.-.-.-.-.-.-.-.-.-.-.-.-.-.-.-.-

A. Das Maß der Zeit (allgemeine Vorstellung)
==

1. Das Maß menschlicher Lebenszeit

a) Im AT

Die Vorstellung, daß Gott der Zeit ein Maß gesetzt hat,
das sich mit ihrem Ablauf füllt, begegnet schon im AT.
Deutlich wird diese Vorstellung wie ihre charakteristischen metaphorischen Ausdrucksweisen vor allem an
der Aussage, daß die Lebenszeit der Menschen von Gott
bemessen ist.

> "Laß mich wissen mein Ende, Jahwe, und welches
> das Maß meiner Tage ist..."   (Ps 39,5).

Daß die Lebenszeit des Menschen ein Ende hat, also begrenzt, terminiert ist, drückt der Beter mit der Wendung
מִדַּת יָמַי aus, die im Parallelismus zu קֵץ steht. Die
Endlichkeit des Menschen ist dadurch bedingt, daß seine
<u>Lebenszeit durch ein Maß begrenzt</u> ist. Die Metapher מִדַּת
יָמַי ist dabei durch die Vorstellung konstituiert, daß
die Tage, die ein Mensch lebt, als erfahrbare zyklische
Zeiteinheiten - hier bezeichnet als יָמַי - durch ein Maß
(מִדָּה) determiniert sind. Dahinter darf man wohl sehr
konkrete Vorstellungen vermuten. Die Lebenstage als einzelne
Elemente ergeben, a) aneinander gereiht, eine abgemessene
Strecke oder füllen b) ein Hohlmaß oder füllen c) eine
vorab konstituierte Summe. Entweder stehen hinter dieser
metaphorischen Redeweise geometrische Maßvorstellungen
(a und b) oder eine arithmetische Maßvorstellung (c).
In V.6 wird mit dem Satz: "Siehe, du hast meine Tage
nur auf ein paar Handbreiten festgesetzt...", die Metapher
aufgenommen und nun eindeutig als Längenmaß bestimmbar.
Die LXX übersetzt zweigleisig. Indem sie מִדָּה mit ἀριθμός
übersetzt, versteht sie das Maß einerseits als arithmetisches, also als vorab konstituierte Summe, die durch
die einzelnen Tage ausgefüllt wird. Indem sie aber andererseits טְפָחוֹת wörtlich mit παλαισταί (=Handbreiten) übersetzt, folgt sie auch der geometrischen Maßvorstellung

der hebräischen Fassung, denkt also an eine aus den einzelnen Tagen bestehende Zeitstrecke.

Eine ähnliche Vorstellung wie in Ps 39,5f kommt in Hi
14,5 zum Ausdruck. Auch dort wird die Begrenztheit und
Vergänglichkeit menschlichen Lebens im Gebet beschrieben:

> "Fürwahr, fest beschlossen sind seine Tage,
> die Zahl seiner Monate liegt bei Dir...".

Die Wendung מִסְפַּר־חֳדָשָׁיו verrät eine arithmetische
Maßvorstellung für die menschliche Lebenszeit. Die mit
חֹק ausgesprochene Determination bezieht sich darum
wohl am ehesten auch auf das Maß der Lebenszeit (יָמִיו)
auch wenn hier ein entsprechender Terminus dafür fehlt.

Hier wie da ist jedenfalls betont, daß das Maß eine dem
menschlichen Leben vorgegebene Setzung Jahwes ist, der
es durch seinen Ablauf entspricht[1].

Die in Ps 39,5 und Hi 14,5 zum Ausdruck kommende Vorstellung, daß das menschliche Leben durch eine Setzung Jahwes,
die die Lebenszeit vorab terminiert, konstituiert wird,
erklärt eine andere metaphorische Redeweise.
In der Nathanweissagung findet sich die Wendung:

> "Wenn deine Tage voll sind...", d. h. wenn du ge-
> storben bist. כִּי יִמְלְאוּ יָמֶיךָ (2Sam 7,12=1Chr 17,11)[2]

Hier ist der andere, der Entsprechungsakt des Vorstellungs-
motivs im Blick. Der Setzung des Maßes der Lebenszeit durch
Jahwe entspricht die Füllung dieses Maßes durch den Menschen.
Der Alterstod ist das Ergebnis dessen, daß das Maß des Men-
schen mit seinen gelebten Tagen voll geworden ist.
Die Ausdrucksweise יִמְלְאוּ יָמִים ist dabei verkürzt. Sie
ersetzt die volle Wendung תִּמָּלֵא מִדַּת (מִסְפַּר) יָמִים.
Die Tage sind der Inhalt des (hier nicht genannten) Maßes[3].
Sachgemäß muß darum übersetzt werden "Die (Lebens)tage
werden vollzählig" oder "Das Lebensmaß wird voll".

Daß bei dieser Vorstellung vom Lebensmaß das menschliche
Leben nicht individuell, sondern generisch verstanden ist,
zeigt Jes 65,20. Als ein Kennzeichen der Heilszeit wird
dort verheißen:

---

1) Das bringt mit anderer Metapher auch Ps 31,16 zum
   Ausdruck: בְּיָדְךָ עִתֹּתָי.
2) In 1 Chr 17,11 Perfekt statt Imperfekt.
3) S.u.S.13f.21 u.ö.

"... es wird keinen mehr geben, der nicht seine
(Lebens)tage vollzählig macht".

Damit wird zum Ausdruck gebracht, daß es zwar in der
Heilszeit noch den Tod geben wird (im Unterschied zu
Jes 25,8), nicht aber mehr "den unzeitigen, das Dasein
in der Mitte oder am Anfang abbrechenden Tod"[4]. Dahinter steht also die Vorstellung, daß dem Menschen generell, nicht individuell ein bestimmtes Maß an Lebenszeit gesetzt ist, das er durch den Alterstod erfüllt.
Stirbt ein Mensch durch äußere Einwirkung jung, dann hat er
das Lebensmaß, daß ihm als Exemplar des Genus Mensch
gesetzt war, nicht erfüllt. Auch hier ist wieder die
verkürzte Redeweise gebraucht, ohne daß מִדָּה oder מִסְפָּר
genannt ist.

In Jes 65,20 wird <u>die Größe des</u> den Menschen zugemessenen <u>Maßes</u> andeutungsweise bestimmt, indem 100 Jahre als
so etwas wie ein Mindestmaß für das Leben in der Heilszeit angegeben werden. In Ps 90,10 wird mit "70 - 80
Jahre" ebenfalls nur eine (wohl aus Erfahrung gewonnene)
ungefähre Angabe über die Größe des Maßes gemacht.
Demgegenüber rechnet Gen 6,3 mit einem exakt festgelegten
Lebensmaß von 120 Jahren.

> Da sprach der Herr: "Mein Geist soll nicht immer
> im Menschen wirken, weil auch er Fleisch ist;
> seine Lebenszeit soll 120 Jahre betragen".

Gemessen an den in Gen 5 genannten Lebensaltern muß diese
Maßsetzung als Verkürzung der Lebenszeit verstanden werden. Dieser Satz ist später geradezu wie ein Lehrsatz
verstanden worden. Er hat die Maßvorstellung im antiken
Judentum entscheidend mitgeprägt[5].

Neben der Vorstellung einer Setzung des generischen
menschlichen Lebensmaßes findet sich auch das Motiv
von der Setzung eines <u>kollektiven</u> Lebensmaßes. Der Untergang Israels wird in Klgl 4,18 mit den Worten beklagt:

---

4) WESTERMANN, Dtrjes 325.

5) Zur Verkürzung der Zeiten s.u.S.14f; Gen 6,3 wird
    zitiert (oder darauf angespielt) in: Jub 5,8;
    AntB 3,2; 9,8; 19,8; 48,1; cf. Jub 23,11; AntB
    13,8 (cf. DELLING, NovTest 13,316).

"Unser Ende ist nahe, unsere Tage sind vollzählig,
denn unser Ende ist da."

קָרַב קִצֵּנוּ מָלְאוּ יָמֵינוּ כִּי־בָא קִצֵּנוּ [6]

Der Untergang Israels (קֵץ) wird hier mit der gleichen
Wendung beschrieben wie (in 2Sam 7,12par.) der menschliche Tod. Das läßt den Schluß zu, daß auch hier das Maßmotiv im Hintergrund steht. Es ist insofern modifiziert,
als nun vorausgesetzt ist, daß Jahwe seinem Volk Israel
ein Maß an Zeit zugemessen hat, das mit der Katastrophe
im Jahr 587 voll geworden ist.

Das so gewonnene Bild wird schließlich durch die Beobachtung abgerundet, daß im AT von Jahwe ausgesagt ist,
daß seine Existenz im Gegensatz zur menschlichen nicht
durch ein solches Maß terminiert ist. Ps 102,28 sagt -
zwar mit anderer Wortwahl [7], aber unter Aufnahme der
gleichen Vorstellung:

"Deine Jahre werden nicht vollzählig", d. h.
dein Leben, Jahwe, hat kein Maß, es ist nicht
begrenzt, du hast kein Ende, du stirbst nicht.

b) In nachat. jüdischer Literatur und im NT

In nachat. Zeit hat das Vorstellungsmotiv weitergewirkt.
α) Sir 17,2 bringt prägnant auf den Begriff, was wir im
Hintergrund der at. Stellen, mehr oder weniger unausgesprochen, als Vorstellung vermutet haben:

"Gott hat den Menschen Tage von bestimmter Anzahl,
nämlich eine bemessene Zeit gegeben."
ἡμέρας ἀριθμοῦ καὶ καιρὸν ἔδωκεν αὐτοῖς.

Versteht man das καί hier explikativ, dann ist καιρός
identisch mit ἡμέραι ἀριθμοῦ und damit an dieser Stelle
Ausdruck für einen limitierten Zeitraum, eben das Maß der
Lebenszeit [8].
Die Maßvorstellung verdeutlichen in Sir auch zwei andere
Verse. Im antithetischen Parallelismus membrorum wird
jeweils die Begrenztheit menschlichen Lebens mit der
Unbegrenztheit eines anderen Gutes kontrastiert - in
37,25 mit der Existenz des Volkes Israel (im Gegensatz

---

6)   Cf. den Parallelismus mit קֵץ wie in Ps 39,5.

7)   שָׁנוֹת statt יָמִים und תַמֵּם statt מָלֵא.

8)   Cf. DELLING, ThWNT III, 460.

also zu Klgl 4,18) und in 41,13 mit der Existenz des
Namens, des guten Rufes.

> "Das Leben des Menschen währt eine bestimmte
> Zahl von Tagen,
> aber das Leben Israels währt Tage ohne Zahl."

> "Das Gut des Lebens währt eine bestimmte Zahl
> von Tagen,
> aber das Gut des Namens währt Tage ohne Zahl."

Die Terminierung wird in beiden Versen mit יְמֵי מִסְפָּר
zum Ausdruck gebracht, was man wohl auch im (hebräisch
nicht erhaltenen) Vers 17,2 hinter ἡμέραι ἀριθμοῦ
vermuten darf. Der grammatischen Determination von יָמִים
durch מִסְפָּר entspricht die sachliche Determination der
Zeit durch das von Gott gesetzte Maß. Das unbegrenzte
Sein wird demgegenüber durch יְמֵי אֵין מִסְפָּר ausgedrückt. Diese Formulierung darf man wohl auch in äHen
58,3.6 vermuten, wo den Gerechten und Heiligen ein Leben
ohne zeitliche Begrenzung für die Heilszeit verheißen
wird[9].

Die Präfixierung menschlicher Lebenszeit setzt auch AntB
voraus, wenn es in der Debora-Rede heißt:

> "Bestimmt nämlich ist dann schon der Tod und voll-
> endet ist schon Maß und Zeit, und die Jahre haben
> ihr Anvertrautes erstattet" (33,3)[10].

β)Ob der Umfang des Lebensmaßes als groß[11] oder klein[12]
bestimmt wird, ist je nach Kontext verschieden: die Tatsache der Maßsetzung ist hier wie da vorausgesetzt.
An den meisten Stellen wird ἀριθμός zur Bezeichnung des
Maßes gebraucht[13], dem, wie Sir 26,1; 37,25; 41,13 zeigen, מִסְפָּר (nicht wie in Ps 39,5 מִדָּה) entspricht.
Hier wird wohl an die vorausbestimmte Summe einzelner
zyklischer Zeiteinheiten (vor allem Tage[14] und Jahre[15])

---

9) Cf. die im Jub häufige Wendung "ohne Beschränkung
der Tage": 6,14; 13,26; 15,25; 16,30; 30,10; 32,10;
33,17; 49,8.

10) Signata est enim tunc iam mors, et perfecta est
iam mensura et tempus, et anni reddiderunt depo-
situm suum.

11) Sir 26,1.26; 1QSa 1,19; und s.u.A. 16 und 17.

12) 4Esr 12,20 (äth. Text); sBar 19,2.

13) Sir 18,9; 26,1; äHen 5,9; 82,4; Sib III, 495;
cf. Tob 9,4 (ἀριθμεῖν).

14) Sir 18,9; 26,1; äHen 5,9;

15) Sir 26,26; 1QSa 1,19; AntB 40,7; Weish 4,8.

gedacht sein, also ein arithmetisches Maß vorausgesetzt
sein. Darauf weist auch die Bezeichnung "Vielzahl der
Tage" (רוב ימים)[16].

Die Bezeichnung "Länge der Tage" (אורך ימים)[17] läßt
demgegenüber an ein geometrisches Maß denken – wie auch
der Ausdruck μέτρον τῆς ζωῆς αὐτοῦ in ApkMos 13 und das
Wort ἡλικία in Verbindung mit πῆχυς in Mt 6,27 par Lk
12,25[18]. Bei dem Ausdruck "Länge der Tage" ist natürlich wieder die verkürzte Redeweise vorauszusetzen. Er
meint die Länge der gesamten Zeit, die durch die einzelnen Tage zu einer Strecke summiert ist, und nicht die
Länge der einzelnen Tage.

γ)"Tage/ ימים / αἱ ἡμέραι / dies" sind geradezu
termini technici für "'Zeit' im Sinne von 'Zeitdauer,
Zeitraum'"[19]. Die aneinander gereihte Strecke erfahrbarer Zeitzyklen signalisiert so den Übergang zu einem
"linearen Zeitverständnis".

Ist die Lebenszeit von Menschen gemeint[20], so ist das
Nomen "Tage" durch ein Personalsuffix bzw. ein Possessiv-
pronomen ergänzt[21] oder auch durch Zusätze wie τῆς ζωῆς
etc. verdeutlicht[22].

δ) Die Ausdrucksweise, die den Alterstod als "Füllung
des Lebensmaßes" umschreibt, erfährt in der nachat.
Literatur interessante Konturen.

1. An einigen wenigen Stellen ist die konkrete Redeweise,
die so im AT nicht vorkommt, gebraucht: Das vorab gesetzte
Maß wird durch die einzelnen Lebenstage gefüllt. Dabei
kommt sowohl die Vorstellung eines arithmetischen Maßes
zum Zuge (äHen 5,9: τὸν ἀριθμὸν αὐτῶν ζωῆς ἡμερῶν πληρώσουσιν)

---

16) 1QH 17,15; Jub 23,27.

17) 1QH 13,18; 1QM 1,9; äHen 71,17; 4Makk 18,19;
     AntB 44,5; cf. Sib III, 649.728.

18) S.u.S.15f.

19) JENNI, THAT I, 717; cf.717f; DELLING, ThWNT II,953.

20) Ebd 718f.

21) Sir 18,9; 26,1.26; 44,7; CD 10,9f; Jub 23,29; 35,8;
     äHen 58,3; AntB 3,2; 21,1; 23,1; 28,1; 40,7.

22) Sir 22,12; 33,24; Jub 23,8; 32,12; 35,6.8; äHen 5,9;
     Hebr 5,7; 7,3.
     Cf. auch: χρόνος ζωῆς (Dan7,12); tempus vitae (AntB
     18,11f; 19,8; 23,12; 33,2.3); cf. DELLING, NovTest
     13,310.

wie auch die Vorstellung eines geometrischen Maßes (ApkMos
13: ἐπειδὴ ἐπληρώθη τὸ μέτρον τῆς ζωῆς αὐτοῦ).

2. Wie im AT ist die verkürzte Redeweise häufiger: Statt
"ein Maß wird durch die gelebten Tage voll", heißt es: "die
Tage werden voll", oder besser: "vollzählig[23].

3. Später, wahrscheinlich unter Einfluß hellenistisch-
abendländischen Zeitverständnisses tritt ein abstrakter
Zeitbegriff auf, den es bekanntlich im hebräischen Denken
so nicht gegeben hat[24], und zwar in doppelter Weise.
Entweder steht der Zeitbegriff an der Stelle des (sonst
selten ausgesprochenen) Maßes (AssMos 1,15: quia consummatum
est tempus annorum vitae meae) oder - weit häufiger - an
der Stelle der zyklischen Zeiteinheiten selber (AntB 29,4:
complevit tempus suum)[25].

ε) Die verkürzte Redeweise ist auch in den Aussagen gebraucht, die von einer Vergrößerung oder Verkleinerung
des Lebensmaßes sprechen.

In Jub 23,27 heißt es innerhalb der Schilderung der Heilszeit:

> "Und die Tage werden anfangen viel zu werden und zu
> wachsen..., bis ihre Tage nahe kommen an 1 000 Jahre
> und (zwar) an mehr Jahre als die (frühere) Menge der
> Tage."

Die Parallelität von "wachsen" und "viel werden" stellt
sicher, daß das Wachsen der gesamten Lebenszeit gemeint
ist, nicht das Wachsen der einzelnen Tage.
Entsprechend ist die "Verkürzung der Tage" zu verstehen.
Infolge des adamitischen Falles sind die Tage der Menschen
verkürzt (CD 10, 8f; sBar 17,3). D. h. das Maß ihrer
Lebenszeit ist um einige Jahre kürzer geworden (nach
Gen 6,3 auf 120 Jahre beschränkt)[26]. Gemeint ist also
nicht, daß die einzelnen Tage um einige Stunden kürzer
geworden wären.
Im AntB klagt Sheila, die Tochter Jephthas, bevor sie,
dem Gelöbnis ihres Vaters entsprechend, als Opfer dargebracht wird:

---

23) CD 10,10; Jub 23,8.29; 35,6; äHen 10,17.

24) S.u.S. 18f.

25) Weish 4,13;LebAd 43; AntB 19,8; 29,4; 33,3; (tempus
     regni: 59,1; 62,2); cf. auch äHen 90,1.5; 1QSa 1,12.

26) S.o.S. 10.

"Meine Jahre sind abgeschnitten und die Zeit meines
Lebens wird in Finsternis alt" (40,7).

Im Hintergrund steht die Vorstellung, daß allen Menschen
ein bestimmtes Lebensmaß, hier eine durch einzelne Jahre
aneinandergereihte Strecke, gegeben ist. Durch die Opferung
Sheilas im jugendlichen Alter wird ihr Maß abgeschnitten,
also verkürzt. Der Rest der ihr eigentlich zugedachten
Lebenszeit fällt in Finsternis, d. h. in die Scheol.

Daß die Lebenszeit vorab bestimmt ist, wird auch durch
andere Vorstellungsmotive als dem des Maßes zum Ausdruck
gebracht: Wenn in 1 Makk 9,10 Judas Makkabäus sagt: "Wenn
denn unsere Zeit nahe gekommen ist, so wollen wir mann-
haft für unsere Brüder sterben" (εἰ ἤγγικεν ὁ καιρὸς ἡμῶν),
ist vorausgesetzt, daß der Zeitpunkt des Todes (ὁ καιρὸς ἡμῶν)
individuell bestimmt ist; die Zeit ist aber nicht als Inhalt eines Maßes gedacht. Daß καιρός in diesem Satz einen
Zeitpunkt, nicht einen Zeitraum meint, ist durch das Prädikat erwiesen[27].
Verblaßt oder auch gar nicht angesprochen ist die Maßvorstellung bei der Redeweise "die Tage... hatten sich genaht,
daß er sterben sollte" (appropinquaverunt dies... ut mortere-
tur)[28].
Sicher unabhängig von der Maßvorstellung ist das Idiom:
בָּא בַּיָמִים זָקֵן[29], das im NT in Lk 1,7.18; 2,36
mit προβεβηκὼς ἐν ταῖς ἡμέραις und in AntB 21,1 mit processior
esse in diebus aufgenommen ist.

c) Mt 6,27 par Lk 12,25

Das dem Menschen zugedachte Lebensmaß wird im NT in einem
Jesuslogion angesprochen:

"Wer von euch kann durch eigene Sorge seiner Lebenszeit auch nur eine Elle zusetzen?"
Das ursprünglich isoliert tradierte[30], wohl auf Jesus
selbst zurückgehende[31] Logion ist prima vista nicht
ganz eindeutig zu übersetzen, da ἡλικία sowohl "Körperlänge" (so sicher in Lk 19,3) wie auch "Lebenszeit"
heißen kann[32]. Die Bedeutung "Körperlänge"[33] ist aber

---

27) Cf. Joh 7,6.8; dort aber mit πληροῦσθαι verbunden; s.u.S.
    61.

28) AntB 23,1; 28,1.

29) Gen 18,11; 24,1; Jos 13,1; 1Kön 1,1.

30) Cf. BULTMANN, GST 84.107; JEREMIAS, Gleichnisse
    171; SCHWEIZER, Mt 104.

31) JEREMIAS, ebd; anders: BULTMANN, aaO 107.

32) BAUER, WB 682; SCHNEIDER, ThWNT II, 944; cf. den
    kleinen Überblick bei ZAHN, Mt 294 A.10.

33) So will BULTMANN, aaO 107, das Wort verstehen.

insofern sinnlos, als das genannte Maß, um das die ἡλικία
verlängert werden soll, eine Elle (πῆχυς), ca. einen
halben Meter, beträgt[34]. Dem Duktus der rhetorischen
Frage nach, muß es sich aber um ein Minimalmaß handeln[35].
Und in diesem Sinne ist πῆχυς als Metapher für einen
Zeitabschnitt belegt[36]. Auch aus inhaltlichen Gründen
ist die Übersetzung "Lebensmaß" vorzuziehen. "Denn der
Gernegroß ist keine ernstzunehmende Figur, durchaus aber
der Mensch, der länger leben möchte"[37]. Er wird so in
die ihm von Gott gesteckten Schranken gewiesen: μεριμνῶν
ist "Ehrentitel" Gottes, die Sorge somit nicht Sache
des Menschen, "der sich mit ihr nur übernehmen kann"[38].
So fügt sich der Satz gut in den Kontext der Jesu eigenen theonomen sapientialen Verkündigung[39]; es ist
also nicht einzusehen, daß man "das Logion eschatologisch
zu verstehen" habe[40].

2. Andere terminierte Zeiträume

Die Festsetzung des Maßes für die Lebenszeit ist ohne
Zweifel in allen jüdischen und christlichen Texten als
Akt Gottes verstanden, auch wenn das nicht immer aus-
drücklich gesagt ist.
In anderen limitierten Zeiträumen als der menschlichen
Lebenszeit kann die Terminierung auch durch andere Fakto-
ren begründet sein.

Sie kann auf Verabredung beruhen (Gen 29,21: Vertrag
zwischen Jakob und Laban), dem Brauchtum (Tob 8,20:
Hochzeitsdauer) oder einem Vorsatz (Tob 10,1: Reisedauer)
entsprechen.

Die Terminierung kann mit den Gesetzmäßigkeiten der Natur
gegeben sein; Paradebeispiel dafür ist das Maß der neun
Monate der Schwangerschaft, das durch den Zeugungsakt

---

34) JEREMIAS, ebd: 525mm; BAUER, WB 1302: 462mm.
35) Cf. Lk 12,26: "Wenn ihr nicht einmal das Geringste
    könnt...".
36) Cf. ZAHN, aaO 294f A.11; BAUER, WB 1302f.
37) EICHHOLZ, Bergpredigt 145.
38) Ebd.
39) SCHWEIZER, Mt 105.
40) JEREMIAS ebd.

gesetzt ist[41]. Innerhalb des NT hat das in Lk 1,57 (Elisabeth ἐπλήσθη ὁ χρόνος τοῦ τεκεῖν αὐτήν) und 2,6 (Maria:
ἐπλήσθησαν αἱ ἡμέραι τοῦ τεκεῖν αὐτήν)seinen Niederschlag gefunden[42].

Die Setzung des Zeitmaßes kann auch ein <u>Akt göttlicher
Rechtsetzung</u> darstellen, so vor allem in at. Gesetzes-
texten. Indem פָים determiniert wird durch ein Nomen,
das das für diese Zeit vorgeschriebene Geschehen nennt,
ist zugleich die Anzahl der dafür vorgesehenen Tage bestimmt. Hierher gehören die Vorschriften über die Zeit
der Priesterweihe Aarons (Lev 8,33), der Frauenhygiene
(Lev 12,4.6) und des Nasiratgelübdes (Num 6,5.13).
Nachgewirkt hat diese Vorstellung in Jub 3,10 und im NT[43]
in Lk 2,22 (Frauenhygiene); in Lk 1,23 (Priesterdienst)
und Lk 9,51 (die Zeit der ἀνάλημψις Jesu)[44].

An all den genannten Stellen ist das Maß der Zeit allein
durch die <u>Nennung des</u> für diese Zeit vorgesehenen <u>Gesche-
hens</u> determiniert. Das Geschehen bestimmt also in diesen
Fällen nicht nur die "Qualität" der Zeit, sondern auch
die Quantität der Zeit. Dabei steht das die Zeit deter-
minierende Geschehen nicht nur am Ende der Zeitstrecke[45],
sondern verläuft auch parallel dazu.

Darüber hinaus kann dieses Maß auch durch die bloße oder
zusätzliche <u>Nennung der Zahl</u> der Zeiteinheiten angegeben
sein. Die Füllung des Maßes entspricht dann eben dieser
durch die genannte Zahl angezeigten Setzung. Dafür gibt
es zahlreiche Belege im AT[46], in nachat. jüdischer Literatur[47] und im NT[48].

---

41) Gen 25,24; Hi 39,2; AntB 9,6.
42) DELLING, ThWNT VI, 130.
43) Ebd.
44) Ebd 307.
45) Ebd
46) Gen 27,27f; 47,18; 50,3; Ex 7,25; Lev 25,29f; Dtn
     34,8; Jer 34,14; Est 1,5; 2,12; Dan 10,3.
47) Tob 8,20; TestLev/E 62; 1QS 6,17ff; 7,20f; Jub 3,9.17;
     4,30; 23,10f; 36,18; 47,9; äHen 72,16; 74,17; 82,6;
     4Esr 6,35; 14,45; AntB 6,9; 9,5; 19,8; 61,3.
48) Lk 2,21; Apg 7,23.30; 9,23; 24,27.

3. "Gefüllte Zeit"?

Die Verbindung der Verben מָלֵא und תָּמַם mit Begriffen für
Zeiteinheiten im Plural wie יָרְחִים, שָׁבֻעִים, שָׁנוֹת, יָמִים
ist also als sprachlicher Niederschlag der Vorstellung
vom Maß der Zeit zu verstehen[49]. Dabei ist beherrschend
die sog. "verkürzte Redeweise", eine Redeweise, die das
Maß, das mit den genannten zyklischen Zeitabschnitten gefüllt wird, nicht mehr nennt. In diesem Zusammenhang kann
dann kurzschlüssig und vorschnell von "gefüllter Zeit",
"Fülle der Zeit" etc. gesprochen werden[50]. Dieser Terminus aber führt zu verhängnisvollen Mißverständnissen.

"Gefüllte Zeit" ist nämlich eine Bezeichnung für das
besondere biblische, speziell at. Zeitverständnis im
Unterschied zum modernen, "abstrakten", "chronologischen"
Zeitverständnis[51]. Bekanntlich hatte "das alttestamentliche Denken... von Haus aus keine Neigung zu Abstrak-
tionen"[52]. G.vRad konstatiert deshalb sogar, daß Israel
"außerstande war, die Zeit von dem jeweiligen Geschehen
zu abstrahieren. Es konnte sich eine Zeit ohne ein
bestimmtes Geschehen gar nicht denken; es kannte nur
'gefüllte Zeit'... das Geschehen ist nicht ohne seine
Zeit und die Zeit nicht ohne ein Geschehen denkbar"[53].

Statt von "gefüllter Zeit" sprechen J. MARSH von "realis-
tic time", T. BOMAN von "psychological time", J. PEDERSEN

---

49)   Cf. DELCOR, THAT I, 899f.

50)   Cf. vor allem die exegetische Literatur zu Gal 4,4;
      s.u.S.62ff.

51)   Der damit angeschnittene Problemkreis kann im Rahmen
      dieser Arbeit nur angedeutet werden. Aus der Fülle
      der Literatur dazu cf.: PEDERSEN, Israel I/II, 486-491;
      DELLING, Zeitverständnis; Endzeit 11-56; ThWNT III,
      456-465; IX, 576-589; MARSH, Fulness; EICHRODT, ThZ
      12,113-125; BOMAN, Denken 109-133; MUILENBURG, HThR
      54, 225-271; VÖGTLE, Zeit; BARR, Words; SEKINE, Suppl
      to VT 9, 66-82; vRAD, ThAT II, 108-133; WILCH, Time;
      JENNI, THAT I, 722f; II, 379-382; HERRMANN, Zeit 85-
      112.

52)   HERRMANN, aaO 97.

53)   ThAT II, 109. - "There is a very close association
      between time and the occasion. It may not, of course,
      be supposed that time and occasion are identical...
      However, the close association of the two factors
      indicate that they may be comprehended as belonging
      together" (WILCH, Time 168).

von "konzentrierter Zeit" und andere von "konkreter" oder
"innerer" Zeit[54]. Beim Terminus "gefüllte Zeit" ist die
Zeit als Maß gedacht und das Geschehen als ihr Inhalt.
"Gefüllte Zeit" ist also eine mit Geschehen gefüllte
Zeit, eine durch ein Geschehen gekennzeichnete, qualifizierte Zeit. Da der Begriff "gefüllte Zeit" so bereits
besetzt ist, tut man gut daran, im Zusammenhang der oben
dargestellten Vorstellung vom Maß der Zeit und ihren entsprechenden metaphorischen Redeweisen diesen Begriff zu
vermeiden.

4. (Exkurs) Die Bedeutungen von πληροῦν im NT im Zusammen-
    hang mit der Maßvorstellung

In diesem Zusammenhang müssen einige Vormerkungen zur
Bedeutung von πληροῦν im NT gemacht werden, da an den
meisten Stellen, an denen von der Füllung des eschat.
Maßes die Rede ist, πληροῦν oder Derivate davon benutzt
werden. In den Entfaltungen der Bedeutungsvielfalt bei
BAUER[55], DELLING[56] und ERNST[57], kommen einige Nuancen,
die gerade für die Erhellung des Maßmotivs wichtig sind,
nicht voll zu ihrem Recht.

Auszugehen ist von der Grundbedeutung von πληροῦν :"einen
Raum füllen"[58]. Beschrieben wird damit ein Vorgang, der
einen korrelativen Akt (das Errichten dieses Raumes) oder
das daraus resultierende Sein voraussetzt. Πληροῦν
bezeichnet einen Entsprechungsakt. Diese Grundstruktur
hat sich in allen Bedeutungen des Wortfeldes erhalten:
"einer vorausgehenden Setzung entsprechen".

Die bei BAUER unter 4) notierten Belege[59] haben nun unter

---

54) Cf. JENNI, THAT II, 379-382.

55) WB 1330-1333.

56) ThWNT VI, 285-296.

57) Pleroma 1-40; cf. auch MOULE, NTS 14, 293-320.

58) Cf. DELLING, aaO 285f.289; ERNST, aaO 4f.

59) Erfüllen - eine Verheißung etc. (Mt 1,22; 2,15.17
     u.ö.), - ein Gebot (Röm 13,8; Gal 5,14 u.ö.), -
     eine Aufgabe (Kol 4,17). Hierher gehört m. E. auch
     πληροῦν in Verbindung mit einem Zeitpunkt, im NT:
     Apg 2,1 (συμπληροῦσθαι τὴν ἡμέραν) und Joh 7,8
     (ὅτι ὁ ἐμὸς καιρὸς οὔπω πεπλήρωται). Daß καιρός
     (im Unterschied zu Mk 1,15) hier einen Zeitpunkt
     meint, zeigt die Parallelität zu 7,6 und den ὥρα -

Wahrung der gleichen Grundstruktur eine andere Bedeutung
als die Gesamtheit der in den übrigen Abschnitten (1-3,
5-6) aufgeführten Stellen. Bei den in diesen Abschnitten
angeführten Belegen für πληροῦν handelt es sich nämlich um
einen <u>linearen</u> Entsprechungsakt, um einen Prozeß, das
allmähliche Füllen eines Raumes.

Demgegenüber steht an den Stellen, die unter 4) notiert
sind, die Vorstellung von einem <u>punktuellen</u> Entsprechungsakt, dem augenblicklichen Füllen eines Raumes im Hintergrund. Und statt des konkreten "Raumes" sind hier Abstrakta
die Objekte des Entsprechungsaktes: "Voraussage, Versprechen,
Forderung, Bitte, Hoffnung etc.". Dementsprechend wird dann
das Füllen in einen abstrakten Entsprechungsakt transformiert. Es wird zu einem "Erfüllen" von Voraussage, Versprechen, Forderung, Bitte, Hoffnung etc.[60].

An allen Stellen, an denen πληροῦν im Zusammenhang des
Maßmotivs gebraucht ist, hat es die "lineare" Bedeutung:
der einmaligen Setzung des Maßes durch Gott entspricht eine
allmähliche kontinuierliche Füllung. Die Füllung ist immer
ein Prozeß. Auch innerhalb dieses linearen Bedeutungsfeldes
sind m. E. andere Differenzierungen hilfreicher als die von
BAUER vorgeschlagenen.

Einerseits hat πληροῦν hier <u>qualitative</u> Bedeutung: etwas
qualitativ Unvollkommenes wird auf das ihm gesetzte Maß an
Qualität gebracht. Hierher gehören vor allem die bei
BAUER unter 3) genannten Belege[61]. Von hieraus hat sich
dann eine Sonderbedeutung entwickelt, nämlich "etwas in
den Zustand letztgültiger Vollkommenheit bringen", also
eine spezifisch <u>eschatologische</u> Bedeutung. Hierher gehören
die Aussagen über die Freude im joh Schrifttum[62], aber
auch Aussagen wie Mt 3,15; 5,17[63]. Diese Vollkommenheit
schließt die quantitative Vollkommenheit natürlich mit
ein. Die qualitative Bedeutung ist also umfassender als
die quantitative.

Sätzen (Joh 2,4; 7,30; 8,20; 12,23; 13,1; 17,1);
cf. BULTMANN, Joh 221 A.7.

60) Diese Grundunterscheidung nimmt auch DELLING vor;
dabei nennt er die lineare "eigentliche", die
punktuelle "uneigentliche" Bedeutung (aaO 285f).

61) Röm 15,19; Kol 1,25; Phil 2,2; 2Thess 1,11; 2Kor
10,6 u.ö.

62) Joh 3,29; 15,11; 16,24; 17,13; 1Joh 1,4; 2Joh 12.

63) S.u.S.105-108.

Für die <u>quantitative</u> Bedeutung finden sich die meisten
Belege im NT. Die im Hintergrund stehende konkrete Vorstellung von der Füllung eines Hohlraumes kommt dieser
Bedeutung am nächsten. An diesem Punkt sind die Differenzierungen BAUERs nach der Beschaffenheit des Raumes
zunächst ganz hilfreich: 1a) Sachen etc.[64], 1b) Menschen[65], 2) Zeiträume[66]. Sie sollten aber ergänzt werden durch die Gruppe, die BAUER unter 6) zusammenfaßt:
Neben dem Füllen eines geometrischen Maßes (Längen-,
Flächen-, Hohl-, Gewichtsmaß), steht das eines arithmetischen Maßes (Summe)[67].

Schließlich sollte beachtet werden, daß beim Gebrauch
von πληροῦν im quantitativen Sinne in zweifacher Weise
formuliert werden kann. Bei den meisten Belegen ist
Raum und Inhalt genannt[68]. Daneben kommt es aber auch
zu der schon im AT gebrauchten "verkürzten" Redeweise[69].
Die bei BAUER unter 5) notierte Bedeutung "Vollenden,
beendigen"[70] ist dann Weiterentwicklung dieser "verkürzten" Redeweise.

Im Schema sieht die Bedeutungsentfaltung von πληροῦν so aus:

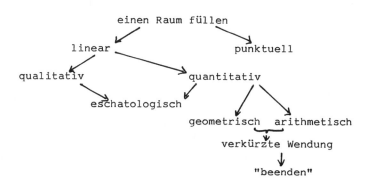

```
                    einen Raum füllen
             linear                      punktuell
    qualitativ              quantitativ
              eschatologisch        geometrisch   arithmetisch
                               verkürzte Wendung
                                    "beenden"
```

---

64) Lk 3,5; Mt 13,48 u.ö.

65) Apg 2,28; Röm 15,13 u.ö.

66) Mk 1,15; Apg 9,23; 7,30; 24,27 u.ö.

67) Apk 6,11; cf. auch 1Thess 2,16.

68) z.B.: ἦχος ... ἐπλήρωσεν ὅλον τὸν οἶκον (Apg 2,2); αὐτοὺς ... πεπληρωμένους πάσῃ ἀδικίᾳ (Röm 1,29); πεπληρώκατε τὴν Ἰερουσαλὴμ τῆς διδαχῆς ὑμῶν (Apg 5,28); χαρᾶς πληρωθῶ (2Tim 1,4); ἡ δὲ οἰκία ἐπληρώθη ἐκ τῆς ὀσμῆς τοῦ μύρου (Joh 12,3).

69) S.o.S.9.14; im NT: Lk 21,24; Apk 6,11; 1Thess 2,16 (ἀναπληρόω); Lk 1,23.57; 2,6.21.22 (πίμπλημι).

70) Lk 7,1; Apg 12,25; 13,25; 14,26; 19,21.

1. Die Limitierung der Zeit zwischen Verheißung und Erfüllung

In prophetischen Texten innerhalb des AT, vor allem im
Jeremiabuch, steht die Setzung des Zeitmaßes im Zusammenhang mit einer Verheißung Jahwes[1].

a) Jer 25,34

In Jer 25,34 heißt es innerhalb der Deutung der
Bechervision:

"Denn eure Tage sind vollzählig geworden - zum
Abschlachten"   כִּי־מָלְאוּ יְמֵיכֶם לִטְבוֹחַ

Prima vista scheint das eine Umschreibung für Sterben zu
sein, analog der Formulierung von 2Sam 7,12. Im Unterschied dazu geht es aber hier nicht um den Alterstod,
sondern betont um einen gewaltsamen Tod, wie der mit לְ
angeschlossene Infinitiv טְבוֹחַ (=abschlachten) zeigt.
Dieser gewaltsame Tod ist also vorab durch eine Verheißung
Jahwes festgesetzt. Aber nicht nur das Faktum des Todes,
sondern auch sein Zeitpunkt ist präfixiert. Die Zeit
zwischen der Ankündigung dieses Geschicks und seiner
Realisierung ist terminiert. Das bringt die Wendung

מָלְאוּ יְמֵיכֶם zum Ausdruck. Jetzt ist das Maß der
Zeit voll; jetzt ereilt sie das vorab verheißene Geschick.
Terminiert ist nicht die Zeit zwischen Geburt und Tod
(wie in 2Sam 7,12), sondern die Zeit zwischen Verheißung
und Erfüllung[2].

b) Die Verheißung der siebzig Jahre bei Jer

Daß die Zeit zwischen Verheißung und Erfüllung terminiert ist, kommt - betont und außerordentlich geschichts-

---

1) Ich habe diese Belege unter A. nicht berücksichtigt,
    weil sie im engeren Sinne eine Präformation des
    Motivs vom eschat. Maß präsentieren.

2) Das gilt auch für Ez 5,2, wo im Unterschied zu 4,8
    die Zeitangabe durch das Vollzähligwerden der Tage
    formuliert ist: כִּמְלֹאת יְמֵי הַמָּצוֹר. Die Zeit der
    Belagerung ist durch eine Setzung Jahwes prätermi-
    niert. Sie entspricht seiner Verheißung.

wirksam - ebenfalls im Jeremiabuch zur Sprache[3]. In 27,7 wird ein solches Maß zwischen einer Verheißung und ihrer Erfüllung mit "drei Generationen" bestimmt, in 25,12 und 29,10 mit "siebzig Jahren". Daß die siebzig Jahre keine exakte, sondern eine runde Zahl sind, zeigt nicht nur die Parallelität zu der Angabe von den drei Generationen, sondern auch die Tatsache, daß die gleiche Zahl in einem Text aus dem Jahr 605/4 (25,12) und in einem aus den Jahren nach 598 (29,10) steht[4].

Diese Terminierungsaussage hat allerdings an den drei Stellen des Jeremiabuches verschiedene Funktionen.

1. Die Limitierungsaussage konditioniert die Weltherrscherfunktion Nebukadnezars.

Eine der provokativen Spitzen der Verkündigung Jeremias ist ja die Proklamation der Weltherrschaft Nebukadnezars (27,5-7 u.ö.). Damit droht der heidnische König in Konkurrenz zu Jahwe als dem alleinigen Herrn der Welt zu treten. Solche Mißverständnisse werden aber dadurch verhindert, daß Jeremia den in seiner eigenen Verkündigung ausgesprochenen Weltherrschaftsanspruch des heidnischen Königs dreifach konditioniert.

a) Die Weltherrschaft wird Nebukadnezar von Jahwe verliehen. Ausdrücklich wird der Gottesspruch (27,5ff.) eingeleitet durch eine Selbstvorstellung Jahwes als Schöpfer und Lenker der Welt (V.5). Diese seine Souveränität wird durch die Herrschaft Nebukadnezars nicht beeinträchtigt, sondern im Gegenteil gerade dadurch evident. Indem Jahwe eine seiner Funktionen, nämlich die der Weltherrschaft, auf einen heidnischen König überträgt, bleibt ihm die Funktion der schöpferlichen Souveränität erhalten, ja sie wird geradezu dadurch offenbar[5]. Der souveräne göttliche Akt der Identifikation einer seiner Funktionen mit der Nebukadnezars konstituiert eine personale Differenz zwischen ihm und Nebukadnezar.

b) Jahwe nennt Nebukadnezar עַבְדִּי (25,9; 27,6; 43,10)[6]. Die Bezeichnung hält in der funktionalen Identität die

---

3) Da die Arbeit vor allem an der Nachgeschichte der Prophetie des Jer interessiert ist, kann sie getrost die literarkritische Forschung am Jeremiabuch vernachlässigen (cf. dazu EISSFELDT, Einleitung 470ff; RUDOLPH, Jer XIV-XXII). Wenn im folgenden von Jer gesprochen wird, ist dabei nicht primär an die historische Gestalt des Propheten gedacht, sondern an den jeweiligen "Urheber" des Textes.

4) Cf. RUDOLPH, Jer 161; zur Datierung der Texte: ebd 159; 181f.

5) Cf. WEISER, Jer 240.

6) Cf. dazu ZIMMERLI, ThWNT V, bes. 663 A.48.

24   personale Differenz zwischen ihnen wach. Wenn schon absolut gebrauchtes עֶבֶד "den unterworfen Zugehörigen"[7] bezeichnet, so tritt die darin enthaltene Spannung von Differenz und Identität noch deutlicher im suffigierten Nomen zutage. Der, dem die ganze Welt Knecht ist, ist selber Knecht Jahwes[8]. Die universale Herrschaft Nebukadnezars ist begrenzt durch die Herrschaft Jahwes über ihn. Er ist nicht Gott, sondern Gottes Mandatar.

c) Die Weltherrschaft des Babyloniers ist schließlich zeitlich limitiert. Die Identität in der Funktion der Weltherrschaft ist eine Identität auf Zeit. Nicht nur die Einsetzung zum Weltherrscher, sondern auch seine Absetzung ist Jahwes souveräner Akt. Die Limitierung dieses Zeitraums ist von vorneherein gegeben, und zwar auf drei Generationen, wofür an den anderen Stellen 70 Jahre steht. Die Aufhebung der funktionalen Identität des babylonischen Königs mit Jahwe führt zur Aufhebung seiner Differenz zur übrigen Welt. Seine Herrschaft über die Welt wird zu einem Dienst gegenüber einem neuen Vollstrecker der Herrschaft Jahwes aus dem Raum der Welt; das ist in Jer 27,7 prägnant mit der doppeldeutigen Wendung vom עבד zum Ausdruck gebracht.

Der präterminierte Zeitraum ist in 27,7 also eine unter drei Konditionen der – sonst nur Jahwe zukommenden – Weltherrschaft Nebukadnezars.

2. In Jer 25,12 hat die Limitierungsaussage die gleiche Funktion. Eine leichte Verschiebung aber ist insofern festzustellen, als die Aussage hier am Endpunkt der terminierten Zeit interessiert ist. Während in 27,7 alles an der Gegenüberstellung der Zeit der Unterwerfung unter den babylonischen König für drei Generationen und der auf diese Zeit folgenden Unterwerfung des babylonischen Königs selber liegt, ist die Aussage in 25,12 auf den Zeitpunkt konzentriert, an dem Jahwe sich dem babylonischen Großkönig zuwenden wird (פָּקֹד), um ihn zu entmachten. Diese Zuwendung Jahwes ist konditioniert durch den Ablauf der siebzig Jahre:

וְהָיָה כִמְלֹאות שִׁבְעִים שָׁנָה אֶפְקֹד ...

Konditionierte der limitierte Zeitraum in 27,7 die Weltherrschaft Nebukadnezars, so konditioniert er in 25,12 die Zuwendung Jahwes. Das ist ohne Zweifel eine Akzentverschiebung innerhalb gleicher Sachaussagen.

3. Eine weitere Umakzentuierung ist demgegenüber in Jer 29,10 zu beobachten. Wieder konditioniert der Zeit-

---

7)   Ebd 657,4.

8)   Cf. RUDOLPH, Jer 175.

raum von siebzig Jahren die Zuwendung Jahwes (פקד).
Diese Zuwendung Jahwes ist nun aber in ihrer Heilsbedeu-
tung für Israel im Blick. Denn Objekt der Zuwendung Jahwes
sind nun die Exilierten Israels (אֶתְכֶם), während es in
25,12 der babylonische König und sein Volk waren (עַל־
מֶלֶךְ־בָּבֶל וְעַל־הַגּוֹי הַהוּא), oder genauer: ihre Schuld
(אֶת־עֲוֹנָם). — פקד ist also in 25,12 malo sensu,
in 29,10 bono sensu gebraucht.

In Jer 29,10 wird deutlich, daß die Unheilsverheißung für
Nebukadnezar eine Heilsverheißung für die Exilierten
impliziert. Und diese Heilsverheißung für Israel wird aus
der ursprünglichen Unheilsverheißung für Babel expliziert.
Daß die siebzig Jahre zunächst Epitheton der babylonischen
Herrschaft waren, wird nämlich in 29,10 noch an dem לְבָבֶל
deutlich.

Die siebzig Jahre, die Jahwe auf sich warten läßt, wollen
im Sinne Jeremias sicher nicht exakt nachgerechnet werden.
Sie sind als "eine längere, aber begrenzte Zeit"[9] aus
dem Kontext der radikalen Unheilsverkündigung des Jeremiabuches zu verstehen, nach der die Katastrophe unausweich-
lich ist und Heil nur jenseits des Gerichts möglich wird[10].

Die siebzig Jahre bringen zum Ausdruck, daß das verheißene
Heil keiner der Verheißungsempfänger erfährt[11]. Die Treue
Jahwes zu seinem ungehorsamen Volk bleibt zwar auch im
Gericht bestehen[12], sie eröffnet ihm "Zukunft und Hoff-
nung" (29,11) - aber ohne daß sie das gegenwärtig erfahrene
Unheil für die konkreten Hörer mindert oder mildert. Erst
die Neugeborenen werden das Heil erfahren. Die Kontinuität
zwischen altem und neuem Bund liegt einzig in Jahwe.

Zusammenfassend wird für Jer deutlich:

> Die Setzung des Maßes der Zeit
> - ist Jahwes souveräner Akt
> - geht dieser Zeit voraus
> - limitiert das Unheil
> - konditioniert das Heil.

---

9) HERRMANN, Heilserwartungen 187; cf. BOUSSET-
Gressmann 246 A.1.

10) Cf. vRAD, ThAT II, 217ff; RUDOLPH, Jer XIII; cf.
bes. Kap. 24 und Kap. 29 im Vergleich zu Kap. 44.

11) Cf. RUDOLPH, Jer 161; WOLFF, Jeremia 101.

12) Cf. WEISER, Jer 254.

Indem Jahwe Heil verheißt, konstituiert er Zeit, jenseits
deren sich das Heil erfüllt. Er eröffnet so einen Zeitraum
zwischen Verheißung und Erfüllung. Die Erfüllung ist konditioniert durch den Ablauf der Zeit, durch die Füllung des
vorab gesetzten Zeitmaßes.

c) Die Siebzig-Jahr-Frist als Maß geschichtlicher Zeitabschnitte
----

Am Ende von 2Chr wird die Erfüllung dieser Verheißung aus
dem Jeremiabuch konstatiert (36,21). Dabei wird das Unheil
vor allem unter dem Gesichtspunkt des brachliegenden Landes
konkretisiert (כָּל יְמֵי הֳשַׁמָּה) und dann so
erklärt, daß das Land die nicht eingehaltenen Sabbatjahre
nachgeholt habe. Dabei wird auf Lev 26,34f Bezug genommen,
wo sich wie Jer 25,11 das Stichwort שָׁמָה findet[13].

Auch hier taucht die charakteristische Redeweise auf, hinter der die Maßvorstellung steckt: לִמְּלֹאות שִׁבְעִים שָׁנָה

Sie steht in Parallelität zu der andern: לִמְלֹאות
דְבַר־יְהוָה בְּפִי יִרְמִיָהוּ. Damit wird Konnex und Struktur-
verwandtschaft von Maßmotiv und dem Problem von "Verheißung
und Erfüllung" indirekt bestätigt.

Indem der Chronist die Siebzig-Jahr-Frist mit Hilfe von
Lev 26,34f neu deutet, wird im übrigen seine theokratisch-
antieschatologische Haltung[14] deutlich, nämlich daß er
diese "prophetische Tradition übernimmt, um sie seinem
Verständnis anzupassen und auf diese Weise zu neutrali-
sieren"[15]. Mit seiner "Deutung dieses Zeitraumes im
Sinne einer abgeschlossenen Gerichtszeit" möchte "er eine
noch zu seiner Zeit lebendigen eschatologischen Erwartung,
die sich u. a. auch der Zahl 70 bedienen konnte und vielleicht bedient haben wird, die Grundlage entziehen"[16].

Schließlich wird die Verheißung der siebzig Jahre im
Danielbuch aufgenommen[17]. In ihrer auf Nebukadnezar

---

13) Cf. WOLFF, aaO 104.

14) Cf. PLÖGER, Theokratie 132-134.

15) PLÖGER, Jahre 127.

16) Ebd 129; anders: WOLFF, aaO 105 A.4.

17) In Sach 1,12; 7,5 wird zwar auch auf die Verheißung
     der siebzig Jahre Bezug genommen und zwar als "eine
     relativ genaue Angabe über den Beginn der Heilszeit"

bezogenen Gestalt steht sie wahrscheinlich hinter der
Legende in <u>Dan 4.</u> Wie in Jer 27,7; 25,12 hält hier die
Zeitlimitierung die Differenz zwischen der Weltherrschaft
Nebukadnezars und der ihr übergeordneten Herrschaft Jahwes,
der sie sich verdankt, offen.

Dabei differiert Dan 4 gegenüber der Jer-Tradition insofern, als hier der limitierte Zeitraum ein Zwischenstadium
innerhalb der Herrschaftsepoche Nebukadnezars markiert, die
ihn zur wahren Gotteserkenntnis bringt, statt die gesamte
Dauer seiner Dynastie zu bestimmen. Statt drei Generationen
oder siebzig Jahre ist hier eine in Dan auch sonst anzu-
treffende schwebende Formulierung[18] gebraucht:

"Sieben Zeiten sollen über ihn dahin gehen"[19].

שִׁבְעָה עִדָּנִין יַחְלְפוּן עֲלוֹהִי

Das viermalige Vorkommen dieses Satzes in Kap.4
(V.13.20.22.29) erweist ihn als Leitmotiv und wichtiges
thematisches Element der Legende. Zweimal wird der Ursprung
dieses Zeitmaßes in einem göttlichen Dekret betont
(V.14.21)[20], also wie bei Jer als souveräne Setzung Jahwes
deklariert.

Dabei hat die Zerlegung der siebzig Jahre in sieben Zeiten
zeitgenössische Analogien. In Sib III, 280f wird die Angabe von siebzig Jahren – exakt – in sieben Dekaden, in
EpJer 2 umgedeutet – in sieben Generationen zerlegt. Beide
Stellen können aber schon deshalb nicht von Dan 4 abhängig
sein, weil hier der Zeitraum eine Epoche der Geschichte
Israels und nicht wie in Dan 4 eine Epoche im Leben Nebukadnezars bezeichnet. Alle drei Stellen werden an einer ihnen
vorgegebenen Tradition partizipieren.

Die limitierte Zeit soll der Erkenntnis dienen, "daß
der Höchste Macht hat über das Königtum der Menschen,
daß er es gibt, wem er will, und auch den niedrigsten
der Menschen darüber setzen kann" (V.14; cf. V.22.29.31f.

(PLÖGER, aaO 126), aber ohne die Maßterminologie.
Auch in Jes 23, 15.17 wird das פקד Jahwes durch eine
Siebzig-Jahr-Frist konditioniert (hier gegenüber Tyros)
– auch hier ohne Maßterminologie.

18) S.u.S.32.34.

19) Die LXX deuten die עִדָּנִין als ἔτη (4,16); Theodotion übersetzt wörtlich mit καιροί (4,16.23.25.32).

20) Cf. Zur Umdeutung der "Wächter" (V.14): BENTZEN,
Dan 43; PORTEOUS, Dan 55; PLÖGER, Dan 75f.

34). Das ist am ehesten als Echo auf die Charakterisierung Nebukadnezars als עֶבֶד־יְהֹוָה durch Jer zu
verstehen. Die Unterordnung des heidnischen Großkönigs
unter die universale Jahweherrschaft ist "geradezu das
Thema des Kapitels"[21] und darüber hinaus ein zentrales
Anliegen des Dan[22].

Die Verheißung der siebzig Jahre bei Jer ist in Dan 4
zwar umgedeutet, sie konditioniert aber wie bei Jer den
Herrschaftsanspruch des heidnischen Königs und dient so
dem Erweis der universalen Jahweherrschaft.

2. Das eschat. Maß bei Dan

a) Dan 9

α)Expressis verbis ist die Verheißung der siebzig Jahre
in Dan 9 aufgenommen, wobei die Konkretion des Unheils
hier in der Verwüstung Jerusalems gesehen wird (V.2). An
die Stelle des לְבָבֶל aus Jer 29,10 tritt nun לְחָרְבוֹת
יְרוּשָׁלַ͏ִם als Näherbestimmung der siebzig Jahre.
Dieser Terminus erlaubt,zweizeitig verstanden zu werden[1].
Er bezieht sich sowohl auf die Verwüstung Jerusalems zur
Zeit des fiktiven Daniel, wie auf die Schändung des Heiligtums 167 a.Chr.n. durch Antiochus IV. Epiphanes[2].
Auch hier findet sich die Redewendung mit מלא, die die
Maßfüllung zum Ausdruck bringt. Dan 9,2 ist im übrigen
einer der wenigen Texte, in denen das Maß, das gefüllt
wird (מִסְפָּר), ausdrücklich genannt ist: מִסְפָּר
הַשָּׁנִים ... לְמַלֹּאות ... שִׁבְעִים שָׁנָה.

---

21) PLÖGER, Dan 75; cf. PORTEOUS, Dan 51.

22) Cf. 2,21f.37f.47; 3,15; 5,21.23; 6,26f; 7,14; cf. auch
     die Schilderung Antiochus' in 8,10f; 11,36.

 1) WOLFF, aaO 109, möchte aus einer vermeintlichen Nähe
     von חָרְבוֹת und שָׁמֵם schließen: "Daniel ist in
     erster Linie von 2.Chr. 36,20f beeinflußt", aber die
     Brache des Landes ist doch etwas anderes als die Ver-
     wüstung Jerusalems.

 2) Zur geschichtlichen Situation Cf. BICKERMANN, Gott;
     NOTH, Geschichte 322-343; HENGEL, JuH 503-532; LOHSE,
     Umwelt 12-15; GUNNEWEG, Geschichte 151-158; WOLFF,
     aaO 111f.

Dan 9 knüpft an die Jeremia-Verheißung an und deutet sie
neu. In dieser Neuinterpretation der Siebzig-Jahr-Frist
auf die Zeit bis zum Ende wird nun exakt die Vorstellung
vom eschat. Maß erkennbar.

Natürlich kann man darüber streiten, ob nicht auch schon
bei Jer das Maß der siebzig Jahre als "eschat. Maß" bezeichnet werden könnte. Versteht man mit vRAD[3] u. a.
die Heilsverkündigung in Jer als "eschatologisch", ist
diese Terminologie in gewisser Weise berechtigt.
Andererseits konditioniert bei Jer zwar wie bei Dan
das Siebzig-Jahr-Maß die Erfüllung eschat. Verheißung.
Diese Verheißung ist aber bei Jer nicht als Ende, gar
als Ende der Zeit bezeichnet. Gerade diese Termini beherrschen die Botschaft Dan[4]. Sie sind zwar nicht seine
freie Schöpfung, sondern knüpfen an verschiedene prophetische Traditionen an[5], aber bei ihm sind sie zum ersten
Mal konzentriert; und vor allem: sie umschreiben den
Endpunkt des durch das Maß bestimmten Zeitraums.

Das 9.Kapitel ist von zentraler Bedeutung für das Danielbuch, "gleichsam das Gelenk, um das sich die gesamte
Geschichtsschau dreht"[6].

β)Die Neudeutung der siebzig Jahre als eschat. Maß
der Zeit ergeht als Gottesoffenbarung an Dan, vermittelt
durch den Engel Gabriel. Sie ist göttliche Antwort auf
das Gebet Daniels (V.4-19), das keineswegs einen Fremd-
körper innerhalb Dan darstellt, erst recht keine "spätere
Einlage"[7] ist, sondern vielmehr "ein organischer Bestand-
teil des Kapitels"[8].
C. WESTERMANN hat in seiner Untersuchung zu "Struktur
und Geschichte der Klage im AT" gezeigt, daß auch Dan 9
zur Nachgeschichte at. Klage gehört: "Die Klage klingt
noch an, aber sie ist ersetzt durch das Sündenbekenntnis
Das Bußgebet ist also auch eine Abwandlung des Klage-
psalms, in der die Klage fast oder ganz zurücktritt und
an ihrer Stelle ein anderes Motiv den Psalm beherrscht"[9].

---

3) ThAT II, 121-129. 217ff.

4) Häufigster Begriff: עֵת־קֵץ (8,17; 11,35.40; 12,4.9);
   קֵץ auch in 8,19; 9,26 (2x); 11,27; 12,13; (9,25 v.l.);
   cf. vdOSTEN-SACKEN, Apokalyptik 37f.

5) Ebd 39-43.

6) KOCH, HZ 193, 21.

7) BENTZEN, Dan 75.

8) PLÖGER, Dan 139; cf. 135; den überzeugenden Nachweis
   von JONES, VT 18, 488ff; ZIMMERLI, Prophetie 585.

9) 300; nach PLÖGER "bietet das Gebet eine gewisse Abwandlung der reinen Kollektivklage" (Dan 137); cf.
   zum deuteronomistischen Hintergrund STECK, Israel
   113-115.

Das theologische Problem der Gerechtigkeit Gottes im
Gegenüber zu Israels Schuld bildet den Hintergrund. Dabei
wird die Verheißung Gottes nicht mehr (wie in at. Klage)
eingeklagt, sondern demütig erbeten. Das Gebet läuft in
Dan 9,19 nämlich zu auf die Bitte:

> "Herr, merke auf und greife ein! Zögere nicht!
> Denn dein Name ist ausgerufen über deiner Stadt
> und deinem Volk!"

Hinter dem "Zögere nicht!" (אַל־תְּאַחַר) steht zweifel-
los die "Wannfrage", die ihren genuinen Ort in den at.
Klageliedern hat[10] und in Dan 8,13; 12,6 auch explizit
zum Ausdruck kommt (עַד מָתַי). Wie im at. Klagepsalm
auf die Klage das "Bekenntnis der Zuversicht" folgt, so
hier eine neue Zuversicht stiftende göttliche Antwort.
Kann man das Gebet in Dan 9,4-19 als Spätform eines Klageliedes verstehen, so V.24-27 als eine Weiterentwicklung des
"Bekenntnisses der Zuversicht" zu einer <u>Zuversicht stiften-
den Heilszusage</u>[11].

Die göttliche Heilszusage knüpft bewußt an ergangene Verheißung an, bekräftigt sie und modifiziert sie zugleich.
Aus der ergangenen Verheißung Jahwes, die in der Gegenwart
durch gegenläufige Erfahrungen bestritten und so zur <u>nicht</u>
erfüllten Verheißung wird, wird durch die Heilszusage nun
umgekehrt eine <u>noch nicht</u> erfüllte Verheißung. Die Erfüllung ist konditioniert durch die der Erfüllung voraus-
liegende bemessene Zeit. Solange dieses Maß der Zeit nicht
voll ist, kann die Erfüllung nicht eintreffen.

γ) Das Maß der Zeit konditioniert das Kommen des Endes,
das in doppelter Weise beschrieben ist: es bedeutet das
<u>Ende des Unheils</u> und den <u>Beginn des Heils.</u> Darin zeigen
sich bei allen Differenzen auch wieder die Analogien zu
Jer. Wie bei Jer ist nämlich durch das Maß der Zeit das
Unheil limitiert und zugleich das Kommen des verheißenen
Heils konditioniert. Durch drei parallele Wendungen wird

---

10)   WESTERMANN, aaO 276.

11)   Da der Text selber sich betont als göttliche Offen-
      barung zu erkennen gibt, ist die Formulierung WOLFFs
      durchaus nicht sachgemäß: Die "Deutung der jeremia-
      nischen Weissagung... ist das <u>Produkt der Überlegung</u>
      eines Mannes, der... seinem Volk anhand der jeremia-
      nischen Weissagung neuen Mut machen wollte, den Ge-
      fahren der Hellenisierung entschlossen zu widerstehen."
      (Jeremia 112, Hervorhebung von mir).

beschrieben[12].

"Siebzig Siebenereinheiten sind festgesetzt
über dein Volk und deine heilige Stadt,

um den Frevel einzuschließen
und die Sünde zu versiegeln
und die Schuld zu sühnen

und Gerechtigkeit für ewig zu bringen
und Vision und Prophetie zu bestätigen
und ein Allerheiligstes zu salben."   (9,24)

In der ersten Gruppe werden drei in etwa synonyme Begriffe
genannt, die in den Bereich des Unheils gehören, in der
zweiten Gruppe dazu antithetisch "die positiven Güter der
Heilszeit"[13].

Die prophetische Unheilsansage ist damit radikalisiert.
Die Zeit des Unheils, zunächst auf die Exilszeit beschränkt,
wird bis in die Gegenwart hellenistischer Religionsverfolgung hinein verlängert. Sie wird in 8,19; 11,36 als "Zorn-
zeit" (זַעַם) bezeichnet[14]. Zugleich ist die Limitierung des Unheils hier zu seiner Beseitigung gesteigert.
Die ungesühnte Schuld wird innerhalb dieses Zeitraums
(vielleicht durch das zu tragende Unheil) gesühnt sein und
neue Schuld nicht mehr geschehen.
Dementsprechend kann das Heil radikal als צֶדֶק עֹלָמִים
beschrieben werden: die Tat-Ergehen-Folge bleibt ungestört.
Erwartet wird also eine "göttliche (.) Aktion der Herstel-
lung dauerhafter göttlicher Heilsordnung"[15]. Das wird ausdrücklich als Erfüllung ergangener - visionärer und prophetischer - Verheißung deklariert. In der Ansage der Sal-
bung des Allerheiligsten spricht sich dann das Herzstück
aktueller Erwartung Daniels aus: die Restitution des ge-
schändeten Tempels[16].

---

12) Cf. PLÖGER, Dan 134. Der Text ist unsicher. Es gibt
     zahlreiche Versuche, ihn zu verändern (cf. BAUMGART-
     NER in BHK). Ob er dadurch allerdings verbessert wird,
     bleibt fraglich. Ich halte mich im Folgenden an den MT,
     wobei ich וְהַתֹּם mit dem schwierigen Ketib lese (cf.
     PLÖGER, Dan 134; WOLFF, aaO 106; ZIMMERLI, Prophetie
     586). Am wahrscheinlichsten ist, "daß die Versionen
     im wesentlichen schon unsere Textgestalt vor sich
     hatten und sie in ihrer Weise wiederzugeben versuchen"
     (BAUMGARTNER, ThR 11,68).
13) BENTZEN, Dan 66.
14) ZIMMERLI, Grundriß 208.
15) ZIMMERLI, Prophetie 586 A.29; cf. KOCH, aaO 25.
16) PLÖGER, Dan 134; ZIMMERLI, aaO 586f.

ɣ) Die Setzung des eschat. Maßes wird hier mit נֶחְתַּךְ
ausgesprochen. חתך ist Hapaxlegomenon im AT, aber
im nachat. Hebräisch belegt[17]; es ist also ein "moderner"
Ausdruck. Die Niphal-Form ist Passivum divinum; so wird
die souveräne schöpferliche Maßsetzung Jahwes, die schon
bei Jer deutlich wurde, festgehalten und ihre <u>Theonomie</u>
unterstrichen. Das Perfekt deutet zudem an, daß diese
Setzung vorab geschehen und darum jetzt abgeschlossen ist.
Man kann fragen, ob sich durch diese "moderne Terminologie"
ein Wandel im Gottesverständnis ankündigt. יְהוָֹה חֹתֵךְ
könnte der Ansatz sein für das Gottesverständnis im 4Esr
und sBar, bei denen Jahwe der Gefangene seiner eigenen
Dekrete ist.

ε) Die Zeit bis zum Ende wird nicht nur als limitiert
deklariert, sondern zugleich wird die <u>Größe des Maßes</u> mit
siebzig Siebenereinheiten angegeben. Die schwebende Formulierung,die grundsätzlich für verschiedene Deutungen
offensteht, wird gleichwohl eindeutig verstanden. Sie
wird nämlich dazu benutzt, die Zeit bis zum Ende exakt zu
berechnen, um den eigenen Standort im Verhältnis zum Ende
genau zu erkennen. Die Siebenereinheiten sind als Sieben-
jahreszyklen verstanden, die Zeit zwischen der ergangenen
Verheißung durch Jer bis zum Ende der Zeit also für 490
Jahre bestimmt.
Dabei ist die Zerdehnung der prophetischen Siebzig-Jahr-
Frist wohl kaum eine Schöpfung des Dan. Belegt ist eine
solche Dehnung und eine ähnliche Zerlegung durch verschiedene zeitgenössische Quellen, die wahrscheinlich von Dan 9
unabhängig sind:[18]

"Bis zu sieben Generationen" (EpJer 2)
"Siebzig Regierungszeiten" (äHen 89,59ff).

ſ) Interessiert ist Dan vor allem an dem letzten Sieben-
jahreszyklus, seiner <u>Gegenwart</u>. Die Hälfte dieses Zyklus
ist nämlich durch zwei furchtbare Ereignisse gerahmt, die
die Glaubenden in tiefe Anfechtungen versetzt haben:

---

17)   Cf. KBL 343; BENTZEN, Dan 66, PLÖGER, Dan 134.

18)   PLÖGER denkt auch an eine Präformation durch die
      "Verkürzung" der siebzig Jahre auf ungefähr fünfzig
      Jahre in 2Chr 36,20f; (Jahre 130; Dan 134); cf. WOLFF,
      aaO 109.

Die Ermordung des zuvor abgesetzten rechtmäßigen Hohenpriesters Onias III. und dreieinhalb Jahre später die Schändung
des Tempels durch Antiochus IV. Damit "war der Anfangs-
und Mittelpunkt der letzten Jahrwoche geschichtlich vorgegeben... Ihr Endpunkt, der Tod des Bedrängers und die Wie-
derherstellung des Heiligtums, stand noch aus. Auf ihn ist
das ängstliche Harren, Warten und Tagezählen des Apokalypti-
kers gerichtet"[19].
Diese Rechnung wird nicht ins Blaue hinein angestellt. Sie
ist keine Spekulation. Sie will vielmehr aktualisierende
Deutung ergangener Verheißung sein. Darum bezieht sich der
Vf. auf die Jer-Verheißung, mit der ihm das Motiv göttlicher
Limitierung der Zeit zwischen Verheißung und Erfüllung
und die Zahl siebzig vorgegeben war[20].
So hat Dan ein "prophetisches Wort auf bestimmte Notzeit-
erfahrung verrechnet"[21]. Seine Intention ist dabei aus-
schließlich parakletischer Art. Er möchte durch solches
Rechnen der ergangenen Verheißung Jahwes in bedrängenden
Anfechtungen gewiß werden und bleiben und seine Leser an
dieser Gewißheit teilnehmen lassen.

b) Die konkreten Rechnungen mit dem eschat. Maß

Von solcher angefochtenen und dennoch beharrlichen Zuversicht geben auch die verschiedenen anderen Berechnungen
des Dan Kunde.
Die Konzentration auf den letzten Siebenerzyklus, der
durch die dreieinhalb Jahre auseinanderliegenden Ereignisse der Ermordung des Hohenpriesters und der Schändung
des Tempels prästrukturiert ist[22], zeigt die wiederholte
Nennung von dreieinhalb Zeiten (7,25; 12,7). Unter dem
Gesetz der Symmetrie erwartet der Vf. den Termin des Endes
zu dem Zeitpunkt, der vom Höhepunkt der letzten Bedräng-
niszeit (der Schändung des Tempels) genauso weit entfernt

---

19) HANHART, Studien 16

20) Auch die Zerlegung war ihm wohl schon durch die
     Tradition vorgegeben; s.o.S.32.

21) ZIMMERLI, Grundriß 209.

22) Cf. BAUMGARTNER, aaO 223f: "Deutlich ist die Drei-
     teilung der 70 Wochen. Von den drei Teilzahlen waren
     die erste und letzte ...offenbar durch die tatsäch-
     lichen Zeiträume nahegelegt".

ist wie der Anfang: nämlich dreieinhalb Jahre. Die schwebende Terminologie, die מוֹעֵד bzw. wie in Dan 4 עִדָּן
statt שָׁנָה gebraucht und ihre Analogie in dem deutungsoffenen Wort שָׁבֻעִים (9,24) hat, gehört wie die
ungewöhnliche Formulierung (Singular, Plural, Bruchteil)
zum charakteristischen Stil dieser Literatur[23].

Die dreieinhalb Jahre sind in 12,11 dann in 1290 Tage um-
gerechnet[24]. Diese Rechnung divergiert aber mit zwei
anderen Maßangaben. In 8,14 wird der Zeitraum, in der der
Tempelkult sistiert ist, mit 1150 Tagen (2300 Abend- und
Morgenopfern) angegeben, also fast ein halbes Jahr weniger
als dreieinhalb Jahre und in 12,13 mit 1335 Tagen, also
eineinhalb Monate mehr[25].

Dabei kann vermutet werden, daß der Zeitraum von 1150 Tagen
eine erste Antwort darstellt, die durch den Gang der Ereignisse, nämlich das Ausbleiben der Wende, überholt wurde.
Über die Herkunft dieser Zahlangabe ist Sicheres nicht
auszumachen. Der Zeitraum von 1290 Tagen, der exakt dreieinhalb Jahre ausmacht und zugleich ein Element der
Rechnung mit den siebzig Siebenereinheiten darstellt, ist
dann wohl ein "zweiter Versuch", ein Versuch, der inten-
siverem Hören auf die Verheißungen Jahwes entstammt. Denn
"hier wird nicht übergeschichtlich spekuliert, sondern aus
konkreter Geschichte heraus im Hören auf zuvor ergangene
prophetische Verheißung zum Ende hin gerechnet"[26].

R. HANHART macht wahrscheinlich, daß die letzte Angabe von
1335 Tagen dem tatsächlichen historischen Ablauf entspricht.
Sie ist möglicherweise von anderer Hand ex eventu zugefügt
worden[27]. Doch ist die Verheißung auch damit nicht voll
erfüllt, denn die Füllung des eschat. Maßes sollte "mit
der Wiederweihe des Tempels auch das Ende des Verfolgers

---

23)   Die Angabe "Zeit, Zeiten, Teil an Zeit" steht nach
      PLÖGER auch hinter der Dreiteilung der 70 Siebener-
      einheiten in Dan 9,24-27: 7 + 62 + 1 (Dan 142).

24)   42 mal 30 Tage plus 30 Tage (Schaltmonat); HANHART,
      aaO 16.

25)   BILLERBECK, IV, 996-1001, will die Divergenzen mit
      den Unterschieden zwischen Sonnen- und Mondkalender
      erklären - schwerlich zu Recht; cf. VOLZ 143.

26)   ZIMMERLI, aaO 209.

27)   AaO 16f.

und den Anbruch der Heilszeit bringen..., was eben nicht
der Fall war"[28].

Die Divergenzen zeigen eindrücklich, "daß das Zeitschema
für den Apokalyptiker lediglich Symbolbedeutung, nicht
die Bedeutung hatte, Geschichte zu manipulieren"[29]; "sie
lassen erkennen, mit welch knapper Berechnung man das lei-
denschaftlich herbeigesehnte Ende erwartete"[30].

Sowohl in 8,13f wie in 12, 5-13 sind die Terminaussagen
Antwort auf die explizite Wannfrage. Die Abschnitte weisen
in Kurzform die gleiche Struktur wie Kap. 9 in ausge-
führter Form auf, nämlich die Grundstruktur at. Klage. Hier
wie da ergeht die Terminansage als göttliche Heilszusage
auf die von Anfechtungen geprägte Frage des Beters.

Das Problem der unerfüllten Verheißung wird also so zu
lösen versucht, daß die Verheißung Jahwes als irreversible
Konstante angesehen wird, von wo aus die erfahrene gegenläufige Wirklichkeit in ständig neuen Anläufen bestritten
wird. Das eschat. Maß hat dabei die Funktion, die Konstanz
göttlicher Verheißung gegen die sie bestreitende Wirklichkeit festzuhalten und zu verstärken. Es steht ganz im Dienst
der Paraklese.

c) Dan 8,23

Das Motiv vom eschat. Maß kommt auch in Dan 8,23 zum Ausdruck. Nachdem die Herrschaft der Diadochen angekündigt
ist, wird der Übergang zum Auftritt Antiochus' IV. mit den
Worten geschildert:

> "Am Ende ihrer Herrschaft, wenn die Frevler voll-
> endet haben, wird ein König erstehen..."

Nach dem Kontext sind die Frevler (הַפֹּשְׁעִים)die Herr-
scher der Fremdvölker. Der Auftritt des Antiochus ist
dadurch bedingt, daß diese ein Maß füllen (תָּמַם, Hif.).
Hier fehlt allerdings nicht nur die Nennung des Maßes -
was ja nicht ungewöhnlich ist -, sondern auch die des In-

---

28) BAUMGARTNER, aaO 209.

29) HANHART, aaO 16.

30) PLÖGER, Dan 173, der allerdings im Gegensatz zu
    HANHART die 1150 Tage im Einklang mit 1Makk für
    die den historischen Ereignissen entsprechende
    Angabe hält (Dan 127). Aber warum sollte der Ter-
    min später erweitert worden sein, wenn nicht darum,
    weil erst die letzte Rechnung aufging?

halts. Die Übersetzungen[31] denken an ein Sündenmaß, setzen also die Vorstellung voraus, daß den Herrschern ein bestimmtes Maß gesetzt ist, das sie durch ihren Frevel füllen und damit das Ende herbeiführen. Ob das schon die hebräische Textfassung meint, ist fraglich. Näher liegt die Deutung, daß sie das ihnen gesetzte Maß an Zeit füllen.

Dan hat in 7,12 auf alle Fremdvölker, die Israel beherrschen, übertragen, was Jer für Nebukadnezar und die Babylonier angesagt hat; im Hinblick auf sie, bzw. ihre "Tierrepräsentanten" sagt er:

> "Die Lebensdauer wurde ihnen auf Zeit und Stunde bestimmt."

$$\text{וְאַרְכָה בְחַיִּין יְהִיבַת לְהוֹן עַד־זְמַן וְעִדָּן}$$

Darauf bezogen, heißt es in 8,23: "Sie haben das ihnen gesetzte Maß erfüllt." Damit ist zwar nicht das Maß der gesamten Zeit bis zum Ende gemeint, wohl aber das Maß einer Zeitepoche auf dem notwendigen Weg dorthin.

Zu vergleichen sind die Wendungen aus der Tierapokalypse (äHen 85-90), in der von den Hirten, die in der Allegorie Fremdvölker repräsentieren, gesagt ist:

> "...und alle vollendeten jeder seine Zeit wie die früheren..." (90,1)

> "...bis daß 23 Hirten die Weide übernahmen, und sie vollendeten je zu ihrer Zeit 23 Zeiten" (90,5).

d) Zusammenfassung

In Dan ist also die prophetische Ansage der siebzig Jahre als Maß der Zeit zwischen Verheißung und Erfüllung transformiert zum eschat. Maß. Dabei sind folgende Modifikationen erkennbar.

1. Konditionierte die limitierte Zeit bei Jer Jahwes heilstiftende Zuwendung zu seinem Volk (פָקַד), konditioniert sie bei Dan das Kommen des Endes.

2. Die siebzig Jahre bei Jer werden bei Dan zu siebzig Siebenereinheiten zerdehnt.

3. War die Siebzig-Jahr-Frist bei Jer Angabe einer nicht genau zu bestimmenden "runden Zahl", dient sie bei Dan als Grundlage einer genauen Berechnung.

---

31) S. BHK z.St.

4. Während die Zeitlimitierung bei Jer die Unheilsansage verschärfte ("erst wenn siebzig Jahre um sind..."), dient sie bei Dan dazu, der Nähe des Heils gewiß zu werden.

5. Das bei Jer durch die siebzig Jahre limitierte Unheil und konditionierte Heil, wird bei Dan radikalisiert und aktualisiert.

6. Schließlich zeigt sich in der Wahl "moderner" Terminologie (חתך) der Ansatz zu einem Wandel im Gottesverständnis: Jahwe, der bei Jer frei verheißt, hat hier ein Dekret erlassen, das als solches die Tendenz hat, sich gegenüber Jahwe zu verselbständigen.

3. Das eschat. Maß neben und nach Dan

Auch außerhalb Dan hat das Motiv des eschat. Maßes in verschiedenen Aussagen seinen Niederschlag gefunden.

a) Die Komplettierungsformel

Die Komplettierungsformel, die ich oben[1], bezogen auf die menschliche Lebenszeit und andere Zeiträume (im AT, in nachat. jüdischer Literatur und im NT) aufgewiesen habe , wird in verschiedenen Schriften für die Zeit bis zum Weltende gebraucht. Ja, sie entwickelt sich hier zu einer geradezu technischen Ausdrucksweise für die Ankunft des Endes. Dabei sind wieder terminologische Nuancen zu beobachten.

ɑ) Nirgendwo wird - soweit ich sehe - die konkrete Redeweise benutzt, die das Maß und zugleich die Zeit als seinen Inhalt nennt[2].

β) Beherrschend ist die verkürzte Redeweise; aber bis auf AntB 3,10 (Cum autem completi fuerint anni saeculi) werden nicht mehr die natürlichen, erfahrbaren Zeiteinheiten (Jahre, Tage etc.) genannt, sondern nun überwiegend abstrakte Zeitbegriffe, in 1QM 1,8; Tob 14,5 (A,B) durch

---

1) S.o.S. 9ff; 13f; 16f.
2) Cf. aber CD 4,10, wo למספר השנים האלה immerhin nachgetragen wird (s.u.).

38 ein Nomen determiniert:

עד תום כל מועדי חושך (1QM 1,8)

ἕως πληρωθῶσιν καιροὶ τοῦ αἰῶνος (Tob 14,5; A,B)

Et hic cursus (temp)orum...donec consummentur (AssMos 10,13)

...donec compleantur tempora (AntB 3,9)

...bis daß die vorhergesagten Zeiten sich vollenden (sBar 40,3)

...saecula eius completa sunt (4Esr 11,44)

ˠ) Schließlich wird ein abstrakter Zeitbegriff im Singular gebraucht. Er ist an die Stelle des Maßbegriffs getreten, denn in CD 4,8-10; Tob 14,5 (ℵ) wird diese singularische Angabe zusätzlich durch pluralische ergänzt:

עד (ה)שלים הקץ השנים האלה

ובשלים הקץ למספר השנים האלה (CD 4,8.10)

πληρωθῇ ὁ χρόνος σὺν καιρῷ Tob 14,5; ℵ)

Nur selten wird die Komplettierung vom tempus allein angesagt:[3]

quousque compleatur tempus saeculi (AntB 23,13)

completum fuerit tempus (AntB 28,9)

Für die späteren Schriften ist also nicht mehr das Zeitverständnis vorauszusetzen, das Zeit und Geschehen unlösbar zusammensieht. Hier zeigt die Terminologie vielmehr, daß die Zeit vom Geschehen abstrahiert wird und primär "quantitativ" gedacht ist:

Mose bittet Gott: ostende mihi quanta quantitas temporis transiit et quanta remansit. (AntB 19,14)

Ganz ähnlich bittet der Seher in 4Esr 4,45f: si plus quam praeteriit habet venire aut plura pertransierunt super nos. Quoniam quod pertransiit scio; quid autem futurum sit, ignoro. (cf. 6,20)

b) Andere Aussagen

Neben der Komplettierungsformel steht die Finalisierungs-formel, die das gleiche aber mit anderer Metapher als der Maßvorstellung zum Ausdruck bringt. Die vorherrschende Terminologie ist hier כלה, אמר, τελεῖν, finiri[4].

---

3) Cf. auch Pap Oxyr. II, 275,24; zitiert bei BAUER, WB 1331: μέχρι τοῦ τὸν χρόνον πληρωθῆναι.

4) 1 QpHab 7,2; äHen 16,1; TestRub 6,8; TestLev 10,1; TestSeb 9,9; Sib III, 569.741.807; AssMos 7,1; 4Esr 3,9.23; 11,39.44; 14,5.9; sBar 40,3; 59,4.8. MUSSNER, Gottesherrschaft 86f, Gal 298f, differenziert hier nicht, sondern setzt die Maßvorstellung auch für die Finalisierungsformel voraus – zu Unrecht.

In äHen 47,4 steht die auffällige Formulierung "Die Zahl
der Gerechtigkeit ist nahe gekommen". Das könnte eine Anspielung auf Dan 9,24 sein. Dann wäre auch damit das Motiv
vom eschat. Maß zum Ausdruck gebracht[5].

Gelegentlich wird auch die Setzung des eschat. Maßes genannt. Innerhalb der Lehrerzählung vom Engelfall heißt es:

> "So binde sie (die gefallenen Engel) für siebzig
> Generationen unter die Hügel der Erde bis zum Tag
> ihres Gerichts und ihrer Vollendung, bis das ewige
> Endgericht vollzogen wird." (äHen 10,12)

War in Dan 9,24 die Zeit zwischen dem Beginn des Exils und
dem Ende der Welt terminiert, so hier zwischen Sintflut und
Weltende.

Zugleich ist eine Verschiebung des Interesses festzustellen:
Diente bei Dan das Motiv vom eschat. Maß der akuten Paraklese, ist es hier zu einem Element theologischer Belehrung
geworden. Innerhalb des angelologischen Henochbuches ist
es ein eschat. Lehrtopos neben anderen.

Ein weiterer Schritt in diese Richtung ist dann die Präterminierung der gesamten Zeit seit der Schöpfung. Sie
könnte im Hintergrund sowohl der Tierapokalypse (äHen
85-9o) wie der Zehn-Wochen-Apokalypse (äHen 93; 91,12-17)
stehen[6] wie hinter der Konzeption des Jub.

Der Akt dieser Präterminierung ist in diesen Schriften zwar
nicht ausdrücklich erwähnt. Die alle drei Schriften beherrschende Periodisierung der Zeit könnte aber Konsequenz der
Vorstellung vom eschat. Maß sein[7].

Von hier aus sind die Traditionen zu verstehen, die mit
einer ganz bestimmten Dauer der Weltzeit rechneten. P. VOLZ

---

5) Die Stelle wird im Zusammenhang mit dem Motiv vom
numerus iustorum ausführlich analysiert: s.u.S.112ff.

6) Hier ist jedoch Vorsicht geboten. In der Zehnwochenapokalypse ist auf keinen Fall mit dieser Periodisierung schon ein Dogma der fixierten Weltdauer verbunden, da die einzelnen Wochen sehr unterschiedlich
lange Zeiträume umfassen. (Cf. LICHT, JJS 16,178ff).
Daß diese Geschichtssummarien "deterministisch" seien,
hat REESE mit guten Gründen zurückgewiesen (cf. Geschichte, passim, bes. 62); cf. aber DEXINGER, der
neuerdings wieder unreflektiert von "Determinismus"
spricht (Zehnwochenapokalypse 183).

7) "Die Einteilung ist zwar nicht etwas rein Eschatologisches, sie ist aber immer aufs Eschatologische ab-
gezweckt",VOLZ 141.

stellt Belege zusammen für die Angabe von 7000, 6000, 4231 und 5000 Jahren als dem Maß der Weltzeit[8]. Das Motiv vom eschat. Maß ist hier ganz deutlich zu einem "Dogma der Weltdauer"[9] transformiert, von dem aus dann sehr vielfältige eschat. Reflexionen ermöglicht wurden. Freilich, darf der Umfang und die Bedeutung solcher Zahlenspekulationen nicht überschätzt werden. Auf keinen Fall liegen hierin die Charakteristika dieser Literatur[10].

4. Das eschat. Maß in 4Esr, sBar und AntB

Das Motiv vom eschat. Maß spielt schließlich eine beherrschende Rolle in 4Esr, sBar und AntB. Um die erste Jahrhundertwende p.Chr.n. entstanden, versuchen sie alle auf ihre Weise, die Katastrophe des Jahres 70 zu verarbeiten[11].

a) Die irreversible Setzung

Auf die auch in diesen Schriften vorkommende Komplettierungs- und Finalisierungsformel ist bereits oben hingewiesen worden[12]. Darüberhinaus wird hier betont die Setzung des Maßes der Weltzeit und bestimmter Etappen bis zum Weltende zum Ausdruck gebracht.

> "Lange genug hat doch der Höchste Langmut gehabt mit den Bewohnern der Welt – freilich nicht um ihretwillen, sondern der Zeiten wegen, die er festgesetzt hatte."
> (propter ea, quae providit tempora 4Esr 7,74)

> "Und dann im Hinblick auf das Ende, wird alles ausgeglichen werden gemäß der Zeiten Maß, gemäß den Stunden jener Perioden" (sBar 42,6)

> "Es werden aber ihre Jahre 120 betragen, womit ich die Maße der Weltzeit festgelegt habe" (in quo posui terminos saeculi, AntB 3,2).

> "Und es soll das Maß der Zeiten festgesetzt werden... die Jahre, die ich nach Wochen angeordnet habe..." (et constituetur modus temporum... Hi sunt anni qui disposui post hebdomadas, AntB 13,7f)

---

8)   VOLZ 143f.

9)   VOLZ 144.

10) Cf. RÖSSLER, Gesetz 110; STROBEL, Kerygma 85ff.

11) Cf. zu 4Esr: SCHÜRER III, 320-328; EISSFELDT, Einleitung 848f; ROST, Einleitung 93f; HARNISCH, Verhängnis 11; zu sBar: SCHÜRER, 309f; EISSFELDT, aaO 853; ROST, aaO 97; HARNISCH ebd; KLIJN in JSHRZ V, 113f; zu AntB: ROST, aaO 147; DIETZFELBINGER in JSHRZ II, 95f.

12) S.o.S.37f und A.4.

"Ich setzte die Zahl auf 210 Jahre fest..."(et posui
numerum in annis ducentis decem , AntB 14,4)

In diesen Aussagen wird deutlich, daß nun ein besonderes
Interesse an der Theonomie der Maßsetzung wie an ihrer
Irreversibilität besteht. Selbst das Ausbleiben des Straf-
gerichts, die Zeit göttlicher Langmut, ist weder in menschlichen Taten, noch in Gottes Barmherzigkeit begründet, sondern allein in seiner irreversiblen Präfixierung dieser
Gnadenfrist (4Esr 7,74).

Der Aspekt der Irreversibilität kündigte sich zwar bei
Dan schon in der Wahl des Wortes חתך an. Solcher Aspekt
ist aber bei Dan noch nicht reflektiert. Und seine sich
wiederholt korrigierende Rechnung würde einer in 4Esr 4,36f
fixierten Aussage gegenüber in Verlegenheit kommen.

b) 4Esr 4,36f

Schließlich wird in 4Esr 4,36f die zentrale Funktion des
Motivs vom eschat. Maß für die theologische Konzeption des
4Esr deutlich. Man könnte geradezu 4Esr 4,36f als locus
classicus der Vorstellung vom eschat. Maß bezeichnen, wenn
damit nicht die Gefahr bestünde, die hier gemachten Aussagen,
losgelöst von der Konzeption des 4Esr, zu verstehen. W. HAR-
NISCH, der diesen Abschnitt ausführlich exegesiert hat[13]
und auf dessen Exegese ich mich im Folgenden weitgehend
stütze, kommt zu dem Urteil, daß diese Verse "den Schlüssel
zum Verständnis der apokalyptischen Zeitauffassung überhaupt" enthalten[14].

Das ist insofern ein gefährliches Urteil, als es sugge-
rieren kann, in 4Esr 4,33-37 sei auf den Begriff gebracht,
was alle sog. "Apokalyptiker" seit Daniel über die Zeit
gedacht haben. Das aber ist sicher nicht der Fall, und das
will HARNISCH damit auch nicht sagen[15].

4Esr 4,36f ist ein Spitzensatz, der Aufschluß u. a.[16]

---

13)   AaO 276-287.

14)   Ebd 277.

15)   Zu Beginn seiner Untersuchung stellt er nämlich vorab
      fest: "Die Fachwörter 'Apokalyptik', 'apokalyptisch'
      werden im folgenden als Hilfsbegriffe verwendet und
      dienen ausschließlich zur Kennzeichnung derjenigen
      theologischen Konzeption, welche die Verfasser von
      4Esr und sBar zur Geltung zu bringen suchen" (aaO 13).

16)   Zum Motiv vom numerus iustorum s.u.S.109-112.

darüber gibt, wie der Vf. des 4Esr das Motiv vom eschat.
Maß verstanden hat.

"Denn auf der Waage hat er (Gott) die Äonen gewogen[17]
und mit dem Hohlmaß hat er die Zeiten gemessen
und nach Anzahl hat er die Zeiten abgezählt,
und er stört sie nicht, noch weckt er sie auf,
bis daß das vorherbestimmte Maß gefüllt ist"[18].

Schon die kunstvolle Formulierung zeigt, daß hier reflektiert und distanziert geredet wird. In einem drei-
fachen synonymen Parallelismus membrorum wird mit drei
verschiedenen Metaphern ausgesprochen, daß Gott die Zeit
terminiert hat.

Die pluralische Zeitterminologie aber ist sowenig "das
spezifisch Apokalyptische der Aussage"[19] wie eine Besonderheit des 4Esr gegenüber dem AT[20]. Die Zeitterminologie signalisiert einerseits den Übergang zu einem mehr
quantitativen Zeitverständnis,wie es das AT in der Tat
nicht kennt[21]. Zum anderen aber bleibt sie der ursprünglichen at. Maßterminologie treu. Pluralisch wurde ja auch
schon im AT formuliert, nur war der Inhalt des Maßes (oder
die Summanden der Summe) natürliche, erfahrbare Zeitzyklen
(Tage, Jahre etc), nicht abstrakte Zeitabschnitte.

Neu aber ist nun gegenüber Dan die Universalisierung des
eschat. Maßes. Für 4Esr hat der Schöpfer vorab die gesamte
Zeit dieser Welt terminiert. Damit fußt er auf sapientialer
Tradition, wie sie zum ersten Mal in Jes 40,12 zum Ausdruck
kommt:

"Wer hat gemessen mit hohlen Händen das Meer
und den Himmel mit der Spanne bestimmt
und gefaßt mit dem Dreiling die Erde
und gewogen mit der Waage die Berge
und die Hügel mit Waagschalen?"[22]

---

17)   Zum Text cf. HARNISCH, aaO 281 A.2.

18)   Die Ansicht, daß "die mensura v.37d nichts als die
       v.36b erwähnte Zahl der Gerechten" sei (so MESSEL,
       Einheitlichkeit, 66), hat HARNISCH mit guten Grün-
       den zurückgewiesen (aaO 284 A.1): alles spricht
       "eindeutig dafür, 'mensura' in V.37c mit dem Zeit-
       maß zu identifizieren, von dem in V.37a expressis
       verbis die Rede war".

19)   HARNISCH, aaO 282.

20)   Gegen HARNISCH, aaO 281-283.

21)   S.o.S. 18f.

22)   Übersetzung nach ELLIGER, Dtrjes 40.

Ob der Text schon bei Dtrjes Tätigkeiten des Schöpfers
beschreibt, ist freilich nicht sicher[23]. Wollen die Fragen
nämlich mit "niemand" beantwortet werden, beschreiben sie
lediglich Adynata. Werden sie aber mit "Jahwe allein" beantwortet, beschreiben sie Gottes schöpferliches Tun.
Daß zumindest in späterer Zeit der Satz als Beschreibung
von Jahwes Schöpferwalten verstanden wurde, zeigt 2Makk
9,8. Dort wird Antiochus' IV. Selbstvergottung durch Anspielung auf eben diesen Text ausgedrückt[24].

Jahwe also hat als Schöpfer seiner ganzen Schöpfung Maße
gesetzt. Das wird mit variierten Metaphern (Längen-, Hohl-,
Gewichtsmaß) zum Ausdruck gebracht. Damit steht diese Aussage dann in Einklang mit zwei anderen, in denen eindeutig
Gottes schöpferliche Maßsetzung seiner Schöpfung gegenüber
ausgesprochen ist:

> "Als er dem Winde seine Wucht zuwog und den Wassern
> ihr Maß bestimmte" (Hi 28,25)

> "Wer hat ihre (der Erde) Maße bestimmt - du weißt
> es ja - oder wer die Meßschnur über sie ausge-
> spannt?" (Hi 38,5)

Solche sapientiale Schöpfungstheologie kommt dann in
Sätzen zum Ausdruck wie diesen:

> "Du (Gott) hast alles nach Maß und Zahl und Gewicht
> geordnet" (Weish 11,20)

> "...denn nach Gewicht und Maß und Regel ist alle
> Schöpfung des Höchsten" (TestNaph 2,2)

> Wer ist da unter allen Männern, der zu wissen ver-
> möchte, was die Breite und Länge der Erde beträgt,
> und wem ist das Maß von ihnen allen gezeigt worden?
> ...die Länge des Himmels ...seine Höhe ...wie groß
> die Zahl der Sterne ...wo alle Lichter ruhen...
> (äHen 93,13)

Dabei gebraucht Weish 11,20 die gleiche Trias von Meß-
instrumenten wie 4Esr 4,36f: μέτρον, ἀριθμός, σταθμός [25].

Eine Übertragung solcher schöpferlichen Maßsetzung <u>auf die
Zeit</u> wie in 4Esr 4,36f begegnet auch in anderen, z. T. älteren Texten:

---

23) Cf. ELLIGER, aaO 47-50.

24) Antiochus..."der da glaubte, er könne die Höhe des
Gebirges mit der Waage abwägen".

25) Das Abwiegen der Schöpfung mit der Waage als Reflex
auf Jes 40,12 findet sich außer 2Makk 9,8 auch in
1 QH 8,21f; äHen 43,2; 60,11f; zu anderen Meßin-
strumenten cf. 1QH 1,29; äHen 60,14.22; 61,5 (cf.
dazu u.S.150f); cf. auch Sib IV,10.

"Denn alle Zeiten Gottes kommen nach ihrer Ordnung, wie er es ihnen festgesetzt hat in den Geheimnissen seiner Klugheit" (1QpHab 7,12f).

"Euer Geist betrübe sich nicht wegen der (bösen) Zeiten, denn der große Heilige hat für alle Dinge Tage bestimmt" (äHen 92,2).

Bevor die ganze Schöpfung Gestalt angenommen, bestimmte der Herr das Alter der geschaffenen Dinge" (slHen 65,1).

Schließlich ist auch schon traditionell vorgegeben,

a) daß solche Maßsetzung menschlichem Zugriff entzogen ist,

"Denn ein Mensch und sein Teil ist bei dir abgewogen; er kann zu dem von dir, Gott, Bestimmten nichts weiter hinzutun." (PsSal 5,4).

b) daß solche Maßsetzung irreversibel ist[26],

"Gott wird nicht wie ein Sterblicher schwankend in seinem Vorsatze" (Jdt 8,16).

"Vom Gott der Erkenntnis kommt alles Sein und Geschehen... ehe sie sind hat er ihren ganzen Plan festgesetzt. Und wenn sie da sind zu ihrer Bestimmung, so erfüllen sie nach seinem herrlichen Plan sein Werk, und keine Änderung gibt es. In seiner Hand liegen die Satzungen für alles, und er sorgt für sie in allen ihren Geschäften... (1QS 3,15-17; רא)ין לְהַשְׁנוֹת)[26a]

"...daß mein (Gottes) Plan nicht umgestoßen werde, den ich erdacht hatte..." (AntB 40,4).

4Esr 4,36f ist somit als eine Rezeption durchaus traditioneller Aussagen erwiesen. Das signalisiert im übrigen schon die Form. Denn der angelus interpres beantwortet hier nicht - wie sonst - selbst die Wannfrage, sondern zitiert mit seiner Antwort den Erzengel Jeremiel, bringt damit also eine vorgegebene Antwort ins Spiel. Ungeachtet der traditionellen Elemente handelt es sich aber dennoch angesichts der Kummulierung und scharfen Profilierung um einen Spitzensatz, der des Vf.s eigene Theologie zu erkennen gibt.

Die durch das eschat. Maß limitierte Zeit konditioniert auch hier das Heil. Erwartet wird die Auferweckung der Heilsempfänger[27], die auf ihren himmlischen Lohn für ihre irdisch ungelohnten Taten warten (cf.V.35). Damit wird wie

---

26) Dazu ist zu vergleichen, daß das at. Theologumenon von der "Reue Gottes" in intertestamentarischer Zeit ganz zurücktritt (cf. JEREMIAS, Reue, 119ff.10f).

26a) Cf. LICHTENBERGER 187-189.

27) So deutet mit überzeugenden Argumenten HARNISCH den Satz: et non commovebit nec excitabit (aaO 285f).

hier dient.

Den Ton trägt die Konditionierungsaussage. Die bemessene
Zeit ist die Bedingung für diese Auferweckung. Wieder antwortet die konditionierte Heilszusage auf die Wannfrage.
Auch hier spielt also das Terminproblem eine Rolle. Und
doch ist die Situation eine ganz andere als bei Dan.
War die Frage nach dem Termin der Wende das zentrale Anliegen bei Dan, wird in 4Esr "die Wann-Frage im Grunde als
verfehlt zurückgewiesen und abgebogen"[28]. Der Vf. versucht
"den Leser davon zu überzeugen, daß es weniger darauf an-
kommt zu erfahren, wann das erwartete Ende dieses Äons
eintrifft, sondern darauf zu wissen, daß es zur festgesetzten Zeit - nach Ablauf einer bestimmten Frist -
mit Notwendigkeit eintreffen wird"[29].
Während die Verwendung des eschat. Maßes bei Dan von
einem parakletischen Interesse geleitet war, beherrscht
die Konzeption des 4Esr wie des sBar ein apologetisches
Interesse. Darum ist das Motiv vom eschat. Maß hier transformiert zu einer "Doktrin von der Nezessität der zeitlichen
Abläufe"[30]. Mit Hilfe dieser Doktrin wird die unerfüllte
Verheißung verteidigt gegenüber einer Skepsis, die sich
angesichts der Katastrophe Jerusalems im Jahr 70 breit-
macht.
Und "die Tatsache, daß sich die Apokalyptik genötigt sieht,
die Naherwartung mit dem Lehrsatz der traditionellen theonomen Zeitauffassung zu begründen und zu sichern, beweist, daß
sie faktisch erweicht ist und nur noch mühsam als 'locus
de novissimis' beibehalten wird"[31]. So stellen die Ausführungen des 4Esr "jedenfalls eher eine Apologie des
'Noch-nicht' als eine Rechtfertigung des 'Bald' dar"[32].
In dem allen ist also "unverkennbar das Interesse leitend,
die Naheschatologie zu entspannen und von aller Termin-
spekulation zu befreien"[33].

---

28)   HARNISCH, aaO 287. BRANDENBURGER, Verborgenheit 160f, be-
      stimmt jedoch die Argumentation in 4Esr stärker als para-
      kletisch, sieht sie also Dan näher stehen.
29)   Ebd.   30)   Ebd 283.   31)   Ebd 288 A.
32)   Ebd 287. 33)   Ebd 320.

Die Verwendung des Motivs vom eschat. Maß im NT ist
geprägt durch den Aspekt, der diesem Motiv schon in
seiner Präformation bei Jer eigen ist: Das Maß limitiert das Unheil und konditioniert das Heil. Unter diesem Doppelaspekt wird hier die nt. Rezeption des Motivs
vom eschat. Maß dargestellt, weil so am besten das ihr
eigene Profil zum Ausdruck kommt. Untersucht werden zunächst die Stellen, in denen mit Hilfe des eschat. Maßes
die Limitierung des Unheils verdeutlicht wird.

A. Die Zeit des Unheils

1. "Das Maß w i r d   voll."

a) Die limitierte Unheilszeit in der Apk

Die Apk ist innerhalb des NT diejenige Schrift, in der
das eschat. Maß am häufigsten gebraucht ist, um die Limitierung des Unheils zum Ausdruck zu bringen.

α) Die bemessene Zeit

Pointiert wird das in Apk 12,12 ausgesprochen:

> "Jauchzt ihr Himmel und die darin wohnen! Wehe (euch),
> Erde und Meer; denn der Teufel ist zu euch hinabge-
> stiegen. Er hat einen großen Zorn, weil er weiß, daß
> er (nur noch) eine kleine Frist hat" (ὅτι ὀλίγον καιρὸν ἔχει).

Die Zeit des Unheils ist hier verstanden als die Zeit der
Satansherrschaft. Im Rahmen der in Apk 12 rezipierten Mythologie[1] erfährt das Motiv vom eschat. Maß folgerichtig eine
so charakterisierte Umprägung. Dabei sind die Konturen der
traditionellen at. Vorstellung noch erkennbar.
Καιρός meint hier eindeutig einen Zeitraum, eine bemessene
Zeit, nämlich die dem Teufel zugemessene Zeit[2].

Eine ähnliche Aussage wird in Apk 20,3 gemacht. Die Milleni-
umsverheißung endet mit dem Satz:

> "Danach muß er (der Teufel) für kurze Zeit losgelassen
> werden."

Anders als 12,12 wird dieser Satz tradiert, ohne daß das

---

1) Cf. BOUSSET, Apk 346ff; LOHSE, Apk 64f.

2) Καιρός als die dem Menschen zugemessene Lebenszeit war uns im
   Parallelismus mit ἡμέραι ἀριθμοῦ schon in Sir 17,2 begegnet;
   cf. o.S. 11.

aktuelle Interesse des Vf.s der Apk deutlich wird. Gleich
ist aber die Anschauung, daß das Wirken des Teufels nur
in den Grenzen geschehen kann, die Gott ihm gesetzt hat.

Die ihm zugemessene Zeit wird hier als $\mu\iota\kappa\rho\grave{o}\nu\ \chi\rho\acute{o}\nu o\nu$
bezeichnet. An dieser Stelle wird also deutlich, - was auch
sonst für das NT gilt -, daß $\chi\rho\acute{o}\nu o\varsigma$ und $\kappa\alpha\iota\rho\acute{o}\varsigma$ promiscue
gebraucht werden[3]. Die ursprüngliche Differenzierung, nach
der $\chi\rho\acute{o}\nu o\varsigma$ die ablaufende Zeit und $\kappa\alpha\iota\rho\acute{o}\varsigma$ einen bestimmten
durch ein Geschehen qualifizierten Zeitpunkt meint[4], ist
für das NT höchstens an einigen Stellen zu erweisen, kann
aber keine allgemeine Gültigkeit beanspruchen. $\chi\rho\acute{o}\nu o\varsigma$ und
$\kappa\alpha\iota\rho\acute{o}\varsigma$ sind an den meisten Stellen synonyma und ihre
Kombination in Apg 1,7; 1Thess 5,1 ein Hendiadyoin[5].

Den das Gottesvolk beherrschenden fremden Mächten war stets
von Jahwe ein präterminierter Zeitraum gegeben worden, quasi
als Rahmen, innerhalb dessen sie wirken durften. Jeremias
Worte im Hinblick auf Nebukadnezar sind schon durch die
LXX ausgeweitet worden auf eine Vielzahl von Fremdvölkern[6]
und dann betont durch Dan und die Tierapokalypse. Die den
Fremdvölkern jeweils zugemessene Zeit, innerhalb deren sie
Macht über das Gottesvolk haben, hat schon bei Dan und in
der Tierapokalypse zumindest metaphorische, wenn nicht
mythologische Züge angenommen: in Dan 7 werden die Fremdvölker repräsentiert durch Tiere, die aus dem Meer steigen,
in der Tierapokalypse durch Hirten. Diesen Figuren ist jeweils ein bestimmter Zeitraum zu wirken zugemessen.
Die metaphorisch-mythologischen Züge sind in der Apk rezipiert und gesteigert. Nicht mehr werden einzelne Repräsen-
tanten der Fremdvölker genannt, sondern nur noch eine per-
sonalisierte widergöttliche Macht: $\acute{o}\ \delta\iota\acute{a}\beta o\lambda o\varsigma$.
Die aus der Mythologie stammenden Metaphern differieren
gegenüber der at. Tradition; gleich aber ist die Intention

---

3) Cf. BARR, Words 20-46; MUSSNER, Gottesherrschaft 87. BURNS,
   Words 22, resumiert seine Untersuchung: "By New Testament
   times, the original distinction between $\chi\rho\acute{o}\nu o\varsigma$ and $\kappa\alpha\iota\rho\acute{o}\varsigma$ was
   being blunted. Theologians and philosophers of the twentieth
   century may quite properly separate again what the speech
   of the Bible and expecially of the New Testament was not much
   averse to joining."

4) MARSH, Fulness 117ff; DELLING, ThWNT III, 456ff; IX, 587.

5) TRENCH, Synonyma 125-128.

6) Jer 25,11 שָׁנָה שִׁבְעִים בָּבֶל מֶלֶךְ־אֶת הָאֵלֶּה הַגּוֹיִם וְעָבְדוּ
   übersetzt die LXX mit $\kappa\alpha\grave{\iota}\ \delta o\nu\lambda\varepsilon\acute{\nu}\sigma o\nu\sigma\iota\nu\ \grave{\varepsilon}\nu\ \tau o\tilde{\iota}\varsigma\ \grave{\varepsilon}\theta\nu\varepsilon\sigma\iota\nu\ \grave{\varepsilon}\beta\delta o\mu\acute{\eta}\kappa o\nu\tau\alpha\ \grave{\varepsilon}\tau\eta$.
   Die Erfahrungen späterer Jahrhunderte, die   zur Umprä-
   gung der Jer-Tradition durch Dan führte   , hat auch hier
   offensichtlich ihren Niederschlag gefunden.

des Maßmotivs. Die Unheil stiftende widergöttliche Macht,
die das Gottesvolk hart bedrängt, ist durch Gottes Akt
begrenzt. Sie ist dem Herrn der Welt untergeordnet. Die
Herrschaft des Teufels ist von Gott begrenzt und beschränkt.
Dabei ist hier die zeitliche Limitierung betont[7].

Die gleiche Feststellung, die in Apk 12,12 im Hinblick auf
die widergöttliche Macht getroffen wird, begegnet uns in
Apk 6,11 im Hinblick auf die konkrete Auswirkung dieser
Macht, wie sie das Gottesvolk zu spüren bekommt. Die Hinrichtungen der standhaften Bekenner ängstigt die Gemeinde
und ficht sie an. Ihr wird gesagt, daß diese Martyrien
"nur noch eine kurze Zeitspanne" (ἔτι χρόνον μικρόν)
währen.

Damit erscheint an dieser Stelle der Traditionsgeschichte
das gleiche Phänomen wie an ihrem Ursprung. Die durch
Gottes Akt limitierte Zeit wird im Hinblick einerseits
auf die "Person" des Bedrückers und andererseits auf seine
unheilvollen Wirkungen dem Gottesvolk gegenüber gesehen[8].

In 2,21 und 10,6 wird diese ausstehende Frist noch einmal
unter anderem Aspekt gesehen. Hier ist es nicht die Zeit
der Satansherrschaft, sondern die Gelegenheit zur Umkehr.
Noch ist den angeredeten Gemeinden diese Gelegenheit gegeben, die es dann im Eschaton nicht mehr geben wird.

Exkurs: Mk 16,14 (Freerlogion)

Daß die Satansherrschaft durch ein von Gott gesetztes Zeitmaß begrenzt ist, kommt auch im sog. Freerlogion zum Ausdruck, einem Text, der nur im Codex Freerianus zu Mk 16,14
überliefert ist:

> "Und Christus sprach zu jenen: das Maß der Jahre der
> Satansherrschaft ist voll, aber es naht anderes Furcht-
> bares."

Die in Apk 12,12 mit ὀλίγος καιρός umschriebene bemessene
Zeit der Satansherrschaft ist hier durch die vollere Wendung ὁ ὅρος τῶν ἐτῶν τῆς ἐξουσίας τοῦ Σατανᾶ , die die Maßvorstellung exakt erkennen läßt, bezeichnet. Wird in Apk

---

7) Darin, daß hier eine Relation zwischen der Größe des Zorns
   des Teufels und der Kürze der Zeit bis zum Eschaton konstatiert wird, verrät sich die parakletische Intention des Vf.s
   der Apk.

8) S.o.S. 24f. Zur Bestimmung der Zeitspanne durch den numerus
   martyrum s.u.S.154ff.

(W) die Komplettierungsformel gebraucht.

Auffällig ist, daß die Komplettierungsformel hier im Perfekt steht. Der hier redende Auferstandene blickt also
nach der Meinung der Tradenten bereits auf den Abschluß der
Zeit der Satansherrschaft zurück. Diese Aussage ist im NT
singulär:[9] die perfektische Komplettierungsformel wird
sonst nur im Blick auf die Heilszeit, nie im Blick auf die
Unheilszeit gebraucht[10]. Die Tradenten dieses Textes verstanden also den Anbruch des Heils in Christus zugleich als
das schon vollzogene Ende der Satansherrschaft.

Diese theologische Aussage wird dann mit der Erfahrung gegenwärtigen Unheils so ausgeglichen, daß das gegenwärtig erfah-
rene Unheil als $\overset{\text{'}}{\alpha}\lambda\lambda\alpha$ $\delta\epsilon\iota\nu\acute{\alpha}$ bezeichnet wird.

β) Die kurze Zeit

Über die Tatsache der Limitierung hinaus wird zusätzlich
zum Ausdruck gebracht, daß der Ablauf dieser Zeit, das
Vollsein des gesetzten Maßes, kurz bevorsteht. Hier ist
unverkennbar die Handschrift des Vf.s der Apk zu erkennen, der auch an anderen Stellen Traditionen seiner
Naherwartung dienstbar gemacht hat.

In 1,3; 22,10 kommt die Naherwartung in der Wendung
$\kappa\alpha\iota\rho\grave{o}\varsigma$ $\overset{\text{'}}{\epsilon}\gamma\gamma\acute{\upsilon}\varsigma$ zum Ausdruck[11], bei der $\kappa\alpha\iota\rho\acute{o}\varsigma$ (anders
als in 12,12) als Zeitpunkt, nämlich als das Eschaton
verstanden ist. Näher qualifiziert ist dieses Ende als
die Ankunft des Messias Jesus, der den Adressaten der
Apk zuruft: $\overset{\text{'}}{\epsilon}\rho\chi o\mu\alpha\iota$ $\tau\alpha\chi\acute{\upsilon}$ (2,16; 3,11; 22,7.12.20)[12].
Schließlich wird in 1,1; 22,6 die aus Dan 2,28.29.45
stammende[13] Formel $\overset{\text{'}}{\alpha}$ $\delta\epsilon\widehat{\iota}$ $\gamma\epsilon\nu\acute{\epsilon}\theta\alpha\iota$ durch $\overset{\text{'}}{\epsilon}\nu$ $\tau\acute{\alpha}\chi\epsilon\iota$
ergänzt.

Daß die Zeit bis zum Ende bemessen ist und die noch aus-

---

9) Cf. aber Lk 1o,18; JEREMIAS, NtTh I, 98f.

10) S.u.S.60ff. - Wenn es richtig ist, daß die Stundenangaben
im mk Passionsbericht (Mk 15,25.33f) Symbolsprache sind
(so SCHREIBER, Markuspassion 23ff; SCHENK, Passionsbericht
37-52; KLAPPERT, Verlust 117), könnte hier in gleicher Weise das Motiv vom eschat. Maß Pate gestanden haben: Mit dem
an Jesus vollzogenen Gottesgericht ist die Unheilszeit erfüllt.

11) Cf. auch 11,18: $\mathring{\eta}\lambda\vartheta\epsilon\nu...\overset{\text{'}}{o}$ $\kappa\alpha\iota\rho\grave{o}\varsigma$ $\tau\widehat{\omega}\nu$ $\nu\epsilon\kappa\rho\widehat{\omega}\nu$ $\kappa\rho\iota\vartheta\widehat{\eta}\nu\alpha\iota$.

12) Cf. dazu den Satz in 11,14: $\mathring{\eta}$ $o\overset{\text{'}}{\upsilon}\alpha\grave{\iota}$ $\mathring{\eta}$ $\tau\rho\acute{\iota}\tau\eta$ $\overset{\text{'}}{\epsilon}\rho\chi\epsilon\tau\alpha\iota$ $\tau\alpha\chi\acute{\upsilon}$.

13) S.o.S. 3 A.3.

stehende Zeit nur ein Bruchteil der bereits verstrichenen
Zeit ausmacht, wird in der Apk schließlich auch durch die
dreimalige Verwendung des <u>Siebenerschemas</u> zum Ausdruck ge-
bracht: Sieben-Siegel-Vision (6; 8,1), Sieben-Trompeten-
Vision (8,2-9,21; 11,15-19), Sieben-Schalen-Vision (16).
Das Maß ist f a s t   voll!

Das traditionelle Motiv vom eschat. Maß ist also in der
Apk so spezifiziert worden, daß die Füllung des von Gott
bemessenen Zeitraums kurz bevorsteht. Damit trifft sich
die Intention der Apk mit der Dan's. Das liegt sicher
daran, daß beide Schriften den gleichen Sitz im Leben der
Gemeinde haben. Sie sind Paraklesen in akuter Not- und
Verfolgungszeit. Das eschat. Maß hat also auch hier eine
parakletische und keine spekulative Intention.

γ) Das verheißene Zeitmaß
An sechs Stellen wird schließlich darüber hinaus die Größe
des Zeitmaßes genau angegeben. Auch dieser Zug hat seine
Analogie in Dan. Anders als dort können die Angaben aber
nicht zeitgeschichtlich, sondern müssen traditionsgeschichtlich erklärt werden. Alle Zahlangaben für Zeiträume in der
Apk stammen nämlich aus Dan. Damit erweist sich die Apk
auch hierin als eine Schrift, die das Buch Dan, das unerfüllte Verheißungen aufgenommen und modifiziert bekräftigt hat, seinerseits als eine Sammlung unabgegoltener
Verheißungen verstanden hat. Eben diese Verheißungen hat
die Apk aufgenommen und aktualisiert.

In <u>2,10</u> wird die Zeit der θλῖψις, die auch an dieser Stelle
als Aktivität des Teufels beschrieben ist, für zehn Tage
verheißen. Angesichts dessen, daß die θλῖψις als πειράζεσθαι
charakterisiert ist[14), liegt es nahe, die Zeitangabe als
Rezeption der Zehn-Tage-Frist aus Dan 1,12.14 zu verstehen.
Dort währt nämlich genau so lange die Zeit des status confessionis der in heidnischer Umwelt lebenden und durch sie
bedrohten Juden. LXX und Theodotion gebrauchen an beiden
Stellen das Wort πειράζειν , das zwar zunächst ganz profan
gemeint ist, in diesem Kontext aber leicht die religiösen
Nuancen mithören läßt[15). Stammt die Angabe von zehn Tagen
also aus Dan 1,12.14, dann ist sie nicht als konkrete, aus-

---

14) Cf. auch 3,10.

15) In Dan 1, 12.14 steht allerdings statt des Genitivs der
   Akkusativ: ἡμέρας.

rechenbare Zeitangabe verstanden worden. In der Angabe von
zehn Tagen kommt vielmehr zum Ausdruck, daß die bevorstehen-
de ϑλῖψις eine von Gott gesetzte Prüfungszeit ist, die seiner (in Dan 1,12.14 erkennbaren) Verheißung entspricht.

Der ὀλίγος καιρός der Satansherrschaft wird in Kap. 12 doppelt
konkretisiert: 1260 Tage (V.6) und dreieinhalb Zeiten (V.14).
Die Angabe καιρὸν καὶ καιροὺς καὶ ἥμισυ καιροῦ ist dabei ein wörtliches Zitat aus Dan[16]. Beide Zeitangaben sind als identisch verstanden[17], denn beide Angaben bezeichnen den Zeitraum, in dem die Frau - hier Metapher für das Gottesvolk -
vor dem Wirken des Drachen auf Erden bewahrt wird.
Das legt den Schluß nahe, daß die Angabe von dreieinhalb
Zeiten = 1260 Tagen für den Vf. eine symbolische Zahl für
das von Gott festgesetzte und durch Dan verheißene Zeitmaß der Satansherrschaft darstellte.

Dieser Schluß findet Bestätigung durch die übrigen drei
Erwähnungen des gleichen Zeitmaßes. In 11,3 wird mit
1260 Tagen der Zeitraum des Wirkens der zwei Zeugen in
der großen Stadt bestimmt. Die komplizierte Traditionsgeschichte von Apk 11,1-13 kann hier nicht erörtert werden[18]. Deutlich aber ist die Analogie des bezeichneten
Zeitraums zu den Angaben in 12,6.14: auf 1260 Tage ist
die Zeit des Unheils limitiert, vor dem hier die zwei
Zeugen, dort die Frau verschont werden[19].

Mit 42 Monaten - das sind exakt 1260 Tage, also auch dreieinhalb Jahre - wird in 13,5 der Zeitraum bestimmt, in dem
das Tier aus dem Meer, das hier wohl das Imperium Romanum
repräsentiert, wirken darf und in 11,2 der Zeitraum, wäh-
renddessen die Stadt Jerusalem und ein großer Teil des
Tempels den Heidenvölkern preisgegeben wird[20].

---

16) So die LXX-Übersetzung von Dan 12,7, aber ohne εἰς . Dan 7,25
    ist demgegenüber different formuliert; Theodotion harmonisiert
    in12,7 beide Fassungen.

17) Die Angabe von 1260 Tagen ist eine genaue Umrechnung von drei-
    einhalb Jahren (42mal 30 Tage). Die Angabe differiert also
    gegenüber Dan 12,11, wo die dreieinhalb Jahre unter Berück-
    sichtigung eines Schaltmonats in 1290 Tage umgerechnet sind;
    s.o.S.34 A.24.

18) Cf. HAUGG, Zeugen; BOUSSET, Apk 324-330.

19) Im übrigen sind die Traditionen kaum miteinander zu vergleichen.
    Ob die Terminangaben schon in den jeweiligen Traditionsstoffen
    verankert waren oder Werk des Vf.s der Apk sind, ist schwer
    zu entscheiden.

20) Der Meßakt in 11,1f wird unten ausführlich untersucht; s.S.206f.

Während 13,5 eine Weiterentwicklung der mythologischen
Metaphorik in der Perspektive von Dan 7 darstellt, präsentiert 11,2 ein ursprünglicheres Traditionsstadium. Hier
wird nämlich unverschlüsselt gesagt, daß in einer von Gott
limitierten Zeit das Gottesvolk den Heidenvölkern preisgegeben wird.

Die in Dan 7,25; 12,7 gefundene Verheißung, daß das Unheil
für dreieinhalb <u>Zeiten</u> von Gott limitiert ist, wird in der
Apk einerseits als genaue Angabe von dreieinhalb <u>Jahren</u>
verstanden und entsprechend in 1260 Tage und 42 Monate um-
gerechnet, andererseits aber nicht zeitgeschichtlich aktualisiert. Jedenfalls fehlen - anders als bei Dan - hier
die Anhaltspunkte dafür. Die Zahlangabe ist darum am ehesten
symbolisch zu verstehen: als die von Gott genau bemessene
und konkret verheißene Unheilszeit[21].

Das Motiv unterstreicht also folgende Aussagen:
- Das Unheil ist Gottes Macht von allem Anfang an unter-
  geordnet.
- Das Unheil ist darum nicht endlos, sondern begrenzt.
  Das verbürgt Gottes Verheißung.
- Die ausstehende Unheilszeit ist kürzer als die vergangene.

b) Lk 21,24

Eng verwandt mit Apk 11,2 ist Lk 21,24:
> "Und sie werden fallen durch die Schärfe des Schwertes
> und gefangen weggeführt unter alle Heidenvölker, und
> Jerusalem wird von Heidenvölkern zertreten werden, bis
> daß das Maß der Zeiten der Heidenvölker voll ist."

An Stelle der konkreten Maßangabe von 42 Monaten steht hier
die allgemeine "καιροὶ ἐϑνῶν ". Und während in Apk 11,2
das gesetzte Maß im Blick ist, wird in Lk 21,24 die Komplettierungsformel gebraucht.
Dabei ist wieder in der oben erklärten[22] Weise verkürzt
formuliert. An die Stelle konkreter erfahrbarer Zeitzyklen
ist hier der Zeitbegriff καιρός getreten[23], der durch den
Genitiv ἐϑνῶν näherbestimmt ist, also in durchaus at. Weise

---

21) Die Angabe von 144 000 Angehörigen des Gottesvolkes ist dem
    analog; cf. dazu u.S.198.
22) S.o.S. 9. 13f.
23) Cf. die oben vorgeführten Belege aus nachat. Zeit, S.14. 38.

durch ein Geschehen gekennzeichnet und qualifiziert ist.
Ob καιρός hier Zeitpunkt oder Zeitraum meint, kann offen bleiben, denn in beiden Fällen geht es im Endeffekt um einen
Zeitraum, der durch die Summe von einzelnen Zeitpunkten
oder -abschnitten konstituiert ist. Dieser Zeitraum ist
vorab von Gott bemessen, seine Füllung bedeutet das Ende
der Zeit, in der das Gottesvolk von den Heidenvölkern beherrscht und bedrückt wird, also das Ende der Unheilszeit.

Lk 21,24 gehört (wie Apk 11,2) zur Tradition des eschat.
Völkersturms auf Jerusalem. C. MÜLLER hat dafür eine Reihe
von Texten zusammengestellt[24]. "Daß die Tradition durch
die Ereignisse des Jahres 70 zu neuem Leben erwachte"[25],
zeigen nicht nur die Stellen aus dem 4Esr, auf die MÜLLER
hinweist, sondern auch sBar und AntB [26].
Die Parallelität dieser Texte zu Lk 21,24 legt den Schluß
nahe, daß auch dieses Logion Reaktion auf die Eroberung
und Zerstörung Jerusalems ist, also ein vaticinium ex
eventu darstellt. Das Logion ist nur von Lk überliefert und
ersetzt Mk 13,20, das die Verkürzung der Notzeit verheißt.
Angesichts der lk Spracheigentümlichkeiten[27] wird es am
ehesten auf Lk selbst zurückgehen, der hier eine ihm überkommene Tradition geformt und in den Mk-Text eingefügt hat[28].

2. "Das Maß wird g e ä n d e r t ." (Mk 13,20 par Mt 24,22)

An der Stelle, an der Lk 21,24 in den Mk-Faden eingefügt
ist, hat Lk ein Logion weggelassen, das ihm wohl angesichts der Parusieverzögerung problematisch war. Das Logion ist daher nur von Mk und Mt überliefert:

> "Wenn der Herr nicht das Maß der Tage verkürzt hätte,
> würde kein Fleisch gerettet. Aber um der Auserwählten
> willen, die er erwählt hat, hat er das Maß der Tage
> verkürzt." (Mk 13,20)

Viele Exegeten halten dieses Logion für Gemeindebildung

---

24) Gerechtigkeit, 39f: Dan 9,24-27; Sach 12,3 (LXX); TestSeb 9;
TestBen 1o; AssMos 12.

25) AaO 41.

26) sBar 1,4; 4,1; 5,3; 6,9; 32,3; AntB 19,2.7; 26,12f. - Zur Frage,
ob hierzu auch Röm 11,25f gehört, cf. u.S.168 A.25.

27) Cf. JEREMIAS, NtTh I, 128 A. 12.

28) Ebd 127f.

und ein Element der angeblich verbreiteten vorchristlichen
Tradition von der Amputation der Endzeit[1]. Andererseits
zeigen die dazu beigebrachten Parallelen, wenn sie gründlich untersucht werden, nur allzu deutlich, daß sie nicht
wirklich passen[2].

a) Die Parallelen

Schon äHen 80,2 - ein Text, der gerne als Kardinalbeleg
genannt wird - meint etwas fundamental anderes als Mk
13,20 par.

> "In den Tagen der Sünder werden die Jahre verkürzt
> werden, ihre Saat wird sich in ihren Ländern und auf
> ihren Feldern verzögern, alle Dinge auf Erden werden
> sich ändern und zu ihrer Zeit nicht erscheinen...
> In jenen Zeiten werden sich die Früchte der Erde ver-
> zögern... der Mond wird seine Ordnung verändern und
> zu seiner Zeit nicht erscheinen... Viele Oberste der
> Sterne werden... ihre Wege und Beschäftigungen ändern
> und nicht zu den ihnen vorgeschriebenen Zeiten er-
> scheinen... Das Unheil wird über ihnen zunehmen, und
> Plagen werden über sie kommen, um sie alle zu vernich-
> ten." (äHen 80,2-8).

Die Verkürzung der Jahre ist hier ein Phänomen unter anderen, die alle den Einbruch des Chaos in die wohlgeord-
nete Schöpfung Gottes während der Endzeit anzeigen. Das
konzediert auch HARNISCH, folgert aber dann vorschnell,
daß auch in ApkAbr 29,13, Mk 13,20par, AntB 19,13 "die
Annahme einer endzeitlichen Verkürzung der Jahre ursprünglich selbst astrologischen Sinn besaß"[3].
Dabei übersieht er, daß in äHen 80,2 betont "an das 364-
tägige Jahr gedacht"[4] ist, das im kosmologischen Henochbuch (äHen 72-84) große Bedeutung hat. Immer wieder wird
der Kalender, der mit 364 Tagen pro Jahr rechnet, verteidigt gegen Gruppen, die offensichtlich nach anderem
Kalender rechnen[5]. Der Vf. betont, daß der Gestirnlauf
ein Jahr von 364 Tagen fordert und der ihm entsprechende
Kalender der Ordnung Gottes entspricht[6]. Alle,die mit

---

1) BOUSSET, Antichrist 143f; SCHRENK, ThWNT IV, 193; SCHWEIZER,
   Mk 157; HARNISCH, aaO 272; DELLING, NovTest 13, 318f; PESCH,
   Naherwartungen 153f; Mk II, 294.
2) BOSCH, Heidenmission 151; JEREMIAS, NtTh I, 141 A.62.
3) AaO 272 A.1.
4) RAU, Kosmologie 280.
5) cf. äHen 75,2; 82,5ff.
6) cf. äHen 72,1; 74,12.17; 75,1.4.7; 78,4; 79,2; 82,5ff.

einem 360tägigen Jahr rechnen, sind hingegen im Irrtum.
Sie werden als Sünder deklariert, da sie die geordnete
Schöpfung Gottes durch ihren Kalender in Unordnung bringen.
Die Verkürzung der Jahre in äHen 80,2 bedeutet also, daß
die einzelnen Jahre kürzer werden, nämlich statt 364 Tage
nur 360 Tage dauern. Die Verkürzung der Jahre ist darum in
äHen 80,2 Tat der bösen Menschen mittels ihres falschen
Kalenders und nicht "eine Folge der Unordnung unter den
Sternen"[7] oder gar Tat Gottes. Nicht die Schöpfungsperversion führt zur Verkürzung der Jahre, sondern umgekehrt
prophezeit äHen 80,2 warnend, daß "die Änderung der Jahres-
dauer die Verkehrung des irdischen Geschehens zur Folge
hat"[8]. Von äHen 80,2 also kann nur im weitesten Sinne
gesagt werden, daß "die Amputation der Zeiten... durch
astrologische Vorstellung beeinflußt"[9] ist, jedenfalls
anders als HARNISCHs Interpretation es zu erkennen gibt.

Daß die Verkürzung der Jahre durch einen beschleunigten
Lauf der Gestirne verursacht wird, ist hingegen in AntB
19,13 vorausgesetzt:

> "Und es wird geschehen, wenn ich mich nahen werde,
> um den Erdkreis heimzusuchen, werde ich den Jahren
> gebieten und den Zeiten befehlen, und sie werden
> abgekürzt werden, und es werden die Sterne sich
> beschleunigen, damit das Licht der Sonne zum Unter-
> gang eilt und nicht wird das Licht des Mondes blei-
> ben, weil ich eilen werde, euch Schlafende zu er-
> wecken, damit an dem Ort der Heiligung, den ich dir
> gezeigt habe, wohnen mögen alle, die leben können."

War in äHen 80,2 die Verkürzung der Jahre Tat der sündigen
Menschen, ein Werk ihres falschen Kalenders, ist sie in
AntB 19,13 Tat Gottes. Sie hat ihren Grund darin, daß "Gott
der Totenauferweckung mit Ungeduld entgegensieht"[10]. Dabei
ist die Vorstellung der Amputation mit der der Akzelleration
der Zeiten verbunden[11].
Hinter der Aussage in Mk 13,20 hingegen steht eine gänz-
lich andere Vorstellung von "Amputation". Hier ist mit
der "Verkürzung der Tage" - das dürfte nach dem Gang der
bisherigen Untersuchung selbstverständlich sein - nicht

---

7) VOLZ 138.   8) RAU ebd.   9) AaO 272.
10) JEREMIAS, aaO 141 A.62.
11) HARNISCH macht mit Recht darauf aufmerksam, daß in AntB 19,13
    die Vorstellung der Amputation mit der der Akzelleration ver-
    bunden ist, die ursprünglich zu unterscheiden sind (s.u.).

gemeint, daß die einzelnen Tage weniger als 24 Stunden dauern. Hier ist vielmehr wieder die nun schon oft nachgewiesene "verkürzte Redeweise" gebraucht. Die "Verkürzung der Tage" meint hier die Verkürzung der bemessenen Gesamtstrecke, die sich aus den einzelnen Tagen zusammensetzt. In äHen 80,2; AntB 19,13 werden <u>die einzelnen Jahre</u> um einige Tage amputiert, in Mk 13,20 par hingegen wird <u>die gesamte Summe</u> der Jahre um einige der sie konstituierenden Einheiten amputiert.

Mit αἱ ἡμέραι in Mk 13,20 par sind im Kontext der in V.19 genannten θλῖψις die von Gott bemessene eschat. Notzeit gemeint. Jesus sagt also mit diesem Logion an, daß Gott das einmal von ihm gesetzte Maß der eschat. Unheilszeit nachträglich korrigiert. Exakt zu dieser Aussage sind Parallelen beizubringen.

Zunächst ist an die Aussagen zu erinnern, die im Anschluß an Gen 6,3 konstatieren, daß die einmal durch Gott gesetzte Lebenszeit der Menschen durch den Engelfall bzw. den adamitischen Fall nachträglich verkürzt wird (Jub 23,9ff; CD 10,8f; sBar 17,3; AntB 40,7) oder die die Verlängerung des Lebensmaßes in der eschat. Heilszeit verheißen (Jub 23,27)[12]. Diese Aussagen bestätigen im übrigen nachträglich die konstatierte Differenz der Aussagen in Mk 13,20 par zu der in äHen 80,2; AntB 19,13 aufs eindrücklichste.

Diese Belege sind zu ergänzen:
- In äHen 5,5.9 wird die nachträgliche Verlängerung der Verdammnis- bzw. Seligkeitszeit im Jenseits verheißen.
- In sBar 48,19 bittet der Seher: "Verkürze nicht die Zeiten unserer Hilfe!". Er rechnet also mit der göttlichen Möglichkeit einer solchen Zeitmaßkorrektur.
- In ApkBar (gr) 9,7 schließlich wird gesagt, daß Gott die Zeit des Mondumlaufs wegen dessen Hybris nachträglich verkürzt hat (ἐκολόβωσεν τὰς ἡμέρας αὐτῆς)[13]. Dieser Text

---

12) S.o.S. 14f.

13) Was gemeint ist, zeigt auch sehr schön die Parallele in der slawischen Version mit anderer Terminologie (JSHRZ V, 39): "...da erregten sich die Heerscharen der Engel sehr über die Übertretung Adams. Der Mond allein aber lachte. Deswegen erzürnte der Herr über ihn, verdunkelte sein Licht und ließ ihn bald alt und wiedergeboren werden. Aber ursprünglich war es nicht so, sondern er war heller als die Sonne und hatte die Länge des Tages".

bietet die nächste sprachliche Parallele zu Mk 13,20 par,
wobei auch er sich der "verkürzten Redeweise" bedient.
Die zuletzt genannten Stellen meinen zwar alle im Unterschied zu äHen 80,2; AntB 19,13 die nachträgliche Verkürzung eines zuvor fixierten Zeitmaßes und sind insofern
exakte Parallelen zu Mk 13,20 par. Keine dieser Stellen
hat aber die Zeit bis zum Ende im Auge. Vom eschat. Maß
wird also nirgendwo gesagt, daß es verkürzt wird.

Es bleiben als Belege:

- 5Esr 2,13:

> "Bittet, so wird euch gegeben! Erbittet euch wenige
> Tage, daß sie verkürzt werden: schon steht euch die
> Herrschaft bereit. Wachet!"
> (rogate vobis dies paucos ut minorentur)

Wie V.13a Reflex auf Mt 7,7par ist, so V.13b Reflex auf
Mk 13,20 par. Denn dieser ganze Teil des 5Esr ist sicherlich "rein christlich"[14].

- ApkAbr 29,13:

> "Er aber... auf den viele Heiden hoffen (V.11)...
> an dem sich viele ärgern (V.12)... prüft aus deinem
> Stamm die, die ihn angebetet haben, in jener zwölften
> Stunde des Endes, um das Zeitalter der Gottlosigkeit
> abzukürzen."

Schon die mitzitierten Sätze erweisen den Kontext als
christlich[15], so daß auch V.13 nur als Reflex auf
Mk 13,20 par zu erklären ist.

- Die von W. BOUSSET beigebrachten Stellen aus der späteren
christlichen Apokalyptik[16].

Nach BOUSSET präsentieren sie zusammen mit Mt 24,22 ein
Teilelement der vorchristlichen Antichristsage. Nach dem
hier dargestellten Quellenbefund ist diese Hypothese allerdings hinfällig. Auch die Belege aus der späteren christlichen Apokalyptik sind darum entweder Reflex auf Mk 13,20
par Mt 24,22[17] oder sie gehören dem von anderen
Vorstellungen geprägten Traditionsstrom an, zu dem äHen
80,2; AntB 19,13 zu rechnen sind.

Fazit: Eine wirklich treffende Parallele aus vorchristlicher
antik-jüdischer Literatur zu Mk 13,20 par Mt 24,22 gibt
es nicht.

---

14) DUENSING, in Hennecke-Schneemelcher II, 488.

15) Cf. auch SCHÜRER III, 336; MEYER, RGG I, 73; SCHREINER,
Apokalyptik 68.

16) Antichrist 143f.

17) Das gilt auch für Barn 4,3.

b) Amputation und Akzelleration

Von der Vorstellung der Amputation der Zeit ist die der
Akzelleration der Zeit zu unterscheiden[18], wofür es ohne
Frage zahlreiche Belege in antik-jüdischer Literatur gibt[19].
Gerade in den streng theonomen Entwürfen 4Esr und sBar
ist das Motiv der Akzelleration gehäuft anzutreffen. Im
Gegensatz zur Vorstellung von der Amputation setzt es
jedoch die Irreversibilität der Maßsetzung gerade voraus.
Die Konstante bildet das irreversibel gesetzte Maß, das
durch die erfahrbare (oder eingebildete) Zeit schneller
oder langsamer gefüllt wird.
Das Pendant zur Akzelleration ist die Anschauung der Ver-
zögerung, die ebenfalls mit dem irreversibel gesetzten
Maß als Konstante rechnet[20].

c) Mk 13,20 par in der Verkündigung Jesu

Für die Aussage, daß das eschat. Maß nachträglich von Gott
geändert wird, sind - soweit ich sehe - keine Parallelen
in vorchristlichen jüdischen Texten zu finden. Mit Hilfe
des Unähnlichkeit-Kriteriums[21] kann die Sachaussage von
Mk 13,20 also für die Verkündigung Jesu reklamiert werden.
Zwei Beobachtungen stützen diese These.

α) Die Aussage, daß das eschat. Maß nachträglich geändert
wird, ist nicht nur ohne Analogie in antik-jüdischer Literatur, sondern steht zur Tradition vom eschat. Maß in krassem
Widerspruch. 4Esr 4,36f ist zwar ein Spitzensatz und als
solcher sicher nicht "dogmatisiert" worden. Er gibt aber doch
wohl "die allgemein herrschende Überzeugung, daß Gottes Plan
unabänderlich sei, treffend wieder"[22].

β) Die Aussage, daß das eschat. Maß nachträglich geändert

---

18) BOUSSET-GRESSMANN, 248, VOLZ, 137f, und SCHWEIZER, Mk 157,
differenzieren nicht und kommen so zu falschen Schlüssen.

19) Sir 33,1o (LXX: 36,7); 4Esr 4,26.34; sBar 2o,1f; 83,1 u.ö.;
cf. HARNISCH, aaO 271-275. - Hierher gehört auch die in
1Kor 7,29 angesprochene Vorstellung von der zusammengedräng-
ten Zeit (ὁ καιρὸς συνεσταλμένος ἐστίν   ); cf. SCHRAGE, ZThK
61, 131f.

20) STROBEL, Untersuchungen passim.

21) Cf. PERRIN, Jesus 32ff.

22) JEREMIAS, aaO 141 A.62; dort weitere Belege auch aus zeitge-
nössischer rabbinischer Diskussion.

wird, hat aber umgekehrt Analogien innerhalb der Verkündigung Jesu. Rechnet Jesus nach Mk 13,20 par damit, daß die
Unheilszeit verkürzt wird aufgrund von Gottes Barmherzigkeit,
sagt er im Gleichnis vom Feigenbaum (Lk 13,6-9) an, daß
Gott aus seiner grundlosen Barmherzigkeit heraus die Zeit
zur Umkehr verlängert[23]. "Jesus rechnet also damit, daß
Gott den eigenen heiligen Willen aufhebt"[24]. Daß das
"allegorische Auslegung" sei und "die entsprechenden Züge
des Gleichnisses ...nur den bedrängenden Ernst der Situation deutlich machen"[25], stimmt nicht. Nach dem Duktus der
Erzählung liegt solches Verständnis genau in der Linie
der Pointe der Erzählung. Dabei ist allerdings vorausgesetzt, daß auch in diesem Gleichnis die Gottesherrschaft zur Sprache kommt. Die nachträgliche Revision des
schon gefällten Todesurteils über den Schmarotzer gibt
dann der Ansage der Gottesherrschaft durch Jesus in diesem Gleichnis die spezifische Kontur[26].

Jesus knüpft damit "an die alttestamentliche Vorstellung
von der Reue Gottes an"[27], die in intertestamentarischer
Zeit weitgehend in Vergessenheit geraten ist[28]. Ein Text
aus nt. Zeit ist mir dennoch begegnet, der betont von der
Möglichkeit der Reue Gottes redet: Sib IV, 152-177:

> "Aber wenn ...sie... Übermut vollbringen, frevelhafte
> und böse Werke..., dann möge man wissen, daß Gott nicht
> mehr gnädig ist... ändert dies... bittet um Vergebung
> für die bisherigen Taten und sühnt mit Lobpreisungen
> die bittere Gottlosigkeit, so wird es Gott gereuen, und
> er wird euch nicht verderben; er wird seinen Zorn wie-
> derum stillen, wenn ihr alle die hochgeehrte Frömmig-
> keit in eurem Geiste übt."

Dieser Text bildet geradezu einen Kontrasttext zu Lk 13,6-9.
Hier ist die Reue, die Umkehr Gottes eine Reaktion auf die
Umkehr der Menschen (in der Linie von Jona; Jer 18,7ff),
während es im Gleichnis Jesu genau umgekehrt ist. Die Umkehr Gottes, die Änderung seines Willens, ist nicht Reak-

---

23) Cf. JEREMIAS, Gleichnisse 170f; meine Exegese in: hören und
    fragen I, 407ff.
24) JEREMIAS, NtTh I, 140.
25) HUNZINGER, ThWNT VII, 756 A.45.
26) Cf. meine Exegese aaO.
27) JEREMIAS, aaO 140.
28) Cf. JÖRG JEREMIAS, Reue 10f.

tion, sondern seine grund- und voraussetzungslose Initiative,
die ihrerseits auf die Umkehr der Menschen zielt. In der
Tat: "Diese Worte gehören zu dem Gewaltigsten, was Jesus
gesagt hat...   Über die Heiligkeit Gottes stellt Jesus
die Gnade Gottes, die den Seinen die Notzeit verkürzen und
den Ungläubigen die Bußfrist verlängern kann"[29].

B. Die Zeit des Heils: "Das Maß i s t   voll."

Zeigte sich schon in Mk 13,20 par ein Spezificum des nt.
Profils des Maßmotivs, so werden die Specifica unüber-
sehbar deutlich an den Stellen, an denen das Maß die Ankunft der verheißenen Heilszeit konditioniert.
An allen Stellen wird hier nämlich perfektisch geredet.
War innerhalb der jüdischen Texte immer und überall die
Füllung des Maßes Inhalt der Erwartung, wird im NT betont
gesagt, daß das Maß nicht erst voll wird, sondern bereits
voll ist[1]. Solche Aussagen finden sich aber nur im Hinblick auf den Beginn der Heilszeit[2]. Im Blick auf das
Ende der Unheilszeit wird das Maßmotiv in durchaus traditioneller Weise gebraucht. Diese Spannung signalisiert exakt
das Grundproblem nt. Eschatologie. Aber zunächst zu den
Texten!

1. Mk 1,15

Und Jesus sprach:
"Das eschat. Maß ist voll und die Herrschaft Gottes
nahe gekommen. Kehrt um und glaubt an das Evangelium!"
Nach heutigem exegetischem Konsens[3] ist dieses Logion ein
mk Summarium, das durchaus zutreffend und sachgemäß einen

---

29) JEREMIAS, NtTh I, ebd.

1) Cf. MUSSNER, Gottesherrschaft 88.

2) Mk 16,14 (W) ist Ausnahme und sicher ein spätes Produkt
    theologischer Reflexion, also nicht eigentlich ein nt.
    Beleg; zur Exegese s.o.S. 48f.

3) MUSSNER, aaO 82ff; PESCH, Mk 100ff und die bei STUHLMA-
    CHER, Evangelium 236 A. 1 genannten Forscher; cf. BULT-
    MANN, Theologie 4: "Die Zusammenfassung seiner Predigt
    in dem Wort...(Mk 1,15) ist sachgemäß". Cf. auch TRIL-
    LING, Christusverkündigung 40-63; PESCH, Anfang; AMBRO-
    ZIC, Kingdom 3-31; KELBER, Kingdom 3-15; CHILTON, God
    25-95.

wesentlichen Aspekt der Verkündigung Jesu zusammenfaßt[4].
Ich konzentriere mich auf den Passus: πεπλήρωται ὁ καιρός.

Die nächste sprachliche Parallele steht in Joh 7,8 ὁ ἐμὸς καιρὸς
οὔπω πεπλήρωται. In V.6 ist das Prädikat in dem sonst
gleichen Satz durch πάρεστιν ersetzt und damit καιρός eindeutig als Zeitpunkt verstanden. Πληροῦν hat darum hier
punktuelle Bedeutung, das Maßmotiv liegt nicht vor[5]. Grundsätzlich kann καιρός auch in Mk 1,15 so verstanden werden[6].

Doch gerade eschat. Texte zeigen, daß καιρός - im Unterschied
zur klassischen Zeit[7] - auch einen Zeitraum bezeichnen
kann[8], ja daß καιρός geradezu terminus technicus für die
von Gott bemessene Zeitstrecke[9] bis zum Eschaton oder für
Etappen auf dem Weg dorthin sein kann. In Apk 12,12 bezeichnet καιρός das noch nicht gefüllte Zeitmaß der Satansherrschaft, in 1Kor 7,29 die noch verbleibende bemessene
Zeit bis zum Eschaton; in Apk 12,14 ist es konstitutives
Teilelement dieses Maßes, dabei ist Dan 7,25; 12,7 aufgenommen, wo LXX und Theodotion καιρός im Sinne eines
Zeitmaßes gebrauchen[10].

Die pluralische Formulierung (z. B. Lk 21,24) ist hier
zum Vergleich nicht heranzuziehen[11]. Sie geht von einer
anderen Vorstellung aus und läßt offen, ob καιροί Zeitpunkte oder Zeiträume meint[12]. Die καιροί machen im
übrigen hier den Inhalt des nur gedachten Maßes aus. Dem-

---

4) "Die hellenistische Missionsterminologie wird zur Rah-
   mung palästinischen Aussagenmaterials und Jesusgutes
   herangezogen" (STUHLMACHER, aaO 238). CHILTON, aaO 78-
   86, eruiert "an Aramaic-speaking context" (86), wobei
   er TargJes 60 aufgenommen sieht.

5) S.o.S. 19 A.59; gegen MUSSNER, aaO 86. 88.

6) So LOHMEYER, Mk 30; MARXSEN, Markus 89; cf. auch Jos.
   Ant. IV,49.

7) Cf. DELLING, ThWNT III,456f; Endzeit 13-15.

8) Im NT bezeichnet καιρός "häufiger sogar den Zeitabschnitt" (DELLING, Endzeit 26).

9) Cf. auch Sir 17,2 (s.o.S. 11).

10) Cf. auch Dan 4,16.23.25.32 (Theodotion); 9,27 (LXX).

11) So haben sich einige Abschreiber den Text erleichtert.
    Codex Bezae und einige altlateinische Handschriften
    lesen: πεπλήρωνται οἱ καιροί.

12) S.o.S.52.

gegenüber tritt in der singularischen Formulierung καιρός an die Stelle des (sonst nicht oder nur selten genannten) Maßbegriffs: μέτρον, ἀριθμός.

Vergleichbar sind darum am ehesten die singularisch formulierten Komplettierungsformeln[13]. Dabei ist allerdings zu beachten, daß an diesen Stellen neben καιρός auch χρόνος steht (oder hinter der Übersetzung zu vermuten ist). Angesichts dessen, daß καιρός ursprünglich die als von einem bestimmten Geschehen determinierte Zeit bezeichnete. Zeit und Geschehen also mit καιρός .zusammengesehen werden[14] und unter Berücksichtigung der oben notierten Beobachtungen möchte ich vorschlagen, καιρός in Mk 1,15 als "das eschat. Maß" schlechthin zu verstehen. Πεπλήρωται ὁ καιρός heißt also: "Das eschat. Maß ist voll".

Neu gegenüber allen bisher angeführten Komplettierungs-sätzen ist hier das Perfekt. Nach Mk 1,15 hat Jesus also das, was seine Vorfahren und Zeitgenossen erwarteten, als "erfüllt" proklamiert. Das Maß, dessen Füllung die Ankunft der Gottesherrschaft konditioniert, ist schon voll.[15] Spannungsreich und paradox steht neben diesem Satz voll-mundiger präsentischer Eschatologie der andere: "Die Gottes-herrschaft ist nahe gekommen". Diese Paradoxie von "schon jetzt" und "noch nicht" will nicht zugunsten der einen oder anderen Seite aufgelöst werden[16], sondern in ihrer Spannung ausgehalten sein[17]. Sie markiert exakt das Grundproblem nt. Eschatologie: das Verhältnis von Geschichte und Eschatologie.

2. Gal 4,4;

Eine ähnliche Aussage macht Pls in Gal 4,4:

> "Als das erfüllte Maß der Zeit eintraf, sandte Gott seinen Sohn..."

---

13) S.o.S.14 A.25; S.38 u.A.3.

14) Cf. DELLING, ThWNT III,456f, 459f, 462f.

15) Cf. TRILLING, aaO 46.

16) Cf. DODD, Parables 44f; er übersetzt: "The kingdom of God has come". Andererseits versucht STROBEL diese Dia-lektik aufzulösen mit der Hypothese, Jesus habe die An-kunft der Erfüllung des Maßes für die nächste Zukunft erst erwartet, nämlich genau zum Beginn des Jobeljahres (10. Tischri im Jahr 30 p.Chr.n.); Kerygma 101ff.

17) Cf. KÜMMEL, Verheißung 16-18 und passim; MUSSNER, aaO 88-90.

Wie in Mk 1,15 wird auch hier die Füllung des Maßes als
ein zurückliegendes Geschehen beschrieben. Allerdings
differiert die Terminologie. Daß hier $\chi\rho\acute{o}\nu o\varsigma$ statt $\kappa\alpha\iota\rho\acute{o}\varsigma$
gesagt wird, ist von geringerer Bedeutung.[1] Wichtiger ist,
daß Pls hier nominal formuliert. Statt $\acute{o}\tau\epsilon\ \delta\grave{\epsilon}\ \acute{\epsilon}\pi\lambda\eta\rho\acute{\omega}\vartheta\eta\ \acute{o}\ \chi\rho\acute{o}\nu o\varsigma$
schreibt er $\acute{o}\tau\epsilon\ \delta\grave{\epsilon}\ \tilde{\eta}\lambda\vartheta\epsilon\nu\ \tau\grave{o}\ \pi\lambda\acute{\eta}\rho\omega\mu\alpha\ \tau o\tilde{\upsilon}\ \chi\rho\acute{o}\nu o\varsigma$.
Darin liegt eine Besonderheit, die näher untersucht zu
werden verdient.

a) Die nominale Formulierung

Bis in unser Jahrhundert hinein haben viele Exegeten die
Meinung vertreten, $\tau\grave{o}\ \pi\lambda\acute{\eta}\rho\omega\mu\alpha\ \tau o\tilde{\upsilon}\ \chi\rho\acute{o}\nu o\upsilon$ meine die "Fülle der
Zeit", nämlich die Blütezeit des Imperium Romanum. Jene
Zeit spätantiker Erlösungshoffnung sei von Pls als $\pi\lambda\acute{\eta}\rho\omega\mu\alpha$
$\tau o\tilde{\upsilon}\ \chi\rho\acute{o}\nu o\upsilon$ bezeichnet worden; sie sei die denkbar beste
Voraussetzung für die Ausbreitung des Christentums gewesen,
quasi der Nährboden, dessen die neue Religion bedurfte[2].

Dank der inzwischen häufig zitierten Erklärung dieser Stelle
durch MARTIN LUTHER scheint das Mißverständnis ausgeräumt,
als ob die besondere Qualität des Geschehens dieser Zeit die
Offenbarung Gottes in Jesus Christus veranlaßt hätte[3]. Damit
scheint die Exegese "von der Notwendigkeit frei zu sein, die
Zeitgeschichte in das Prokrustesbett des Offenbarungsbeweises
zu zwängen"[4]. LUTHER sagt:[5]

> "Non enim tempus fecit filium mitti, sed econtra
> missio filii fecit tempus plenitudinis".

---

1) Die Wortwahl ist vielleicht durch den Kontext (V.1) bedingt.

2) Cf. die Zusammenstellung bei OEPKE, Gal 132 A.173 und
   vor allem vdOSTEN-SACKEN, EvTh 37, 552ff.

3) Einen verzweifelten letzten Versuch, die Zeitgeschichte
   für die Exegese dieser Stelle zu bemühen, haben H.W.
   BEYER und P.ALTHAUS wider besseres Wissen unternommen:
   "Gott bricht Zeiten, denen er ein Ende setzt, nicht un-
   vermittelt ab, sondern führt sie als Herr der Geschichte ihrem Ende und dem Neuen, das sie ablöst, inhaltlich
   entgegen. Daher darf man seine Setzung der Frist, des
   Vollmaßes der Zeit vor Christus zwar nicht etwa mit der
   Reife der Zeit für das Evangelium zu begründen, aber doch
   an ihr historisch abzulesen versuchen". (Gal 34).

4) vdOSTEN-SACKEN, aaO 557.

5) Aus LUTHERs erster Vorlesung über den Galaterbrief von
   1516/7, WA 57, 30,15f; zitiert zB von SCHLIER, Gal 195
   A.7; DELLING, ThWNT VI, 293 A.56; LOHSE, Umwelt 5; MUSS-
   NER, Gal 269 A.114.

64 So sehr diese Exegese LUTHERs der Intention pln Theologie
gerecht werden mag, so sehr hat sie aber den Wortlaut von
Gal 4,4 gegen sich.

1) Pls redet nicht vom tempus plenitudinis ($\delta \chi\rho\acute{o}\nu o\varsigma \tau o\bar{u}$
$\pi\lambda\eta\rho\acute{\omega}\mu\alpha\tau o\varsigma$ sondern vom $\pi\lambda\acute{\eta}\rho\omega\mu\alpha \tau o\bar{u} \chi\rho\acute{o}\nu o\upsilon$ (plenitudo temporis).

2) Das Verhältnis von Haupt- und Nebensatz in Gal 4,4 wird
durch LUTHERs Exegese geradezu auf den Kopf gestellt.

Zu 1: $T\grave{o} \pi\lambda\acute{\eta}\rho\omega\mu\alpha \tau o\bar{u} \chi\rho\acute{o}\nu o\upsilon$ ist zunächst nicht im Sinne at.
Zeitverständnisses als die durch ein bestimmtes Geschehen
qualifizierte Zeit, in diesem Sinne als "gefüllte Zeit",
zu verstehen[6]. Die hinter dem Nominalausdruck zu ver-
mutende verbale Formulierung bedient sich wieder der ver-
kürzten Redeweise. Gemeint ist: $\H{o}\tau\epsilon \delta\grave{\epsilon} \grave{\epsilon}\pi\lambda\eta\rho\acute{\omega}\vartheta\eta \tau\grave{o} \mu\acute{\epsilon}\tau\rho o\nu \tau o\bar{u} \chi\rho\acute{o}\nu o\upsilon$.
Im Hintergrund steht auch hier das Motiv vom eschat. Maß.
Darum ist hier die Zeit der Inhalt des (wie üblich nicht
genannten) Maßes, während LUTHER die Zeit als Maß sieht,
das durch die Sendung des Sohnes gefüllt ist und darum
tempus plenitudinis genannt werden kann.

Zu 2: Gebraucht Pls hier die Vorstellung vom eschat. Maß,
dann ist ganz eindeutig, daß der Temporalsatz konditio-
nalen Nebensinn hat. Denn immer ist die Füllung des Zeitmaßes Bedingung für die Ankunft des Heils. Anders als in
der traditionellen Exegese zielt der Temporalsatz zwar nicht
auf anthroponome Bedingungen, wohl aber auf die theonome
der Füllung des von Gott gesetzten Maßes. Als Anwalt des
Textes bin ich geneigt, gegen LUTHER zu formulieren:
"econtra plenitudo temporis fecit missionem filii".
Dabei ist im Zuge der Tradition des eschat. Maßes natürlich
die plenitudo temporis als ein menschlichem Tun und Erkennen radikal entzogenes theonomes Geschehen verstanden[7].

Hat die Exegese LUTHERs auch den Wortlaut von Gal 4,4 gegen
sich, so doch den Gesamtzusammenhang pln Theologie im Rücken.
Und damit wird das Problem von Gal 4,4 in aller Schärfe
deutlich. Pls will hier offensichtlich mehr sagen, als der
Wortlaut und das ihm traditionell vorgegebene Vorstellungs-

---

6)   S.o.S.18f.

7)   Cf. EICHHOLZ, Theologie 158. "It was in God's good and
     own time that the Son was sent" (CAPALDI, SJTh 25, 197).

motiv vom eschat. Maß zur Sprache bringen. Er stößt mit
Gal 4,4 an die Grenzen des Sagbaren.

Das hat seinen Grund darin, daß die Füllung des eschat.
Maßes als schon vollzogen proklamiert wird. In der Perspektive der oben dargestellten Tradition vom eschat. Maß ist
eine solche perfektische Aussage ein Adynaton. Die Füllung
des Maßes wird stets für die Zukunft erwartet. Ist das Maß
aber gefüllt, dann ist nach antik-jüdischer Vorstellung
Gottes Herrschaft, sein Messias, die Fülle seines Heils,
kurz: das Ende da. Dann ist alle Theologie überflüssig
und damit auch die Rede vom eschat. Maß. Die Rede vom eschat.
Maß ist also nur sinnvoll in der Prospektive; sie ist logi-
scherweise an die Prospektive gebunden.

Pls steht nun in der Verlegenheit, dieses an die Prospektive gebundene Maßmotiv in der Retrospektive zur Sprache
zu bringen. Denn obwohl das Maß voll ist, geht die Zeit
weiter. Das ist die "fundamentale Aporie..., die ihrem
Wesen nach eine christologisch-eschatologische ist"[8].
Diese Aporie findet auch darin ihren Ausdruck, daß Pls
das Maßmotiv in doppelter Weise benutzt. Neben dem Gebrauch
in der Retrospektive steht der in der Prospektive (1Thess
2,16; Röm 11,25)[9]. Auch im Gebrauch des Maßmotivs spiegelt sich mithin die "Zerdehnung der Eschatologie in eine
präsentische und eine futurische Aussagenreihe"[10].

Diese christologisch-eschatologische Aporie[11] führt dazu
daß Pls mit seinen Worten zurückbleibt hinter dem, was er
eigentlich sagen will. Diese Aporie führt aber auch zu
Sprachschöpfungen. Die nominale Formulierung τὸ πλήρωμα τοῦ χρόνου
ist nämlich keine beliebige stilistische variatio. Ich
halte sie vielmehr für eine sprachliche Neuschöpfung des
Pls, die der Analogielosigkeit des Sachverhalts, den sie
ausdrücken will, Rechnung trägt.

---

8)   vdOSTEN-SACKEN, aaO 559.

9)   S.u.S.103ff u. S.164ff.

10) STUHLMACHER, ZThK 64, 426.

11) J.BAUMGARTEN macht es sich zu einfach, wenn er behauptet,
     Pls habe "die Sendung des Sohnes als Heilsereignis (V.5)
     mit der Zeitprädikation τὸ πλήρωμα τοῦ χρόνου belegt
     und damit die Erfüllung der Zeit christologisch-soterio-
     logisch und somit gegenwartsorientiert und nicht futu-
     risch-eschatologisch" verstanden (Paulus 193; Hervorhe-
     bung von mir).

Πλήρωμα im Zusammenhang einer Zeitangabe ist mir - bis auf eine Ausnahme[12] - nur in Gal 4,4 und Eph 1,10 begegnet[13]. Πλήρωμα meint hier nämlich nicht nur den Akt der Füllung des Zeitmaßes - das dürfte im übrigen eher πλήρωσις heißen[14] -, sondern auch die Zeitstrecke, die auf diesen Akt folgt[15]. Es meint auch nicht nur den "Augenblick, der die von Gott festgesetzte Zeit vollmacht"[16]. Zu erinnern ist vielmehr daran, daß πλήρωμα "das Resultat eines zum 'Vollbestand' führenden Prozesses" oder "'Vollmaß' als Resultat eines Auffüllens, Anhäufens" bedeutet[17]. Τὸ πλήρωμα τοῦ χρόνου ist also auch Resultat des Christusgeschehens[18].

Die nominale Formulierung ist also nicht einfach mit der verbalen identisch[19], sondern Reflex auf die besondere christologisch-eschatologische Problematik. Sie signalisiert, daß der in Raum und Zeit geschehenen Sendung des Sohnes gegenüber, die als solche weder Raum noch Zeit aufgelöst hat, das Motiv vom eschat. Maß nur modifiziert gebraucht werden kann[20].

---

12) Πλήρωμα τοῦ ἐνιαυτοῦ findet sich als eine Randlesart im Codex VII, die von zweiter Hand stammt, in den Fragmenten der Hexapla des Origenes zu Ex 34,22. Ihre Herkunft ist unklar ("Αλλος). BILLERBECK III, 570 urteilt aus seiner gründlichen Kenntnis der rabbinischen Literatur: Der dem πλήρωμα τοῦ χρόνου wörtlich entsprechende Ausdruck עִתִּים מְלֹאת ist uns nicht begegnet".

13) Diese Singularität gilt also nicht nur für die "zweifelsfrei echten Paulinen" (BAUMGARTEN, aaO 193 A.66), hat also eine weit größere Tragweite für die Interpretation als die von J.BAUMGARTEN angenommene.

14) Cf. Jer 5,24; Ez 5,2. Gelegentlich kann πλήρωμα aber in der Profangräzität im Sinne von πλήρωσις gebraucht werden (ERNST, Pleroma 3 Nr.7; BAUER, WB 1334 Nr.4).

15) "Die Weltperiode der Vollendung" (HAUPT, Eph 26f); cf. auch EWALD, Eph 79; BAUER, WB 1334; ERNST, Pleroma 69; MUSSNER, Gal 269.

16) BILLERBECK III, 570; cf. 580; STEINMETZ 77; CONZELMANN, Eph 92.

17) EWALD, Eph 79 A.; Hervorhebungen von mir; cf. GEWIESS 134.

18) BAUER, Wb 1334: "d. Zustand des Vollseins v. der Zeit".

19) Gegen LIETZMANN, Gal 26.

20) Daß Pls "radikal das apokalyptische Zeit- und Seins-Verständnis zerbrochen" hat, folgert J.BAUMGARTEN wohl zu Unrecht aus solch modifiziertem Gebrauch (aaO 189; cf. 191 u.ö.). Dialektisch ist nicht nur das Verhältnis von Tradition und Interpretation (so BAUMGARTEN, aaO 193), sondern die pln Interpretation selbst.

Von daher gewinnt die Formulierung LUTHERs nachträglich
ihr Recht: Die Sendung des Sohnes qualifiziert nun auch
die Folgezeit neu. Τὸ πλήρωμα τοῦ χρόνου charakterisiert –
anders als die üblichen Komplettierungsaussagen in der
hier rezipierten Tradition – nicht das Ende der Zeit. Es
bezeichnet nun die Zeit selber, die durch die Sendung des
Sohnes qualifiziert ist, welche ihrerseits durch die Füllung des Zeitmaßes bedingt war.

b) Ἔρχεσθαι als eschat. Terminus technicus

Diese besondere Bedeutung zeigt neben der nominalen Formulierung das Stichwort ἦλθεν [1]. Ἔρχεσθαι ist hier Terminus technicus der Eschatologie. Analog der Redeweise vom
eschat. Kommen Gottes, dem Eintreffen seiner Verheißungen,
wird auch vom Kommen bestimmter eschat. Zeitpunkte und
Zeiträume in AT und nachat. Literatur gesprochen (בוא/
ἔρχεσθαι)[2].

Im NT finden sich verschiedene idiomatische Wendungen,
in denen Zeitbegriffe Subjekt zu ἔρχεσθαι sind:

ἡμέρα	Mk 2,20par; Lk 17,22; 21,6; 23,29; Hebr 8,8.
καιροί	Apg 3,20.
καιρός	Apk 11,18.
ἡμέρα κυρίου	Apg 2,20; 1Thess 5,2; Apk 6,17.
ἡμέρα τ. ἀζύμων	Lk 22,7.
νύξ	Joh 9,4.
ὥρα	Mk 14,41; Joh 4,21.23; 5,25.28; 12,23; 16,2.
	25.32; 17,1; Apk 14,7.15.
ὥρα αὐτοῦ/τῆς ζωῆς	Joh 7,3o; 8,20; 13,1; 16,4.21.

Dieser also durchaus übliche Gebrauch von ἔρχεσθαι
kommt der Formulierung in Gal 4,4 am nächsten. Er unterstützt die These, daß τὸ πλήρωμα (Subjekt zu ἦλθεν in
Gal 4,4) selbst eine Zeitangabe geworden ist und nicht
nur eine Aussage über die Zeit darstellt wie die verbalen
Formulierungen in den Komplettierungsformeln.

---

1)   Cf. DELLING, ThWNT VI, 303; K.BARTH, KD III,2 550f.

2)   Cf. SCHNEIDER, ThWNT II, 663f. 667f. Die von J.SCHNEI-
     DER genannten Belege lassen sich leicht vermehren. Be-
     liebt ist die Wendung in Sib; für Zeiten: III,55.117.
     797; IV,86; sonst: III,60.63.173.197.206.265.304.314f.
     367.373f.388f.464.470.505.611.670f.673f.780; IV,4of.
     97.101.115.125.131.137f.145.172.

Andererseits zeigt die Parallelität der Ankunft des πλήρωμα τοῦ χρόνου zu der Ankunft des σπέρμα ᾧ ἐπήγγελται (3,19) und der πίστις (3,23.25), daß das Motiv des eschat. Maßes durch die Christologie modifiziert ist. An allen vier Stellen ist ἔρχεσθαι eschat. Terminus technicus: Die Erfüllung des eschat. Maßes und die Sendung des Sohnes bedingen sich gegenseitig[3].

c) Das Gleichnis (4,1f)

Wie Pls die Wendung verstanden hat, zeigt schließlich auch das Gleichnis, mit dem er den Gedenkengang einleitet (V. 1f). Es ist deutlich "von dem zu erläuternden Sachverhalt aus konstruiert"[4]. Die Wendung ἄχρι τῆς προθεσμίας τοῦ πατρός würde "eine Reihe von Fragen" aufwerfen, versuchte man sie als solche "in das Rechtsleben der apostolischen Zeit einzuordnen"[5]. Zwar gibt es "bestimmte Rechtsverh..., die es dem Vater gestatteten, den Mündigkeitstag v. sich aus festzusetzen"[6], z.B. das "hellenistische Recht..., das nach der Auskunft der Papyri einen solchen vom Vater fixierten Endtermin der Vormundschaft kennt"[7]. Ob Pls aber an solche konkreten Rechtsverhältnisse denkt oder nicht, entscheidend ist hier, was Pls mit solchem Gleichnis deutlich machen will[8]. In der προθεσμία τοῦ πατρός wird metaphorisch angedeutet, was mit ὅτε δὲ ἦλθεν τὸ πλήρωμα τοῦ χρόνου ausgedrückt werden soll[9]: der vorab vom Vater festgesetzte Termin der

---

3) Cf. MUSSNER, Gal 269; ERNST, Pleroma 69; vdOSTEN-SACKEN, aaO 558: "Sachgrund und Erekenntnisgrund für die Erfüllung und damit den Abschluß der Zeit ist das Kommen des Gottessohnes. Indem die Erfüllung der Zeit konstatiert wird, wird die Sendung des Gottessohnes als eschatologisches Geschehen qualifiziert".

4) SCHLIER, Gal 188.

5) OEPKE, Gal 127.

6) BAUER, WB 1401.

7) SCHLIER, Gal 189; cf. OEPKE, Gal 127f.

8) Auch in der "Mehrzahl und Doppelung verschiedener Aufsichtspersonen" (ὑπὸ ἐπιτρόπους ... καὶ οἰκονόμους) sieht J. BECKER einen "Einfluß von der Sachaussage" (Gal 47). Denn beides war durchaus "unüblich" (ebd). Hier hat der Gedanke an νόμος und στοιχεῖα die Feder geführt, Pls also, "wie so manchmal, seinen Vergleich aus den Bedürfnissen des Augenblicks heraus mit gewissen Einzelzügen aus(ge)stattet"(BAUER, ebd).

9) LIETZMANN, Gal 26; SCHLIER, Gal 194; BECKER, Gal 48.

Mündigwerdung zielt auf "die von Gott vorher festgesetzte apokalyptische Frist"[10]. Hier wie da wird mit Ablauf dieser Frist die Zeit des Sklavenstandes durch die Zeit der Kindschaft (mit Erbberechtigung) abgelöst. Τὸ πλήρωμα τοῦ χρόνου meint also entgegen der Tradition, aus der diese Aussage stammt, bei Pls nicht "die Aufhebung der Zeit"[11], "keinesfalls die Beendigung eines Zeitablaufs"[12], sondern die neu qualifizierte Zeit: "die Christuszeit und Endzeit", und beides ist "vom Inhalt her zusammengehörig"[13].

3. Eph 1,10

Die einzige andere Stelle, an der πλήρωμα mit einem Zeitbegriff kombiniert ist, ist Eph 1,10. Schon dieser Sachverhalt legt die Annahme nahe, daß hier an Gal 4,4 angeknüpft wird. Dabei operiert der Vf. des Eph ohne weitere Erklärung, quasi nebenbei, mit dem Begriff τὸ πλήρωμα τῶν καιρῶν, kann dessen Verständnis also bei seinen Lesern voraussetzen.

> "...nach seinem (Gottes) Willen...,
> um die Fülle der Zeiten zu verwalten,
> εἰς οἰκονομίαν τοῦ πληρώματος τῶν καιρῶν
> das All unter Christus als dem Haupt zusammenzufassen..."

Im Unterschied zu Gal 4,4 ist hier der Genitiv zu πλήρωμα nicht τοῦ χρόνου, sondern τῶν καιρῶν. Aber das "ist nur

---

10) OEPKE, Gal 132.

11) DELLING sagt zunächst, daß πλήρωμα "die Aufhebung der Zeit im Heilshandeln Gottes in sich schließt" (Zeitverständnis 105). Später korrigiert er sich: "Mit dem Satz wird nicht die Zeit als solche aufgehoben, sondern vielmehr das Heilshandeln Gottes unmittelbar in die Historie hineingestellt" (ThWNT VI, 303f).

12) ERNST, Eph 276.

13) DELLING, Zeit 39. Denn "das Christusereignis ist in der Gemeinde bleibend mächtig" (ebd). Die Christuszeit ist erfüllte Zeit, "die von dem entscheidenden Heilshandeln Gottes her bestimmt ist" (aaO 41). "Das vollzogene Heilshandeln Gottes in Christus (bleibt so) die Sinnmitte der Zeit" (aaO 42). Cf. ERNST, Pleroma 69; K.BARTH, KD III, 2, 551: "Paulus will...sagen, daß in und mit dem Ereignis der Sendung des Sohnes, seines Eintritts in die Zeitlichkeit, eine bestimmte neue Zeit angebrochen ist, gefüllt durch ein Geschehen, dessen Tragweite sie charakterisiert als die Erfüllung aller Zeit".

formell verschieden"[14]. Nach dem bisherigen Gang der Untersuchung liegt auf der Hand, daß diese terminologische Differenz unerheblich ist[15]: χρόνος und καιρός werden promiscue gebraucht. Und Belege gibt es sowohl für die singularische wie die pluralische Zeitterminologie. H.SCHLIER sagt zu Recht, daß πλήρωμα τῶν καιρῶν sachlich mit πλήρωμα τοῦ χρόνου aufs Ganze gesehen identisch ist"[16]. Denn die Summe der einzelnen Zeitpunkte (oder zyklischer Einheiten) entspricht dem Vollmaß der (abstrakt gedachten) Zeit: καιροί (=םימי)=χρόνος. Man kann höchstens sagen, daß die Formulierung in Eph 1,10 den gängigen antik-jüdischen Aussagen formal näher steht als die in Gal 4,4, ohne daß daraus inhaltliche Differenzen gefolgert werden dürften. Hier wie da meint es die christologisch qualifizierte Zeit, die Endzeit.

Allerdings ist die Aussage über das πλήρωμα τῶν καιρῶν eine andere[17]. In Eph 1,10 ist es Objekt von οἰκονομία [18]. Εἰς οἰκονομίαν muß hier aktiv verstanden und darum am besten verbal übersetzt werden[19]: "um zu verwalten". Gottes Wille zielt also darauf - so sagt Eph 1,9f - , die christologisch qualifizierte Zeit zu verwalten, d.h. sich als Verwalter, als Herr dieser Zeit zu betätigen[20]. Damit geht der Eph über die pln Aussage in Gal 4,4 hinaus: Hatte Pls versucht, quasi gedrängt in einem Satz zwei Gedanken auszudrücken, nämlich "1. Die Erfüllung des eschat. Zeitmaßes bedingt das Christusgeschehen" und "2. Das Christusgeschehen bedingt die

---

14) HAUPT, Eph 25.

15) Cf. S.11.46f.47 A.3; 61 A.7 u.8.

16) Gal 194. Später behauptet er hingegen, Gal 4,4 habe mit Eph 1,10 "unmittelbar nichts zu tun" (Eph 63). Er möchte πλήρωμα nun als Terminus technicus für den "Raum der Fülle Gottes" (ebd 64) verstehen im Sinne des spezifischen Gebrauchs des πλήρωμα -Begriffs im Kol und Eph (cf. ebd 96-98).

17) GNILKA, Eph 79.

18) Τοῦ πληρώματος ist also gen. obi.; cf. FISCHER, Tendenz 117; MUSSNER, Geschichtstheologie 61; SCHLIER, Eph 62f; LINDEMANN 79; gegen: MICHEL, ThWNT V,155; DIBELIUS-GREEVEN, Eph 60; CONZELMANN, Eph 89; LOHSE, Kol 117 A.5.

19) FISCHER, ebd; ERNST, Eph 276; STEINMETZ 78; GNILKA, Eph 79 A.4.

20) "Der Begriff 'Ordnung' (Ökonomie) gibt zu erkennen, daß es um die Abwicklung eines alle Geschichte überbietenden Geschehens geht" (ERNST, Eph 276). "Die Durchführung der Zeitenfülle bedeutet, arrangiert diese universale Zusammenfassung in Christus" (GNILKA, Eph 79).

des Eph auf den zweiten Gedanken: Gottes Wille richtet sich
auf die Verwaltung dieser neu-qualifizierten Zeit[21].
Dieser gegenüber Pls fortgeschrittenen Aussage über die Zeit
(V.10a) tritt eine christologische Aussage zur Seite (V.10b),
die ebenfalls gegenüber pln Christologie weiterentwickelt
ist. War für Pls mit der Sendung Christi (Gal 4,4) seine
universale Herrschaft keineswegs schon gegeben, vielmehr
Gegenstand der Erwartung (cf. 1Kor 15,20-28) und den Christen lediglich der Geist als Angeld schon geschenkt (Gal 4,6),
ist für Eph die universale Christusherrschaft jedenfalls
"in Christus" schon vollzogen (V.10b)[22]. Damit ist im Eph
die Dialektik pln Eschatologie abgeflacht: die Präsenz des
Heils ist stärker betont, futurische Eschatologie tritt zurück[23].

Dieser auch in anderen Zusammenhängen des Eph zu beobachten-
de Sachverhalt hat A. LINDEMANN in seiner Untersuchung von
"Geschichtsverständnis und Eschatologie im Epheserbrief"
unter dem Titel "Die Aufhebung der Zeit" zu solchen und anderen überspitzten Formulierungen und verzeichneten Darstellungen geführt. Eine Auseinandersetzung mit der ganzen Arbeit
würde hier zu weit führen; aber da LINDEMANN Eph 1,10 ausführlich exegesiert, muß seine Exegese wenigstens dieser
Stelle diskutiert werden.

Während LINDEMANN für Gal 4,4 zugibt, daß "dabei vielleicht
doch ein geschichtlicher Gedanke im Spiel" ist[24], bestreitet er solchen für Eph 1,10 rundweg und postuliert als Übersetzung für πλήρωμα τῶν καιρῶν "Ende der Zeit", "Aufhebung der
Zeit"[25]. Begründet wird diese These mit dem Hinweis auf die
terminologische Differenz zu Gal 4,4. Das Wort χρόνος sei
"vom Verfasser des Epheserbriefes offensichtlich bewußt ver-
mieden worden"[26]. LINDEMANN fährt dann fort:"Das Stichwort
καιρός bezeichnet dagegen stets (sic!) einen 'Zeitpunkt'".
Kurioser als diese irrige These[27] ist die Tatsache, daß LIN-
DEMANN sich dafür auf W. BAUER beruft und das Gegenteil dessen als Beleg zitiert: "d. Zeit, sowohl d. Zeitpunkt wie d.
Zeit<u>abschnitt</u>"[28]. Daß "die Zusammenfassung aller 'Zeitpunk-

---

21) Cf. DELLING, ThWNT VI, 304.
22) Cf. DIBELIUS-GREEVEN, Eph 61.
23) Gegen MUSSNER, Geschichtstheologie 61.
24) 95; cf. A.43.   25) 95 u.ö.   26) ebd.
27) S.o.S. 61 A.7 u.8.
28) 95 A.40; Zitat BAUER, WB 779; Hervorhebung von mir.

te'.,zugleich ihre Aufhebung, ein 'Ende der Zeit', bedeutet"[29], bleibt jedenfalls unbegründetes Postulat. LINDEMANN
beruft sich für diese Deutung auf G. DELLINGs Arbeit von
1940[30], ohne zu beachten, daß DELLING a) so auch Gal 4,4
gedeutet hat und b) selbst aus guten Gründen von dieser (dem
Zeitgeist nur allzu sehr verbundenen) Arbeit später abge-
rückt ist und solche Deutung widerrufen hat[31].

Eine überzeugende Erklärung der Verbindung des Ausdrucks mit
εἰς οἰκονομίαν , auf die LINDEMANN betont wertlegt[32], bleibt
er jedoch schuldig. Denn "jenseits der Zeit"[33] "gibt es
(nach LINDEMANNs eigenen Worten!) nichts mehr zu 'organisie-
ren'", also auch nichts zu verwalten oder zu ordnen. Worauf
zielt dann die οἰκονομία ? Will Gott das Ende der Zeit verwalten?
Spätestens hier wird deutlich, daß die Theorie von der Aufhebung der Zeit, wenn sie überhaupt gedacht werden kann,
eher Produkt moderner Spekulationen darstellt, als daß sie
den biblischen Texten nachdenkt. Solche und ähnlich Einwände mit dem Hinweis abzutun, es sei eben nur eine "theologische These" und nur "für den Glauben (habe) sich das Ende
der Zeit bereits vollzogen"[34], ist (ja wohl eher als solche
Einwände) "eine Verlegenheitsauskunft, die am Text vorbei-
geht"[35].

4. Mt 1,17

Daß das eschat. Maß mit der Ankunft Jesu Christi schon gefüllt ist, bringt Mt am Ende seiner Präsentation des Stamm-
baums Jesu zum Ausdruck. Hier wird der Stammbaum Jesu in
drei Epochen zu je vierzehn Generationen zerlegt[36]. "Er
dürfte einer gewissen christlichen Schriftgelehrsamkeit...
entstammen"[37], wobei im einzelnen nicht mehr zu erkennen
ist, welcher Symbolgehalt der Zahl vierzehn dabei zukam[38].

SCHNIEWIND meint, sie wäre dem Vf. "wohl bedeutsam, weil
sie 2 x 7 ergibt"[39]. GRUNDMANN sieht die Möglichkeit, daß
sie durch die in at. Stammbäumen belegte Zahl von 14 Generationen zwischen Abraham und David vorgegeben war[40].

---

29) 95.   30) A.41.   31) S.o.S.69 A.11.
32) 79; 94 u.A.32.   33) 95.   34) 98.   35) ebd.
36) Zu den Unstimmigkeiten cf. SCHNIEWIND, Mt 10f; VÖGTLE,
    BZ NF 9, 32-38.
37) SCHWEIZER, Mt 7.
38) Ebd 8; VÖGTLE, aaO 32-38.
39) Mt 10.
40) Mt 65; VÖGTLE, aaO 36-38.

LOHMEYER und JEREMIAS denken daran, daß vierzehn nach zeit-
genössischer Gematrie die Davidzahl ist[41]. Der Stammbaum
erweist dann unter Aufnahme der Vorstellung vom eschat. Maß
Jesus in der Retrospektive als den verheißenen Davidsohn.
Er will sagen, "daß der Messias geboren wurde 'als die Zeit
erfüllt war'"[42]. "Wenn dreimal vierzehn Geschlechter des
Volkes vergangen sind, dann ist die von Gott verheißene
Vollendung da"[43].

5. Mt 8,29

Den gleichen Reflex auf die christologisch-eschatologische
Problematik läßt die Bearbeitung der Erzählung von der Hei-
lung der Besessenen von Gadara durch Mt erkennen: Die Dämonen rufen bei der Konfrontation mit Jesus aus:

> "Kamst du hierhin, um uns vor der Zeit $\left(\pi\varrho\grave{o}\ \varkappa\alpha\iota\varrho o\tilde{u}\right)$
> zu quälen?" $\qquad$ Mt 8,29

"Die Dämonen...wissen, daß in Gottes Plan ein Tag gesetzt
ist, an dem es zu Ende mit ihnen sein wird, und Gott und seine Engel die Herrschaft übernehmen werden. Und sie wissen,
welches dieser Tag ist. So ist dieser Jesus zu früh gekommen.
Es ist noch nicht an der Zeit. Jesus nimmt das Handeln des
Messias schon vorweg. Theologisch könnte man sagen, daß Gott
selbst, der Allmächtige, nicht die Geduld hat, die Zeit abzuwarten, die er selber festgesetzt hat"[44].

---

41) LOHMEYER, Mt 6; VÖGTLE, aaO 36; JEREMIAS, Beobachtungen
    196 A.9.
42) VÖGTLE, aaO 37.
43) LOHMEYER, Mt 6.
44) STENDAHL, JK 30, 128f; cf. LOHMEYER, Mt 166; SCHNIEWIND,
    Mt 117; GRUNDMANN, Mt 263; SCHWEIZER, Mt 144.

A. <u>4Esr und sBar</u>

Die Vorstellung vom eschat. Maß der Zeit hat sich in Bildern
und Metaphern Ausdruck verschafft und damit eine besondere
Überzeugungskraft gewonnen. Das ist vor allem in 4Esr und
sBar festzustellen. Angeknüpft wird an menschliche Erfahrungen, um so innerhalb des Erfahrungshorizontes Einsichten
zu vermitteln und Trost wie Mahnung Nachdruck zu verleihen.

1. <u>Die Lebenszeit des Menschen</u>

So konnte man den Ablauf der Weltzeit mit dem Altern des
Menschen vergleichen:

> "Denn die Schöpfung wird schon alt und ist über die
> Jugendkraft schon hinaus" (4Esr 5,55; cf. V.50-55).

> "Denn die Welt hat ihre Jugend verloren, die Zeiten
> nähern sich dem Alter" (4Esr 14,10).

> "Die Jugend dieser Welt ist ja vergangen, die Kraft
> der Schöpfung ist ja schon erschöpft" (sBar 85,10).

In dieser Metapher ist am ehesten wiederzufinden, was N.A.
DAHL für all diese Metaphern reklamiert: "the application
made in Judaism of images and terms from organic life to
human history"[1]. Geschichte ist verstanden als ein Prozeß
analog organischem Wachstum. Hier ist der Vergleich daran
interessiert, daß des Menschen Kraft mit zunehmendem Alter
abnimmt, um damit die Progression des Bösen vor dem Weltende,
also die Degeneration dieser Welt, deutlich zu machen. Der
Gedanke, daß dem Menschen ein Maß an Lebenszeit gegeben ist,
das sich bis zum Tode füllt[2], tritt demgegenüber zurück.

2. <u>Embryonalphase und pflanzliches Wachsen</u>

Der Aspekt des determinierten Maßes wird deutlicher in der
menschlichen Embryonalphase und dem pflanzlichen Wachsen.
Denn diese Metaphern verdeutlichen plastisch und jedermann
einsichtig die Struktur des eschat. Maßes: Durch die Zeugung ist der Termin der Geburt, durch die Aussaat der der
Ernte festgelegt. Die Zeit füllt das einmal gesetzte Maß
- total unabhängig vom Menschen[3].

---

1)   Parables 143.

2)   S.o.S.8f.

3)   Das erklärt, warum diese Metaphern gerade in den aus-
      geprägt theonomen eschat. Entwürfen von 4Esr und sBar
      so gehäuft vorkommen.

a) Schwangerschaft und Geburt werden aber nicht nur unter
diesem Aspekt zu eschatologischen Metaphern.

- 1. verdeutlichen die die Geburt notwendig einleitenden
     Wehen die Notwendigkeit eschatologischer Notzeit.
     So ist das Bild in Ansätzen schon im AT (zB Jes 13,8;
     26,17; 66,8; Jer 13,21; 22,23; Hos 13,13; Mi 4,9f.
     u.ö.), dann in Qumran (1 QH 3,7ff; 5,30f), in der
     rabbinischen Literatur[3a], aber auch im NT(Mk 13,8 par.;
     Joh 16,20-22; Röm 8,22), gebraucht.

- 2. wird die "Apologie der Zeitenfolge"[4] damit verdeutlicht,
     daß erfahrungsgemäß Geschwister nacheinander und nicht
     auf einmal geboren werden (4Esr 5,41-49).

- 3. wird mit der Erfahrung einer Relation zwischen dem Gebär-
     alter der Mutter und der physischen Konstitution der
     Neugeborenen der Gedanke der Degeneration dieser Welt zum
     Ausdruck gebracht (4Esr 5,50-55)[5].

- 4. wird mit Hilfe dieser Metapher die Akzelleration der Zeit
     vor dem Ende verdeutlicht (4Esr 4,40-42). Die schmerz-
     vollen Wehen bewirken, daß die Gebärende den Geburtsvor-
     gang beschleunigt[6]:

> "Wie eine gebärende Frau der Schmerzen der Geburt
> möglichst bald sich zu entledigen strebt, so stre-
> ben auch sie (die Wohnungen der Seelen im Hades)
> danach, möglichst bald das zurückzugeben, was ihnen
> im Anfang vertraut ist." (V.42)

Nun ist in 4 Esr 4,40-42 aber "die Vorstellung der Beschleunigung mit der Theorie der Nezessität verschränkt"[7].

> "Geh hin, frage die Schwangere, ob ihr Schoß, wenn
> ihre Monate um sind, noch das Kind bei sich behal-
> ten kann:" (V.40).

Mit V.40 ist die Vorstellung vom eschat. Maß aufgenommen[8].
Es hat hier die Funktion, "die Zwangsläufigkeit des Vollzugs
der großen Wende"[9] zu verdeutlichen: "Das eschatologische

3a) cf. BILLERBECK I, 950.

4) Cf. HARNISCH, Verhängnis 293-301.

5) Ebd 301f A.2.

6) Ebd 290-293. Cf. auch SCHRAGE, ZThK 61, 143f. - In
   1Thess 5,3 ist die Plötzlichkeit des Weheneintritts
   der Vergleichspunkt.

7) Ebd 291.

8) Zum Zusammenhang von locus finitus und numerus clausus s.u.S.145ff; 189; 215f.

9) HARNISCH, aaO 290.

76 Heil wird mit derselben Notwendigkeit in Erscheinung treten, mit der die Geburt Ereignis wird"[10]. "Die beschleunigte Bewegung der Zeit ist determiniert durch ihr Ende, das zu seiner Zeit eintreffen wird. Sie vollzieht sich nach einer ihr innewohnenden Notwendigkeit"[11].

In ähnlicher Funktion taucht das Bild in sBar 22,7 auf.

In sBar 22 wird der Klage Baruchs (Kap.21) mit einer Kette von fünf Bildworten begegnet, die alle die gleiche Aussage machen: Gott kommt gewiß! So sicher ein Start zu Lauf oder Schiffsreise die Ankunft am Ziel nach sich zieht (V.3), so sicher ein Versprechen seine Einlösung (V.4), eine Aussaat die Ernte (V.5f), eine Zeugung die Geburt (V.7) und eine Grundsteinlegung das Richtfest (V.8) garantiert, so sicher kommt Gott. Während die Bildworte von "Start - Ziel", "Versprechen - Einlösung" und "Grundsteinlegung - Richtfest" diese Gewißheit durch die Vorstellung zum Ausdruck bringen, daß jede Ursache notwendig ihre Folge hat, geschieht das bei den Bildern von "Aussaat - Ernte" und "Zeugung - Geburt" zusätzlich durch die Vorstellung vom determinierten Maß:

"Wer ein Land besät, ohne zu seiner Zeit die Früchte zu ernten, verdirbt der sich nicht das Ganze? Oder wer eine Pflanze einsetzt, ohne daß sie bis zu der gebührenden Zeit wächst, darf, der sie gepflanzt hat, erwarten, von ihr Früchte zu empfangen? Oder wenn eine schwangere Frau außer der Zeit gebiert, tötet sie nicht sicherlich ihr Kind?" (sBar 22,5-7)[12]

Damit dient das Maßmotiv einerseits (wie in 4Esr 4,40) dazu, die Nezessität des Kausalnexus zwischen Verheißung und Erfüllung einzuschärfen, andererseits kommt damit aber auch der Zeitaspekt in Blick. Da die vorangehende Klage Baruchs nach dem "Wann" fragt (21,19), wird deutlich, daß hier das Interesse des Vf.s des sBar liegt[13]. Der Klagende soll "zu der Überzeugung kommen, daß die Heilszeit nicht vorfristig in Erscheinung treten kann"[14].

b) In sBar 22,5-7 wird die Parallelität der Metaphern "Embryonalphase" und "pflanzliches Wachsen" deutlich. Denn das Gesagte gilt genauso für die Erntemetapher. "Ernte" ist hier (wie

---

10)   Ebd.
11)   Ebd 291.
12)   Übersetzung nach HARNISCH, aaO 310.
13)   Cf. ebd 310f.
14)   Ebd 311.

die Geburt) als Endpunkt einer durch die Aussaat vorab determinierten Zeitstrecke im Blick.

Dabei hat auch die Ernte als eschat. Metapher verschiedene
Aspekte. Vor allem der Vorgang der Scheidung zwischen Gut
und Schlecht hat die Ernte zur Metapher für das <u>Gottesgericht</u>
werden lassen (cf. zB Jes 24,13; 27,11f; Jo 4,13; Mt 3,12;
Apk 14, 14-20 u.ö.).

Der Gerichtsgedanke schwingt zwar auch in sBar 70,2 mit,
betont ist aber der Aspekt, daß die Ernte einen zuvor er-
öffneten Zeitraum abschließt:

"Wenn die Weltzeit reif und die Saat der Bösen und
der Guten ihre Ernte finden wird."

In 4Esr 8,41-45 wird mit der Erfahrung, daß nicht alle Samen-
körner zwischen Saat und Ernte bewahrt bleiben und Frucht
bringen, erklärt, daß nicht alle von Gott geschaffenen Menschen am Ende Heilsempfänger sind, also "die Vorstellung
einer ἀποκατάστασις πάντων ...unmißverständlich zurückgewiesen"[15]. Die Vorstellung vom eschat. Maß steht im Hintergrund.

Stärker betont ist das eschat. Maß in 4Esr 4,28-32, obwohl
auch hier der Gerichtsgedanke eine Rolle spielt. Die Verknüpfung mit dem folgenden Abschnitt[16], dem locus classicus
für die Maßvorstellung, macht nämlich deutlich, daß hier der
Gedanke im Vordergrund steht, der die Ernte als Endpunkt einer von menschlicher Beeinflussung unabhängigen Zeitspanne
sieht.

"Denn gesät ist das Böse, wonach du mich fragst, und
<u>noch</u> ist seine Ernte <u>nicht</u> erschienen. Ehe das Gesäte
<u>also noch nicht</u> geerntet, und die Stätte der bösen
Saat nicht verschwunden ist, kann der Acker, da das Gute
gesät ist, nicht erscheinen. Denn ein Körnchen bösen Sa-
mens war im Anfang in Adams Herz gesät, aber welche
Frucht der Sünde hat das bis jetzt getragen, <u>bis daß</u>
die Tenne erscheint."   (4Esr 4,28-30)

Die Zeit zwischen Saat und Ernte illustriert die Vorstellung
vom eschat. Maß. Es dient dem <u>Nachweis der necessitas temporum.</u>
Wie mit der Aussaat der Termin der Ernte bestimmt ist, so liegt
seit der Schöpfung der Termin des Weltendes fest. Mit Hilfe
dieses Theorems wird gegenüber Skeptikern das bisherige Ausbleiben der Erfüllung göttlicher Verheißung verteidigt und
zugleich eschat. Naherwartung behutsam entspannt[17]. Die neue

---

15)   Ebd 238.

16)   Cf. die Aufnahme der Metaphorik in V.35: "Wann er-
      scheint endlich die Frucht auf der Tenne unseres Lohns?"

17)   Cf. HARNISCH, aaO 286f.

Welt kann erst kommen, wenn das Maß der Zeit der alten Welt
voll ist, wenn die alte Saat reif ist.

B. Saatgleichnisse im Neuen Testament

Die Ernte als Endpunkt einer terminierten Zeitspanne[18] spielt
auch in einigen Gleichnissen des NT eine Rolle[19]. Besonderen
Ton hat dieser Aspekt in Mk 4,26-29 (V.29: ὅταν δὲ παραδοῖ ὁ καρπός)
in Mt 13,24-30 (V.30: ἕως τοῦ θερισμοῦ) und in Jak 5,7.

1. Mk 4,26-29

Daß in dem Satz ὅταν δὲ παραδοῖ ὁ καρπός (V.29) das eschat. Maß
Ausdruck findet, hat J. JEREMIAS entdeckt[20]. Diese Beobach-
tung hat inzwischen weitgehend Anerkennung gefunden[21].
Umstritten ist aber - mehr denn je -, welche Funktion dieses
Motiv hier hat. Das hängt mit der nach wie vor umstrittenen
Gesamtdeutung des Gleichnisses zusammen[22].
Die Einsicht, daß V.29, zumindest in einem Grundbestand[23],

---

18) Die anderen Metaphern sind im NT nicht aufgenommen, wenn
man nicht Gal 4,1f (s.o.S.68f); Eph 4,13f für "die Lebenszeit des Menschen" reklamieren will. Darüber hinaus kann
man fragen, ob das Bild vom Morgen als Ende der Nacht für
das Weltende bei Pls (1Thess 5,4-11; Röm 13,11-14) nicht
auch durch die Vorstellung vom eschat. Maß bestimmt ist;
vielleicht auch das Bild vom Abend als Ende eines Tages-
verlaufs (Mt 20,1-16).

19) Cf. auch Mk 4,3-9.30-32; 12,2 τῷ καιρῷ ; 13,28f
ἐγγὺς τὸ θέρος ἐστίν ; das Maßmotiv steht hier zwar im
Hintergrund, hat aber kein Eigengewicht.

20) Gleichnisse 151; cf. HARDER, Gleichnis 67; GRUNDMANN,
Mk 99; und meinen Aufsatz in NTS 19, 159f.

21) KUHN, Sammlungen 108; PESCH, Mk 255.257; MERKLEIN,
Gottesherrschaft 122; WEDER, Gleichnisse 119; KLAUCK,
Allegorie 225.

22) Cf. dazu HARDER, Gleichnis, und neuerdings KÜMMEL,
Gleichnis.

23) H. WEDER (aaO 105.117 u. A.102) und H.J. KLAUCK (aaO 220
u.A.171.225) halten das AT-Zitat zwar für sekundär, aber
für eine Erweiterung einer ursprünglichen Aussage über
die Ernte. KLAUCK: "Die Ernte ist vom Duktus der Erzählung gefordert" (220). - Daß in dem παρέστηκεν LXX-
Einfluß vorliegen könnte, habe ich nicht bestritten (cf.
NTS 19,162 A.1; gegen KLAUCK, aaO 220 A.169). Angesichts
der übrigen Divergenzen kann aber nicht behauptet werden:
"Das Zitat ist näher bei den LXX als beim MT" (WEDER,
aaO 119 A.115; cf. DUPONT, Encore 102f; KLAUCK, aaO 220).
Daß die LXX קָצִיר "meist mit θερισμός übersetzt"
(KLAUCK ebd), besagt gar nichts. In Jo 4,13 tut sie es
jedenfalls im Gegensatz zu Mk 4,29 nicht.

zum ursprünglichen Corpus des Gleichnisses gehört, hat sich
entgegen früheren Hypothesen[24] durchgesetzt[25]. Damit ist
zugleich anerkannt, daß der Duktus des Gleichnisses nicht
von dem Kontrast "Aktivität der Saat - Passivität des Menschen" bestimmt ist[26], sondern die Gegenüberstellung von Saat
und Ernte konstitutiv ist und das Gefälle der Geschichte bestimmt.

Nun haben wir oben gesehen, daß die Gegenüberstellung von
Saat und Ernte wie auch die Schwangerschaft als Metaphern
verschiedene Aussageintentionen haben können. Zum einen ist,
wenn die Vorstellung vom eschat. Maß aufgenommen ist, der
durch Saat und Ernte, Zeugung und Geburt <u>abgesteckte Zeitraum</u>
reflektiert, zum anderen die <u>Nezessität des Kausalnexus</u> von
Saat und Ernte, Zeugung und Geburt. Für beides haben wir Belege gefunden (s. o.). Ist der durch Saat und Ernte abgesteckte
Zeitraum akzentuiert, wird die Metapher benutzt, um auf die
"Wannfrage" zu antworten. Ist hingegen der Kausalnexus
zwischen Saat und Ernte akzentuiert, dient sie der Beantwor-
tung der radikaleren Frage "Kommt Gott überhaupt?"[27].
Die Wannfrage beantwortet der Vergleich mit: "Noch nicht.
Das Maß ist noch nicht voll. Die Ernte steht noch aus. Gott
kommt noch nicht, aber bald". Die Antwort hat paränetischen
Charakter. Sie mahnt zur Geduld, zum Warten angesichts der
noch ausstehenden Erfüllung der Verheißung.
Die radikalere Frage nach der Erfüllung der Verheißung überhaupt beantwortet der Vergleich mit: "Ganz bestimmt. So wahr
mit der Saat die Ernte garantiert ist, so wahr erfüllt Gott
sein Versprechen. Gott kommt gegen alle Widerstände und allen
Augenschein". Die Antwort hat parakletischen Charakter. Sie
tröstet die Angefochtenen und Verzagten.
Die Schwierigkeit in Mk 4,26-29 besteht nun darin, daß der
Wortlaut des Gleichnisses <u>beide</u> Deutungen des Motivs vom
eschat. Maß zuläßt.

---

24) Cf. meine Auseinandersetzung damit aaO.

25) Cf. alle in A. 20 und 21 genannten Autoren.

26) So auch ELLENA, aaO 57, von anderen Voraussetzungen
aus und mit anderem Ziel.

27) Natürlich gehören beide Fragen ursprünglich (schon in
der atl. Klage!) zusammen. Die Akzente aber werden verschieden gesetzt und diese Differenzierung ist hier aus-
schlaggebend.

M. E. geht es im Kontext der Verkündigung Jesu allein um die Nezessität des Kausalnexus zwischen Saat und Ernte. So sicher wie in der Saat das Kommen der Ernte garantiert ist, so sicher richtet Gott seine Herrschaft auf. Dabei wird "der Hörer des Gleichnisses nicht verkennen, daß der Anbruch der Gottesherrschaft in der Person und dem Handeln Jesu ebenso die Voraussetzung ist für die prophetische Zusage des künftigen Kommens der Gottesherrschaft, wie die Saat die Voraussetzung ist für das Kommen der Ernte"[28].

Konstitutiv für das Verständnis des Gleichnisses im Sinne Jesu ist es, daß das Wachsen der Pflanzen im antiken Judentum als Gottes wunderbares Tun, als das Handeln des Schöpfers verstanden wird[29]. Genau das wird durch das αὐτομάτη zum Ausdruck gebracht, das hier sachgemäß mit "von Gott gewirkt" zu übersetzen ist[30].

---

28) KÜMMEL, Gleichnis 234; cf. Verheißung 121.

29) H.J. KLAUCK behauptet nicht ganz zutreffend, ich hätte "die These von J. Jeremias erneuert, das natürliche Wachstum sei im antiken Judentum als Gotteswunder verstanden worden" (aaO 221). Das ist nicht die These J. JEREMIAS', sondern allgemein anerkannte Einsicht, der KLAUCK sich als einziger versagt (Cf. nur Joh 12,24; 1Kor 3,7; 15,36-38; 1Clem 24,4f und die bei DAHL, aaO 142 A.2 genannten Belege aus dem AT! Cf. auch BULTMANN, Jesus 29; Theologie 7; BORNKAMM, Jesus 66f; LOHSE, Gottesherrschaft 51f; 60; EICHHOLZ, Gleichnisse 77; PERRIN, Jesus 175f, um nur einige wenige zu nennen). Dabei verrät KLAUCK seinen außergewöhnlichen Wunderbegriff, wenn er meint, "die nüchtern realistische Schilderung..., die S. Krauß in seiner Talmudischen Archäologie aus rabbinischen Quellen zusammengestellt hat", genüge "als Gegenbeleg" (ebd). Das natürliche Wachstum ist im Gegensatz zu unserer modernen Anschauung, die Wachstum als rational erforschbare organische Entwicklung versteht, für den antiken Juden deshalb ein Gotteswunder, weil er hier den Schöpfer am Werk sieht. "Nüchtern realistische Schilderung" wird damit nicht ausgeschlossen, sondern gerade ermöglicht - wegen der damit gegebenen Entdämonisierung der Natur!

30) H.J.KLAUCK versucht noch einmal die von W.BAUER, WB 243, postulierte (!) Sonderbedeutung "ohne Zutun (des Menschen)" für αὐτόματος im Kontext pflanzlichen Wachsens zu erweisen (aaO 221f), indem er die von mir beigebrachten Belege (NTS 19,154-156) - um einige vermehrt - erneut vorbringt, ohne daß sie seine These stützen würden. Darauf, daß im Kontext einer Reihe von αὐτόματος - Belegen auf den Ausschluß menschlicher Mitwirkung abgehoben ist, was KLAUCK wie eine Neuentdeckung ausgibt, hatte ich längst hingewiesen. Nur erweist keine der Stellen, daß der Gehalt von αὐτόματος darauf beschränkt wäre. Im Gegenteil! Gerade bei Philo wird das deutlich. Daß KLAUCK freimütig bekennt, aus Philos Schrift de fuga et inventione (166ff) "so gut wie nichts

Schon in der klassischen Antike ist das selbsttätige Wachsen ein Kernmotiv der Paradiesesvorstellung[31]. Bei Philo und Josephus[32] "taucht es im Zusammenhang der Interpretation von Gen 3 auf"[33]. Αὐτομάτη ist also hier einmal mehr Hinweis auf Gottes schöpferliches Tun. "So knüpft die Verheißung des kommenden Reiches an Gottes schöpferliche Güte an, so verknüpft das Gleichnis Gottes Handeln mit Gottes Handeln"[34].

über seine Auffassung vom organischen Wachstum" zu lernen (aaO 222), liegt sicher nicht an den Ausführungen Philos. KLAUCK selber paraphrasiert: "Gott ist es, der aussät und durch seine Kunst die Vollendung bewirkt" (ebd), wobei natürlich mitgesagt ist, daß menschliche Mitwirkung wie menschliches Verstehen ausgeschlossen sind. Daß bei der Wahl dieses Wortes "lediglich die menschliche Mitwirkung ausgeschlossen werden" (ebd; Hervorhebung von mir) soll, stimmt nicht. Und genau an dieser Einsicht hängt alles. Ist der Ausschluß menschlicher Mitwirkung nur einer unter vielen Aspekten - und das zeigen gerade die auch von KLAUCK angeführten Philostellen -, kann nicht mehr von dieser verengten Bedeutung des Wortes αὐτόματος her über die Pointe des Gleichnisses entschieden werden. Es bleibt dabei: "Die Tatsache, daß die Bedeutung 'ohne Zutun des Menschen' in αὐτόματος gelegentlich mitschwingt, darf jedenfalls nicht dazu führen, von hieraus den gesamten Gleichnissinn zu bestimmen - zumal dann, wenn das zu literarkritischen Operationen zwingt, die... keineswegs berechtigt sind" (so NTS 19,156).

31) GATZ, Weltalter 203 und Register s.v. "terra sua sponte victum ferens".

32) Op mund 40-43.80-81.167; Jos Ant I,46.49. KLAUCK möchte den Philotext als Kontrasttext zu Mk 4,26-29 verstehen und kritisiert von daher die Ausführungen STUHLMACHERs (ebd). Aber seine Kritik greift zu kurz: "Das Gleichnis liest" nicht "sich", sondern KLAUCK "wie eine Umkehrung der Philo-Stelle" (ebd). Religionsgeschichtliche Analogien sind nicht schon Genealogien.

33) STUHLMACHER, ZThK 70, 393 A.39. Das Automaton als Motiv der kommenden Heilszeit findet sich auch in sBar 74,1. Ein wichtiger weiterer Beleg, denn dort wird zwar verheißen, daß Mühen und Plagen aufhören, nicht aber die bäuerliche Arbeit überhaupt: "Geschehen wird's in jenen Tagen, daß nicht mehr abmühen sich die Schnitter, und die Bauern werden nicht mehr müde. Wenn sie in aller Ruhe daran arbeiten, wird die ernte schnell von selbst aufschießen" (Übersetzung: Klijn/Bunte, JSHRZ V, 171).

34) EICHHOLZ, Gleichnisse 77; zur Auslegung von Mk 4,3-9, was aber auch für dieses Gleichnis gilt. Cf. auch: "Gottes Handeln hat seine Analogie in Gottes Handeln... Der Sinn unseres Gleichnisses hängt an einem Credosatz: Gottes Handeln ist in Gottes Handeln begründet. Gottes Handeln hat an Gottes Handeln sein Gleichnis. So lebt

Das Gleichnis ist wie die anderen Wachstumsgleichnisse in Mk 4 innerhalb der Verkündigung Jesu als "Ermutigung Verzagter"[35] zu verstehen, die angefochten werden durch den Kontrast zwischen Jesu Proklamation der Gottesherrschaft und ihrer Erfahrung dürftiger Wirklichkeit[36].

Das Terminproblem sehe ich im originären Gleichnisduktus deshalb nicht reflektiert[37]. Wohl stimme ich R. PESCH darin zu, daß mit dem Joel-Zitat und der Vorstellung vom eschat. Maß ein Motiv im Gleichnis gegeben war, das von späteren Tradenten "dann sicher allegorisch gedeutet wurde"[38]. Hier war der Ansatzpunkt für eine Neuinterpretation angesichts des Problems der ausbleibenden Parusie. Aus der Antwort auf die Frage "Kommt Gott überhaupt?" wird durch die Tradition in der späteren Gemeinde die Antwort auf die Frage "Wann kommt Gott (bzw. Christus)?"[39]. Dieser Vorgang der Neuinterpretation ist einzig aus den verschiedenen Verkündigungssituationen zu erheben und hat m. E. keine literarischen Spuren im Text hinterlassen[40]. Oder anders herum: Es gibt kein Element[41] im Text, das nicht auch schon zum Gleichnis im Munde Jesu gehört hat. Daß V.29 zum ursprüng-

---

die übergroße Verheißung, die das Gleichnis verkündigt, vom Wissen um das, was der Schöpfer vermag. Schöpfung und Eschatologie gehören zusammen. Der Gott, der Himmel und Erde erschafft und erhält, schafft auch den neuen Himmel und die neue Erde" (ebd).

35) PESCH, Mk 258.

36) Cf. PERRIN, Jesus 176; WEDER, aaO 118.

37) Nur für die Verkündigung Jesu bestreite ich, daß es in diesem Gleichnis um den "Zeitpunkt" (PESCH, Mk 257) der Gottesherrschaft geht; so auch WEDER, aaO 118f u. A.111 (gegen PESCH, Mk 257 A.16).

38) Ebd 255.

39) Ich stimme also dem Urteil H. WEDERs zu: "Dem ursprünglichen Gleichnis geht es ja gar nicht um die zeitliche Nähe der Gottesherrschaft, sondern um die Gewißheit ihrer Ankunft" (119 A.111), verstehe aber nicht, wie WEDER dann - dazu im Widerspruch - kritisiert, daß ich "hier die Vorstellung vom eschat. Maß nur in dem Kontext der Frage 'Kommt Gott überhaupt?' (und nicht: 'Wann kommt Gott?')" sehen möchte, mit dem Satz: "In Wahrheit sind aber beide Fragen nicht voneinander zu unterscheiden" (ebd A.113).

40) Mit PESCH, Mk z.St., und KLAUCK, aaO 224f, der lediglich das AT-Zitat als spätere Explikation der schon vorhandenen Erntemetapher ansieht (ebd 220).

41) Vielleicht mit Ausnahme des παρέστηκεν (s.o.A. 23).

nachgewiesen.

Nun hat inzwischen[42] H.-W. KUHN zur Frage nach der Einheitlichkeit des Gleichnisses eine neue Hypothese entwickelt[43]. Der ursprüngliche Bestand des Gleichnisses soll
nach KUHN nur V.26.29 umfassen als "Gleichnis vom geduldigen
Landmann"[44]. V.27.28a seien späterer Zuwachs, "die Zweifel
wegen der Unzulänglichkeit und der Mißerfolge christlichen
Wirkens"[45] beseitigen wollen und die durch V.28b mit dem
Grundbestand verbunden wurden[46]. So originell diese Hypothese
ist, so unwahrscheinlich ist sie auch.
1. KUHN geht von falschen Voraussetzungen aus. Die Schwierigkeiten, die er lösen will, nämlich "daß in unserem Gleichnis zwei verschieden Pointen vorliegen"[47], bestehen nur
   scheinbar. Seine Sicht ist durch das Mißverständnis des
   αὐτομάτη und durch eine von daher gewonnene Mißdeutung
   des V.27 bedingt[48].
2. Entgegen seiner erklärten und zu begrüßenden Absicht, den
   Text zunächst "unabhängig vom Kontext des MkEv" und "nicht
   mit den anderen beiden Saatgleichnissen in MK 4 zusammen-(zu-)
   sehen"[49], argumentiert KUHN mit der Strukturanalogie zu der
   Lk-Fassung des Senfkorngleichnisses, was ich deshalb - im
   Gegensatz zu MERKLEIN[50] - nicht"überzeugend" finden kann:
   Die Analogie ist von KUHN konstruiert, aber nicht durch den
   Text gegeben.

---

42) Daß ich mich in NTS 19 nicht mit KUHN auseinander-
    gesetzt habe (von MERKLEIN, aaO 122 A.153, gerügt),
    lag schlicht daran, daß der Aufsatz - wie die Wid-
    mung zeigt - bereits 1970 geschrieben und abgeschlos-
    sen wurde.

43) Sammlungen 104-112. Ihm folgt - leider ohne Auseinan-
    dersetzung mit den stichhaltigen Gegenargumenten von
    R. PESCH, Mk, und J. DUPONT, Encore 104-106, - H.
    MERKLEIN, der im übrigen die antisynergistische (und
    antizelotische/antipharisäische) Mißdeutung des Gleich-
    nisses, unangefochten durch PESCHs und meine Argumente,
    unverdrossen weiter kolportiert (aaO 121f), obwohl schon
    die Analyse KUHNs, der MERKLEIN ja folgt, diese unmög-
    lich macht, da sie die entsprechenden Passagen für se-
    kundär erklärt, und die "absolute Prärogative Gottes"
    (120) auch ohne solche Interpretationseinengung zum
    Ausdruck kommt.

44) AaO 107.   45) AaO 112.

46) Daß "der Übergang nicht völlig geglückt" (aaO 107)
    sei, werde daran deutlich, "daß in V.28b und V.29a
    eine Tautologie vorliegt" (ebd). Das hat PESCH mit
    Recht als irrig zurückgewiesen, da "V.28c das vor-
    letzte Stadium vor der Ernte... V.29a erst das letz-
    te Stadium nenne" (Mk, 257 A.11).

47) KUHN, aaO 106.

48) Meine Argumente gegen die Abtrennung von V.29 sind
    hier mutatis mutandis auch gegenüber KUHNs Hypothese
    zu wenden; cf. aaO 154-157.

49) KUHN, aaO 105.   50) MERKLEIN, aaO 122 A.153.

3. Die traditionell vertretene Reihenfolge der beiden Gleich-
nisstufen muß KUHN nun nolens volens umkehren. Das führt
zu höchst unwahrscheinlichen Konstruktionen. Mußte früher
das Problem der Parusieverzögerung herhalten, um die Erweiterung des Gleichnisses zu begründen[51], so soll sie
für KUHN der Anlaß gewesen sein, die ältere Fassung des
Gleichnisses überhaupt erst zu produzieren[52] - und das
obwohl auch KUHN sieht, daß die Fassung des MT von Jo 4,13
zitiert wird[53].

Sehr viel wahrscheinlicher ist die sich (mit anderen Hypothesen)
emphatisch als "traditions- bzw redaktionsgeschichtliche
Theorie"[54] gerierende Hypothese H. WEDERs auch nicht.
Mit dem unbegründeten kategorischen Urteil, "Anspielungen auf
das AT sind generell (sic!) ein Werk der Urgemeinde"[55], wird
V.29 - bis auf die im "Wortlaut... nicht mehr auszumachen(de)"
Erwähnung der Ernte-Metapher[56] - als sekundär deklariert.
V.28 soll aus inhaltlichen und sprachlichen Gründen "nicht zum
ursprünglichen Gleichnis gehört haben"[57]. Die Beobachtung, daß
das Gleichnis "hier durch den Aspekt der Zeit erweitert" sei[58],
leuchtet zwar zumindest für V.28b auf den ersten Blick ein.
Sie würde sich ja mit unserer überlieferungsgeschichtlichen
Exegese decken, nach der, wenn überhaupt, dann am ehesten in
V.28b ein Zusatz zum ursprünglichen Text zu sehen wäre. Die
von WEDER angeführten sprachlichen Gründe sind aber so dürf-
tig[59], daß sie m. E. einen Eingriff in den Text nicht legiti-
mieren.
Das gilt umso mehr, als "mit der Aufzählung der Wachstumsphasen"
keineswegs notwendig nur "die Zeit des Wachstums"[60] erscheint.
So sehr diese Phase auf späterer Überlieferungsstufe unter dem
Zeitaspekt im Blick ist, so wenig muß sie es von vornherein
gewesen sein. "Die dreifache Zergliederung des Vorgangs... veranschaulicht das Wunder, das zwischen Aussaat und Ernte geschieht"[61]
, fügt sich so also bestens in den (auch von WEDER) als ursprünglich erkannten Gleichnisduktus und ist darum keineswegs
notwendig als sekundär auszuscheiden.

Mit WEDER bin ich darin einig, "daß die Gemeinde das ursprüngliche Gleichnis als Sprachmittel dazu benutzt hat, die in Jesus

---

51) Cf. dazu NTS 19, 161.   52)   KUHN, aaO 108.

53) Ebd 111.   54)   WEDER, aaO 105.

55) Ebd 104 A.34. 56)   Ebd 117 A.102.   57)   Ebd 104.

58) Ebd 104 A.33; konsequenterweise müßte WEDER jedoch
    dann auch ὅταν δὲ παραδοῖ ὁ καρπός in V.29 für sekundär erklä-
    ren.

59) Daß εἶτεν hapaxlegomenon ist (nach ALAND, Konkordanz
    352, ist aber das häufigere εἶτα hier ursprünglich),
    καρποφορεῖν bei Mk sonst nur in 4,20 (Gemeindebildung
    zwar, aber mit anderer Bedeutung; cf. PESCH, Mk 256
    A.10!) und πλήρης 8x in der Apg (sic!) vorkommt, soll
    V.28 als sekundär erweisen. Abenteuerlich!

60) WEDER, aaO 118f.   61)   PESCH, Mk 256f.

Christus begonnene und mit dem jüngsten Tag endende Geschichte
Gottes mit der Welt zu beschreiben. Sie hat damit das Gleichnis
Jesu zu einem Gleichnis über Jesus Christus gemacht, indem sie
den mit Jesus gemachten Anfang der Nähe der Gottesherrschaft
mit der künftigen Vollendung derselben durch Gott unlösbar ver-
knüpfte"[62]. Im Unterschied zu WEDER meine ich mit dem ursprünglichen Gleichnis auch die ursprügliche Fassung des Gleichnisses.
Die gleichen Worte sagen in verschiedenen Situationen Ver-
schiedenes aus. Das Gleichnis wird umakzentuiert, ohne daß
dieser Vorgang den Wortbestand verändert.

Das eschat. Gleichnis Jesu, dem es um die Gewißheit der Vollendung der in Jesus angebrochenen Herrschaft Gottes geht, wird
von der Gemeinde "heilsgeschichtlich" als Illustration der
zwischen Ostern und der Parusie liegenden Zeit verstanden und
dann paränetisch akzentuiert. Die Umakzentuierung bedeutet
für das Motiv vom eschat. Maß einen Funktionswandel.
Betont ist nicht mehr nur die Nezessität des Kausalnexus
zwischen Saat und Ernte, sondern nun auch die zwischen beiden sich - unabhängig von menschlichem Tun - erstreckende
Zeit. Im Unterschied aber zu 4Esr und sBar, die mit Hilfe
des Motivs lehrhaft begründen, warum Gott sich mit der Erfüllung seiner Verheißung Zeit läßt, das Motiv also zur
eschat. Belehrung verwenden, ist das Motiv hier - wie auch
in Mt 13,30 und Jak 5,7 - paränetisch benutzt. Die Reflexion
über den Zeitraum hat kein Eigengewicht, sondern steht im
Dienst der Paränese.
Die Gemeinde deutet das Gleichnis paränetisch ad hominem.
Das Tun des Bauern veranschaulicht nun das richtige Tun in
der durch Ostern und Parusie terminierten Zeit. Das dem
Kommenden, der sich Zeit läßt, einzig angemessene Verhalten
ist: ihm Zeit zu lassen. Das ist die gemeinsame Aussage von
Jak 5,7; Mk 4,26-29; Mt 13,24-30.

2. Jak 5,7
Das wird in Jak 5,7 ganz deutlich, weil hier die Ernte-
Metapher ausdrücklich einen paränetischen Imperativ ver-
anschaulicht:

---

62)　AaO 119f (Hervorhebung von mir); cf. PESCH, Mk 259.

"Habt nun Geduld, Brüder, bis zur Ankunft des Herrn!
Siehe, der Bauer erwartet die kostbare Frucht der Erde, indem er Geduld mit ihr hat, solange sie Früh-
und Spätregen empfängt."

Der formal zweigliedrige Vergleich beschreibt erst, daß
der Bauer auf die reife Frucht wartet, und dann, wie er es
tut[o]. Auf dem zweiten Teil liegt der Ton[1]. Die Faktizität
der Erwartung der Parusie ist demnach nicht strittig, wohl
aber ihr Modus. Das tertium comparationis liegt im μακροθυμῶν
ἐπ' αὐτῷ.

Die Übersetzung von μακροθυμεῖν ist nicht unproblematisch.
Dem im profanen Griechisch relativ seltenen Wortstamm entspricht das hebräische אַף הֶאֱרִיךְ/אַפַּיִם אֶרֶךְ wörtl.:
"den Atem verlängern", "den Ausbruch des Zorns verzögern"[2].

Es bezeichnet primär eine Tätigkeit Jahwes. Der Bundesgott
reagiert nicht prompt auf den Bundesbruch seines Partners,
sondern gewährt Zeit. Er verzichtet auf eine Spontanreaktion.
Er staut seinen Zorn auf. Er ist lang-mütig, groß-mütig[3].

In Analogie dazu kann es dann auch ein Verhalten von Mensch
zu Mensch beschreiben. Diese "ethische" Bedeutung ist im NT
am häufigsten, die Übersetzung "Geduld" hier sicher am ehesten
angemessen. Sie findet sich vor allem in den paränetischen
Teilen der Briefliteratur[4].

Einen besonderen Akzent hat das Wort im Zusammenhang eschat.
Texte. Zu beachten ist nämlich, "daß der für unsere Begriffe
anscheinend nur psychologische Begriff der 'Langmut' im hebräischen Sprachgebrauch einen ausgesprochen chronologischen
Bedeutungsgehalt hat"[5]. Dieser "chronologische Bedeutungsgehalt" tritt nun in den Vordergrund. Μακροθυμῶν wird zum
konstitutiven Epitheton des verheißenden Gottes. Jahwe gewährt
zusammen mit der Verheißung Zeit. Indem er verheißt, eröffnet
er einen Zeitraum (zwischen Verheißung und Erfüllung) – und
das in doppelter Hinsicht: Jahwe läßt sich Zeit, und damit
läßt er den Verheißungsempfängern Zeit[6].

Das diesem Tun Jahwes angemessene Verhalten der Verheißungsempfänger ist, ihrerseits Jahwe Zeit zu lassen. Der μακροθυμία

---

o) Cf. meine Exegese in: hören und fragen II,7-13.

1) Cf. SCHRAGE, Jak 52.

2) Cf. HORST, ThWNT IV, 377ff.

3) Locus classicus: Ex 34,6; im NT hat Pls daran ange-
    knüpft (Röm 2,4; 9,22); cf. auch 1Petr 3,20.

4) Z. B. 1Kor 13,4; 2Kor 6,6; Gal 5,22 u.ö.

5) STROBEL, Untersuchungen 31.

6) Im NT: Lk 18,7; 2Petr 3,9.15.

des verheißenden Gottes hat die μακροθυμία der Verheißungsempfänger zu entsprechen. Genau in diesem Sinne ist das Wort
in Jak 5 gebraucht - wie innerhalb des NT nur noch in Hebr
6,11-15. Weil die Ankunft des Herrn auf sich warten läßt,
sind die Christen als Wartende definiert. Und weil Gott
sich und den Wartenden Zeit läßt, haben die Wartenden sich
und Gott Zeit zu lassen.

Μακροθυμῶν ἐπ' αὐτῷ heißt also: der Bauer stellt sich mit
seiner Zeit auf die durch die Aussaat terminierte Reifezeit
seiner Pflanzen ein. Er läßt seinen Früchten Zeit, nämlich
ihre Zeit. Und das diesem entsprechende Tun heißt für den
Bauern: das Seine zu tun, statt fremde (der Erde) Arbeit
zu verrichten; das der Zeit Angemessene, statt Unzeitiges
zu tun.

Der Bauer greift nicht vorzeitig in den Wachstumsprozeß ein,
erntet also keine unreifen Früchte. Er legt aber auch nicht
seine Hände in den Schoß (Welcher Bauer könnte sich das lei-
sten!). Er vergißt nicht seine Ernte. Er läßt also seine
Früchte nicht am Halm vertrocknen oder verfaulen. Der μακροθυμῶν
γεωργός kann die Zeit richtig einschätzen. Er tut das Zeit-
gemäße.

Er tut das Seine, das, was ihm zukommt. Er usurpiert nicht
das, was Gottes Sache ist. Das wird deutlich durch die Gegenüberstellung:

μακροθυμῶν ἐπ' αὐτῷ
ἕως λάβῃ πρόϊμον καὶ ὄψιμον.

Er läßt den Früchten Zeit, während[7] sie (von Gott) Herbst-
und Frühjahrsregen empfangen.

Πρόϊμον , der die Regenperiode im November einleitende,
den Boden für die Aussaat erweichende Herbstregen und ὄψιμον ,

---

7) Verführt durch den präpositionalen Gebrauch von ἕως
   in V.7a wird die Konjunktion ἕως von den meisten Exegeten (cf. BAUER, WB 661; Bl-Debr-R § 445,3b A.6;
   DIBELIUS, Jak 290; MUSSNER, Jak 202; SCHRAGE, Jak 51f)
   resultativ mit "bis daß" zur Angabe des Endpunktes
   übersetzt. Damit aber entstehen unnötige inhaltliche
   Schwierigkeiten. Einerseits rückt damit der Regen neben die Frucht als Objekt der Erwartung des Bauern.
   Die Übersetzung führt so zu einer sinnlosen Doppelung.
   Andererseits liegt zwischen Herbst- und Frühlingsregen
   ein halbes Jahr, das nicht gut als ganzes Zielpunkt der
   Erwartung sein kann. Gerade dieser Tatbestand fordert
   vielmehr ἕως durativ mit "während" (zur Angabe der Gleich-
   zeitigkeit) zu übersetzen (wie Mk 14,32; Lk 17,8; cf.
   Bl-Debr-R § 455, 3a; so auch SCHRAGE, Jak 2.Aufl. 52f).

der die Pflanzen vor vorzeitigem Vertrocknen im April bewahrende Frühjahrsregen[8] gelten im Gegensatz zum (im Dezember bis März) sicher eintretenden Winterregen "als unsicher und deshalb von Gottes Bestimmung besonders abhängig"[9]. Darum ist wohl gerade mit dieser Wendung Gottes Tun gegenüber den Pflanzen zum Ausdruck gebracht. Sie entspricht dem αὐτομάτη in Mk 4,28[10]. Der Temporalsatz konkretisiert also das μακροθυμῶν ἐπ' αὐτῷ inhaltlich näher, indem er dazu den Kontrast liefert: Während die Frucht von Gott den Regen bekommt, bekommt sie vom Bauern nichts - als die Zeit.

Das Zeit-Gewähren konkretisiert sich wie in Mk 4,26-29 im Verzicht auf rationale Ergründung des Kommenden und auf Mitwirkung an seiner Ankunft. Dieser "Verzicht" darf allerdings nicht quietistisch eingeengt werden, als ob der Bauer jeweils nichts tue. Im Gegenteil: In beiden Gleichnissen wird zum richtigen, zum angemessenen Tun ermahnt. Dabei muß für beide Texte offenbleiben, in welche konkrete Situation hinein sie reden.

Möglich ist einmal, daß die Situation geprägt ist von drängender Parusieerwartung, die dazu führt, daß die Menschen durch ihr Tun die Ankunft herbeizwingen wollen. Indem ihnen gesagt wird: "Μακροθυμήσατε! Laßt Gott Zeit, wie Gott sich Zeit läßt!" wird ihr eschat. Eifer gedämpft, werden sie entlastet, wird die gegenwärtige Welt als Aufgabenfeld in ihren Blick gerückt, bekommen sie dafür Zeit. "Habt Geduld!", wie μακροθυμήσατε gewöhnlich übersetzt wird, heißt hier: "Seid gelassen! Eifert nicht! Laßt euch Zeit!"

Möglich ist aber auch, daß die Situation von Skepsis und Resignation geprägt ist, die dazu führt, daß die Parusieerwar-

---

8) Das durch den präpositionalen Gebrauch von ἕως involvierte resultative Mißverständnis der Konjunktion ἕως dürfte die Abschreiber dazu veranlaßt haben, πρόιμον καὶ ὄψιμον durch καρπόν zu ergänzen (so א, 398, ff, sy^hmg)und damit diesen Satz statt als Antithese als Explikation von μακροθυμῶν ἐπ' αὐτῷ zu verstehen: "bis daß er (der Bauer) Früh- und Spätfrucht bekommt". Die Ergänzung durch ὑετόν (so A, P, 𝔎 , pl) wird von dem Interesse geleitet sein, den Wortlaut eindeutig zu machen. Die Fassung πρόιμον καὶ ὄψιμον (so B, 33, vg) hat jedenfalls den größten Anspruch auf Ursprünglichkeit (cf. DIBELIUS, Jak 289; MUSSNER, Jak 202)

9) DALMAN, Arbeit und Sitte I,1, 177.

10) Cf. Jak 5,18; 4Esr 8,43.

tung verblaßt und die Menschen das Alltägliche tun, ohne daß es durch die Perspektive der Verheißung und der Hoffnung bestimmt ist. Indem ihnen gesagt wird: "Μακροθυμήσατε ! Laßt Gott Zeit, wie er sich Zeit läßt!", werden sie an Gottes Verheißung erinnert und so in ihrem Tun und Lassen neu orientiert, lernen sie ihre Zeit als von Gott gewährte Zeit schätzen. "Habt Geduld!" heißt hier: "Habt Ausdauer! Seid gespannt! Werdet nicht müde und träge!"

Der Umstand, daß in Jak 5,8f zugleich an die Nähe der Parusie erinnert wird (ἤγγικεν / πρὸ τῶν θυρῶν ἕστηκεν), spricht dafür, daß die Paränese des Jak die zweite Situation vor Augen hat. Denn die Nähe der Parusie war für die Menschen, deren eschat. Enthusiasmus gedämpft werden muß, selbstverständlich. Aber ganz eindeutig ist das nicht[11].

Das Motiv vom eschat. Maß hält jedenfalls hier wie da fest, daß die Ankunft des Herrn und damit die bis dahin verstreichende Zeit menschlichem Eingriff entzogen ist. Indem der Herr auf sich warten läßt, übt er Macht aus, erweist er sich als Herr der Zeit und derer, die auf ihn warten. Die im Vorgang von Saat und Ernte illustrierte vergehende und zugleich begrenzte Zeit ist ganz von Gott bestimmt. Sie ist radikal theonom.

Darum ist sie nicht endlos: "Gott kommt auf euch zu; entsprecht ihm mit eurer Zeit!" Darum ist sie nicht verfügbar: "Tut das, was euch zukommt, und nicht das, was Gott allein zukommt!"

3. Mt 13,24-30

Das wird schließlich auch im Gleichnis vom Unkraut unter dem Weizen (Mt 13,24-30) deutlich und hier an einem Bereich der Ethik konkretisiert. Im Duktus der mt Deutung des Gleichnisses liest es sich wie eine Illustration der pln Mahnung:

μὴ πρὸ καιροῦ κρίνετε, ἕως ἂν ἔλθῃ ὁ κύριος (1Kor 4,5).

Indem das Gleichnis die Unterscheidung der Zeiten lehrt, warnt es die Christen, jetzt schon untereinander zu richten und zu

---

11) SCHRAGE, Jak 52, denkt offenbar an beides: "die gelassene, geduldig ausharrende Erwartung... den langen Atem zu behalten"; ebenso MUSSNER, Jak 202f.207-211; "eindeutig", meint STROBEL, aaO 256, sei, "daß er den Lesern das ausdauernde, anhaltende Warten einschärfen will".

verurteilen[12]. Es schärft demgegenüber ein, daß das Gericht allein Sache des kommenden Herrn ist. Das Gericht Gottes steht aus, solange die Saat noch nicht reif ist, solange das eschat. Maß noch nicht voll ist: ἄγετε … ἕως τοῦ θερισμοῦ!

Im Unterschied zur paränetischen Deutung der Gemeinde ist das Gleichnis in der Verkündigung Jesu (wie Mk 4,26-29) als eschat. Gleichnis von der Gottesherrschaft zu verstehen. Diese bringt es so zur Sprache: Es verhält "sich mit der Gottesherrschaft so, daß der von ihr bestimmten Sammlung eine von ihr bestimmte Scheidung gewiß folgt"[13]. Dabei liegt die Pointe in der "Unterscheidung von Sammlung und Scheidung, die als Unterscheidung von 'Zuvor' (Sammlung) und 'Danach' (Scheidung) unumkehrbar charakterisiert ist"[14]. "Heil und Gericht erscheinen (damit) in der Verkündigung Jesu in einer Differenz, die dem Heil ein unaufholbares 'Voraus' vor dem Gericht einräumt: das Voraus der Gleichnisse Jesu, in denen das Heil der Gottesherrschaft näher ist als ihr Gericht"[15]. "Der Kommentar zu diesem Gleichnis ist... (Jesu) Verzicht auf die Bildung eines geschlossenen Kreises, eines heiligen Restes"[16].
Das im ἕως τοῦ θερισμοῦ und ἐν καιρῷ τοῦ θερισμοῦ zum Ausdruck kommende eschat. Maß hat damit (wie im ursprünglichen Stadium von Mk 4,26-29) allein die Funktion, den Kausalnexus von Saat und Ernte zu unterstreichen[17]. Ging es in Mk 4,26-29 um die Nezessität des Kausalnexus, so hier um seine Unumkehrbarkeit. Damit war auch in diesem Gleichnis von vorneherein eine Metapher gegeben, die es zuließ, das Gleichnis später unter dem Aspekt der bemessenen Zeit umzudeuten.

---

12) Man kann fragen, ob dieses Problem nicht auch im Jak im Hintergrund der Paränese steht angesichts von 5,9; 4,11.

13) JÜNGEL, Paulus 147 A.4; cf. KÜMMEL, Verheißung 128.

14) JÜNGEL, aaO 146.

15) Ebd 148; cf. WEDER, aaO 125f.

16) WEDER, aaO 125f; cf. JEREMIAS, Gleichnisse 221f; Gedanke 130f.

17) JÜNGEL hält allerdings V.30 für sekundär (aaO 148). Die Erwähnung der Ernte ist aber bei dieser Deutung konstitutiv! WEDER nimmt wieder eine umfangreiche Reduktion vor, die hier im einzelnen nicht diskutiert werden kann. Ἐν καιρῷ τοῦ θερισμοῦ wird aber als ursprünglich deklariert (aaO 120-125).

Im Rahmen at.-jüdischen Denkens, das Zeit und Geschehen
stets verknüpft sieht[1), verwundert es nicht, daß das
Maß der Zeit auch durch das Maß des in dieser Zeit liegenden Geschehens determiniert wird. 4Esr 13,58 bringt das
prägnant so zur Sprache: "Gott regiert die Zeiten und was
in den Zeiten geschieht - gubernat tempora et quae sunt
in temporibus inlata".
Die Zeit des Unheils ist doppelt limitiert - zum einen
durch das Maß der Zeit, zum anderen durch das Maß des Unheils. Neben das bestimmte Maß an Zeiteinheiten tritt das
Maß des Leidens und das Maß der Sünde als Determinanten
des Eschatons.

I. Wurzel und Entstehung des Motivs

Analog der Vorstellung vom eschat. Maß der Zeit gibt es
auch hierzu entsprechende at. Präformationen. Die Zeit des
Exils ist im AT nicht nur durch die göttliche Setzung eines
Zeitmaßes bestimmt, sondern auch durch die Setzung eines
bestimmten Strafmaßes. Dieses Strafmaß kann dann in der
Folgezeit sowohl als Maß des Leidens wie auch als Maß der
Sünde verstanden werden.

A. Strafmaß und Leidensmaß

1. Das Strafmaß als Leidensmaß

Daß die Exilszeit durch ein bestimmtes Strafmaß terminiert
ist, zeigt Jes 40,2, wo das Ende der Exilszeit angekündigt
wird mit dem Satz:
     "Das Maß ihres (Zions) Frondienstes ist voll."

כִּי מָלְאָה צְבָאָהּ

צָבָא ist der "Dienst, durch den man eine Schuld abträgt"[2].
Damit ist also das Ergehen, das notwendig einer bestimmten
Tat folgt, die Strafe, die einer Schuld entspricht, gemeint.

Daher kann hier nicht unbedingt angenommen werden, daß die
Setzung des Maßes ein Akt Gottes ist. Es könnte auch so
verstanden sein, daß durch das Maß der Schuld das Maß der
Strafe bestimmt ist. Das setzte aber einen Tat-Ergehen-Auto-

---

1) s.o.S. 18f.
2) KBL 791.

matismus voraus, der so jedenfalls für Dtrjes wohl kaum anzunehmen ist.

Auf Jes 40,2 fußt die nachat. Tradition, die mit einem bestimmten Maß eschat. Leiden für Israel rechnet. Sowie die Siebzig-Jahr-Frist aus Jer bei Dan zur Determinanten für das Eschaton wird, so auch das Maß des Frondienstes aus Jes 40,2 in anderen nachat. Zeugnissen.

צָבָא ist in der Kriegsrolle Qumrans umgewandelt in מַצְרֵפִים (=Läuterungen) und dort für die eschat. verstandene gegenwärtige Notzeit aktualisiert.

> "Und ihr, Söhne seines Bundes, seid stark in der Läuterung Gottes, bis er seine Hand schwingt (und) das Maß seiner Läuterungen vollendet, seine Geheimnisse für euer Bestehen." (1 QM 17,8f מלא מצרפיכם).

1QM 17,8f ist so mit Dan 9 zu vergleichen. Hier wie da wird eine prophetische Verheißung aufgenommen und für die notvolle Gegenwart bekräftigt und umgedeutet.

Daß das Maß des Leidens das Kommen der Heilszeit konditioniert, wird noch deutlicher in 4Esr. In 6,11-28 wird das Ende und die ihm vorausgehende Notzeit angekündigt. Heißt es sonst: "Wenn das Maß der Zeit voll ist, kommt das Ende"[3], tritt hier an die Stelle der üblichen Komplettierungsformel der Satz:

> "Wenn Zions Erniedrigung voll ist..."
> (Quando suppleta fuerit humilitas Sion...;6,19).

2. Die vorab bemessene Leidensmenge

Daß die Leiden und Nöte von Gott abgezählt sind, wird auch unabhängig von Jes 40,2 und seiner Nachgeschichte ausgesagt.

Die Damaskusschrift rechnet damit, daß eine genaue Anzahl von Leiden durch Gott schriftlich präfixiert ist. In einem Verzeichnis (פרוש) ist eine genaue Anzahl von Leiden (מספר צרות הם)notiert (CD 4,4f).

In der Kriegsrolle wird von der großen eschat. Not, die mit Anspielung auf Dan 12,1 beschrieben wird, gesagt, daß am Ende ihr Maß voll sein wird (עד תמה ; 1QM 1,11f).

---

3) S.o.S. 37f.

Von einer durch Gott bestimmten Anzahl von Leiden weiß
auch das 3. Buch der Sibyllinen:

> "Und dies hat mir Gott zuerst in den Geist gegeben zu
> sagen, wieviele traurige Schmerzen er gegen Babylon
> beschlossen hat, weil es seinen großen Tempel ent-
> leerte." (300-302)

(ὅσσα γε τοι Βαβυλῶνι ἐμήσατο ἄλγεα λύγρα)

> "Lerne dieses..., wieviele Leiden im Umschwung der
> Jahre kommen werden" (562f)

(ὅσα περιπλομένων ἐνιαυτῶν κήδεα ἔσται)

Daß die Leidenszeit nicht nur durch die Zahl ihrer Tage,
sondern auch durch die Zahl ihrer Leiden bemessen ist,
wird im übrigen schon im AT gesagt. In Ps 56,9 betet der
Psalmist im Blick auf sein individuelles Schicksal:

> "Du hast gezählt die Tage meines Elends,
> meine Tränen hebst du bei dir auf;
> stehen sie doch in deinem Buche."

B. Strafmaß und Sündenmaß

Wird das Strafmaß in der durch Jes 40,2 gebildeten Tradition primär unter dem Gesichtspunkt des leidvollen Ergehens des Gottesvolkes gesehen, so kann es in anderen
Traditionen auch primär im Blick auf die es verursachenden
Taten gesehen werden.

1. Das Strafmaß als Sündenmaß

In Weish 19,4 ist für die durch die Plagen gestraften
Ägypter ein von Gott fixiertes Strafmaß vorausgesetzt[3a].

> Noch einmal vergehen sie sich an Israel, "um die an
> ihren Strafen noch fehlende Züchtigung vollständig
> zu machen".

(ἵνα τὴν λείπουσαν ταῖς βασάνοις προσαναπληρώσωσιν κόλασιν)

Und in 1QM 6,6 heißt es:

> "...um allem Volk der Nichtigkeit die Bestrafung
> ihrer Bosheit voll zu machen (לשלם גמול רעתם)."

Eine Formulierung mit שלם darf man wohl auch hinter
äHen 18,16; 21,6 erwarten:

> "Da wurde er zornig über sie (die Engel) und fesselte
> sie 10 000 Jahre bis zu der Zeit, da ihre Sünde voll-
> endet ist" (18,16).

3a) Cf. aber GEORGI, JSHRZ III, 468 A. 4c.

"...bis 10 000 Jahre, die Zeit ihrer Sünde, vollendet
sind" (21,6).

Natürlich ist nicht gemeint, daß die gefallenen Engel
durch ihre Gefangenschaft ein Sündenmaß füllen, vielmehr
daß sie ihr Strafmaß füllen, also die Tat-Ergehen-Folge
ausgleichen.

In diesem Sinne muß man auch den LXX-Zusatz zu Dan 4,34
verstehen. Im Dankgebet sagt Nebukadnezar:

"Am Ende der sieben Jahre kam die Zeit meiner Erlösung und meine Sünden und meine Fehler wurden vor
dem Himmelsgott voll"
(καὶ αἱ ἁμαρτίαι μου καὶ αἱ ἄγνοιαί μου ἐπληρώθησαν.)

Es liegt nahe, diese Formulierung als Semitismus zu verstehen, hinter der eine Wendung mit שׁלם zu vermuten ist.
Denn der Sinn ist eindeutig: gemeint ist mit dem "Vollwerden der Sünde" wie in äHen 18,16 nicht ein Sündenmaß,
sondern ein Strafmaß.

2. Gen 15,16

Diese letzten beiden Stellen werfen Licht auf einen Satz
des hebräischen AT, dessen Übersetzung nicht ganz einfach
ist: Gen 15,16. Er hat eine ungemein reiche Tradition gebildet.

In dem intensiver theologischer Reflexion entstammenden
Einschub in die Vätergeschichten Gen 15,13-16, den vRAD
"als ein Kabinettstück alttestamentlicher Geschichtstheologie"[4] charakterisiert, wird die Erfüllung der Abraham-
Verheißung durch eine ihr vorausgehende limitierte Zeit
konditioniert. Diese Zeitspanne wird in V.13 mit 400 Jahren
angegeben und in V.16 so konkretisiert:

"(Erst) in der vierten Generation werden sie (die
Nachkommen Abrahams) hierher zurückkommen, denn
die Schuld der Amoriter ist noch nicht voll."

כִּי לֹא שָׁלֵם עֲוֹן הָאֱמֹרִי עַד־הֵנָּה

---

4) Gen 158. C.WESTERMANN möchte V. 16 "als Trostwort an die
Exilierten" (Gen II, 271) verstehen, vermutet in Anleh-
nung an J. vSETERS das Exil also als Entstehungszeit.
Damit gehörte interessanterweise die Aussage dieses Ver-
ses der gleichen Epoche an wie Jes 40,2 - und die Siebzig-
Jahr-Verheißung bei Jer (25,12; 27,7; 29,10).

אם‑לא kann hier (wie in den oben angeführten Stellen)
zum Ausdruck bringen, daß das der Schuld der Amoriter entsprechende Ergehen noch nicht eingetroffen ist, daß der
Tat-Ergehen-Zusammenhang also noch unausgeglichen ist[5].
שָׁלֵם עָון hieße dann: die Tat-Ergehen-Folge ist ausgeglichen.

אם‑לא kann aber auch voraussetzen, daß den Amoritern,
die hier für Fremdvölker schlechthin stehen, ein von Gott
vorab festgelegtes Maß gesetzt ist, das sie mit ihrer Sünde füllen. Solange das Maß nicht voll ist, bleibt die
Schuld ungestraft. Ist das Maß aber gefüllt, wird die
gesamte (quasi gespeicherte) Schuld gesühnt. Und das führt
zur Vernichtung der Schuldigen[6].

In diesem letzten Sinne haben diesen Text offensichtlich
die Übersetzungen und die überwiegende Zahl der frühen
jüdischen Exegeten verstanden.
Targum Onkelos und Jeruschalmi I übersetzen die Stelle
wörtlich[7].
Die LXX übersetzt:

οὔπω γὰρ ἀναπεπλήρωνται αἱ ἁμαρτίαι τῶν Ἀμορραίων ἕως τοῦ νῦν.

Im Jub wird zweimal auf Gen 15,16 Bezug genommen:

"Denn die Sünde der Amoriter ist bis jetzt noch
nicht voll" (14,16).

"... die bösen sündigen Amoriter, und es gibt
heute kein Volk, das alle seine Sünden so zum
Äußersten getrieben hat" (29,11).

Die Formulierung der letzten Stelle zeigt dabei eindeutig,
daß Jub Gen 15,16 so versteht, daß den Amoritern ein Maß
gesetzt ist, das diese durch ihre Sünden füllen.

3. Nachgeschichte von Gen 15,16

Die direkte Bezugnahme auf Gen 15,16 ist längst nicht mehr
überall zu erkennen, wo vom Maß der Sünde geredet wird;
darum ist es problematisch, hier von einer "exegetischen
Tradition"[8] zu Gen 15,16 zu sprechen. Dennoch sind die

5) So GERLEMAN, ZAW 85,6; THAT II, 926.
6) So GUNKEL, Gen 182f; vRAD, Gen 158; SCHARBERT, SLM 303;
   EISENBEIS, Wurzel 336; WESTERMANN, Gen II, 252.270.
7) Cf. BILLERBECK I, 940.
8) GEORGI, Geschichte 34 A. 96.

verschiedenen Aspekte unter denen das Motiv vom Sündenmaß
in der Folgezeit gebraucht ist, schon in Gen 15,16 angelegt.

a) Angeknüpft wird an den Gedanken, daß das Vollwerden
des Sündenmaßes in Gen 15,16 <u>die Vernichtung</u> der Amoriter
bedeutet. Die Überlegung, daß mit dem Vollwerden des Sündenmaßes nicht eine beliebige Strafe den Täter trifft, sondern
es seine endgültige Vernichtung bedeutet, hat in der für
dieses Vorstellungsmotiv wichtigen Stelle 2Makk 6,12-16
ihren Niederschlag gefunden. Strafen, die unmittelbar auf
die sie veranlassenden Taten folgen, galten als gnädige
Zurechtweisungen, als pädagogische Maßnahmen, die letzt-
lich zum Heil dienten, während die Strafe, die eintritt,
wenn das Sündenmaß voll ist, als Unheil und Vernichtung
angesehen wird, der nichts mehr folgt. In 2Makk heißt
es in einer Zwischenüberlegung angesichts der grausamen
Martyrien:

> "Ich bitte nun die Leser dieses Buches, nicht mutlos
> zu werden wegen der Unglücksfälle, sondern zu beden-
> ken, daß die Strafen nicht zum Verderben, sondern zur
> Erziehung unseres Volkes bestimmt sind. Denn schon
> ist dies ein Zeichen großer Gnade, daß den Gottlosen
> keine lange Zeit freie Bahn gelassen wurde, sondern
> daß sie bald ihren Strafen verfielen. Denn während
> der hochherzige Herr auch bei anderen Völkern mit
> der Züchtigung wartet, bis sie selbst zur Erfüllung
> ihrer Verfehlungen gelangen, so hat er in unserem
> Falle nicht ebenso entschieden, damit er sich nicht,
> wenn wir zum Ende unserer Verfehlungen gelangt seien,
> danach an uns räche. Deshalb entzieht er uns nie sein
> Erbarmen, sondern er verläßt sein Volk nicht, auch
> wenn er es unter Leiden erzieht." (6,12-16)[9].

In der Linie dieser Aussage liegen alle Belege im AntB:
3,3; 26,13; 36,1; 41,1; 47,9. Trotz der Tatsache, daß
jeweils ein geringer Bruchteil bewahrt bleibt (in Kap 3:
Noah, in Kap. 41: einige Moabiter, in Kap. 47: 600 Ben-
jaminiter), kann man m. E. von einer Vernichtung, einer
endgültigen Bestrafung sprechen. In diesen Traditionsbe-
reich gehört auch der Ausspruch R. Chaninas b. Papa (um
330): "Gott nimmt an einer Nation erst Rache in der Stunde
ihrer Beseitigung; denn es heißt Jes 27,8: Als das Maß
voll war... bei der Vertreibung, straftest du es..."[10].

---

9) Übersetzung nach HABICHT in: JSHRZ I, 230f.
10) Sota 9^a, BILLERBECK III, 143.

b) Angeknüpft wird an den Gedanken, daß <u>ein Heidenvolk</u>
<u>zugunsten des Gottesvolkes</u> vernichtet wird. In 2Makk
6,12-16 wird gesagt, daß die Vernichtungsstrafe als Reaktion auf das Vollwerden des Sündenmaßes nur die Heidenvölker trifft. Hierher gehören alle die Aussagen, in denen
das Motiv im Zusammenhang einer Schilderung einer Kon-
fliktszene zwischen dem Gottesvolk und seinen Feinden
gebraucht ist. Im AntB sind es Konflikte mit den Midia-
nitern (36,1), den Moabitern (41,1) und den Benjaminitern
(47,9), die hier als Feinde des israelitischen Stammes-
verbandes gesehen werden[11].

c) Von hieraus ist nun auch die Aussage in AntB 26,13
zu verstehen, in der pointiert in einer Gottesrede vom
<u>Gottesvolk</u> selber gesagt ist, daß ihm ein Sündenmaß ge-
setzt ist. Die ursprüngliche Aussagespitze ist hier umgekehrt. Im Konflikt mit seinen Feinden wird das Gottesvolk
zugunsten seiner Feinde unterliegen und diese werden den
Tempel in Besitz nehmen[12]. Daß hier die Tradition vom
eschat. Völkersturm gegen Jerusalem im Hintergrund steht,
haben wir oben gesehen[13]. Hier zeigt also das Vollmaß der
Sünden das Ende einer Epoche auf dem notwendigen Weg hin
zum Eschaton an.

d) Eine ähnliche Eschatologisierung des Motivs vom Sündenmaß ist bereits in Dan zu erkennen. Die Tradition von Gen
15,16 hat nämlich die deutungsoffenen Aussagen in Dan beeinflußt.

α) <u>Dan 8,23</u>, wo ursprünglich das Maß der Herrschaftszeit
der Fremdvölker gemeint, aber weder Maß noch Inhalt genannt
war[14], wird durch LXX und Theodotion von Gen 15,16 her
verstanden und so ergänzt: πληρουμένων τῶν ἁμαρτιῶν αὐτῶν [15].
Ihnen folgen Peschitta und Vulgata. Vorausgesetzt ist also,
daß den Fremdvölkern ein bestimmtes Maß zugemessen ist, das

---

11) Cf. STECK, Israel 38 A. 4.

12) Ebd 175 A. 1.

13) S.o.S.53 A.26.

14) S.o.S.35f.

15) Unerheblich ist dabei, daß hier das Simplex statt des Komposi-
   tums gebraucht ist.

98   sie mit ihrem Frevel füllen. Ist das Maß voll, ist ihre
Wirkungszeit abgelaufen und damit eine Etappe auf dem notwendigen Weg hin zum Eschaton beendet.

ß) Den unsicheren und darum vielfach verbesserten Text in
Dan 9,24[16]) haben nicht die griechischen Übersetzungen, wohl
aber die Masoreten unter Eintragung der Vorstellung von Gen
15,16 gelesen. Sie erleichtern die schwierige Lesart וְלַחְתֹּם
הַחַטָּאת (=um die Sünde zu versiegeln) durch Korrektur in
וּלְהָתֵם הַחַטָּאות (=um die Sünden vollzumachen). Dabei hat diese Wendung nun (vielleicht bewußt) schwebenden Charakter.
In Parallele zum ersten Glied (= um den Frevel einzuschließen)
kommt die Sündenmaßvorstellung zum Ausdruck, in Parallele
zum folgenden Glied (=um die Schuld zu sühnen) die Strafmaß-
vorstellung.
In beiden Fällen ist das Sündenmaß so zur Determinanten
für das Eschaton geworden. Das Kommen des Heils ist determiniert durch das von Gott der Welt gesetzte Sündenmaß.
Daß das Sündenmaß in Konkurrenz zum Zeitmaß treten könnte,
ist dabei nicht reflektiert. Beide sind hier offensichtlich als synchron gedacht.

---

16) S.o.S.31.

A. Kol 1,24
===========

Die Vorstellung vom eschat. Maß des Leidens hat im NT
in Kol 1,24b ihren Niederschlag gefunden:

> "... ich werde an meinem Fleisch füllen, was an den
> Leiden Christi noch fehlt, für seinen Leib, der die
> Gemeinde ist."

Auf die umfangreiche Forschungsdebatte zu dieser Stelle
kann im Rahmen dieser Arbeit nicht eingegangen werden.
Dazu sei auf die beiden neusten Kommentare zum Kol von
EDUARD LOHSE[1] und EDUARD SCHWEIZER[2] sowie auf die umfangreiche Monographie zu dieser Stelle von JACOB KREMER[3]
hingewiesen. Ich beschränke mich darauf zu zeigen, in welcher Weise das eschat. Maß hier aufgenommen und modifiziert
worden ist.

Unbestritten ist seit KREMERs Monographie, daß mit dem Ter-
minus $\vartheta\lambda\acute{\iota}\psi\epsilon\iota\varsigma$ $\tauo\tilde{\upsilon}$ $X\varrho\iota\sigma\tauo\tilde{\upsilon}$ nicht das Sühneleiden Christi gemeint ist, das für den Apostel suffizient ist und niemals
durch ihn selbst ergänzt werden kann[4].
Allerdings bestreitet KREMER, daß hier die Vorstellung des
eschat. Leidensmaßes gebraucht ist. Grundsätzlich hält er
die damit verbundene Interpretationsmöglichkeit für "ver-
lockend"[5], sträubt sich aber vor allem deswegen gegen die
Annahme, daß hier dieses Motiv rezipiert ist, weil "die
Vorstellung von einer im voraus festgesetzten Leidensmenge...
sich weder bei Paulus noch sonst im N.T. findet, noch sich
von zeitgenössischen Voraussetzungen aus nahelegt"[6].
Genau diese Bedenken hindern auch KITTEL[7], MICHAELIS[8]

---

1) Kol 112-117; cf. Märtyrer 202.
2) Kol 82-86.
3) Leiden passim
4) Ebd 189-191; KÄSEMANN, ThLZ 82, 694f; SCHWEIZER, Kol 83;
   LOHSE, Kol 112f.
5) AaO 197.
6) 198f.
7) ThWNT V, 933 A.2o.
8) Kol 1,24, 188.

und neuerdings wieder SCHWEIZER[9], Kol 1,24 von der Vorstellung des eschat. Maßes her·zu verstehen.
Ich denke, daß die oben dargestellte Traditionsgeschichte
des Motivs geeignet ist, solche Bedenken zu zerstreuen
und daß umgekehrt diese Belege fordern, Kol 1,24b vom Motiv des eschat. Maßes her zu exegesieren[10]. Allerdings
– das wird hier auch deutlich – ist das Motiv modifiziert
aufgenommen.
In den Belegen für das eschat. Leidensmaß ist zwar von
Bedrängnissen, Nöten, Leiden Schmerzen die Rede, nicht
aber von den Leiden des Messias. Analog den Modifikationen
des Motivs im Blick auf das in Christus erfüllte Zeitmaß[11], ist aber auch hier von der Sache her eine solche
Modifikation zu erwarten.
Während nach antik-jüdischer Vorstellung die Leidenszeit
der Ankunft des Messias vorangeht[12], hat die Geschichte
des Messias Jesus, auf die die Christen zurückblicken,
gezeigt, daß diese Leiden auch den Messias selbst treffen.
Die Geschichte Jesu selber hat die traditionelle Erwartung
gesprengt. Wenn Christen dennoch sich dieser Vorstellungs-
traditionen bedienen, können sie es nur gebrochen tun.

Nun gibt es aber auch für die Terminologie der $\vartheta\lambda\iota\psi\epsilon\iota\varsigma\ \tau o\tilde{\upsilon}\ X\rho\iota\sigma\tau o\tilde{\upsilon}$
jüdische Analogien. Rabbinische Theologie spricht von der
Wehe, die den Messias hervorbringt: חֶבְלוֹ שֶׁל הַמָּשִׁיחַ [13].
Daß diese Metaphorik dem NT und auch Pls nicht unbekannt
ist, zeigen Mk 13,8 par Mt 24,8; Joh 16,21(?); 1Thess 5,3; Röm
8,22. Andererseits versteht sich von selbst, daß auch dieser Terminus nicht ungebrochen übernommen werden kann.
Da der Messias schon gekommen ist, kann nicht mehr von <u>seinen</u>
Wehen (Wehen, die seine Ankunft begleiten) gesprochen werden,
wohl aber von seinen Bedrängnissen, die nicht nur ihn getroffen haben, sondern auch jetzt noch die trifft, die zu ihm
gehören, die $\dot{\epsilon}\nu\ X\rho\iota\sigma\tau\tilde{\omega}$ sind[14]. Will man die eschat. Leiden,

---

9) AaO 85 A. 242: "Es gibt aber dafür keine wirklichen Belege".
10) DIBELIUS-GREEVEN, Kol 23; HAUCK, ThWNT III, 807; LOHMEYER, Ko
78; LOHSE, Märtyrer 202; OEPKE, ThWNT IV, 1090f; SCHLIER, ThW
III, 142-146; KÄSEMANN, aaO 695; LOHSE, Kol 114f.
11) S.o.S. 64f.
12) Cf. BILLERBECK IV, 977-986.
13) Cf. BILLERBECK I, 950 mit zahlreichen Belegen.
14) Cf. SCHLIER, ThWNT III, 145f; LOHSE, Märtyrer 200-203.

die Leiden der Messiaszeit, die mit der Passion Jesu ein-
gesetzt haben und unter denen seine Gemeinde bis zu seiner
Wiederkunft seufzt, bezeichnen, bleiben den Christen kaum
andere Worte als die in Kol 1,24 gebrauchten[15].

Die christliche Gemeinde ist überzeugt, daß diese Leiden
notwendig sind: εἰς τοῦτο (τὰς θλίψεις) κείμεθα (1Thess 3,3f)[16].
Ihre Notwendigkeit aber ist nicht nur (wie in jüdischer
Tradition) aus der Prospektive gesehen, sondern nun auch
– und zwar entscheidend – aus der Retrospektive. Das
Leiden des Christus bedingt das Leiden der Christen. Genau
dieser Konnex ist in dem Terminus θλίψεις τοῦ Χριστοῦ
festgehalten. Er ist die wesentliche Modifikation gegenüber der Tradition.

Unbeschadet dieser Modifikation wird gleichwohl vom tra-
ditionellen Maßmotiv her gedacht. In Kol 1,24 bildet das
Motiv Basis einer originellen theologischen Reflexion.
Aus der Prämisse eines von Gott irreversibel gesetzten
Leidensmaßes wird gefolgert, daß jedes ertragene Leid dazu
beiträgt, dieses Maß zu füllen. Kein Leid ist somit vergeb-
lich. Jedes übernommene Leid ist ein Beitrag zur Parusie
Christi. Das Motiv vom eschat. Leidensmaß stellt also eine
Bedingung der Ankunft des Eschatons dar, die zumindest
die Möglichkeit der Anthroponomie in sich birgt. Der Apostel kann mitwirken am Kommen des Endes, indem er sich den
Christusleiden nicht entzieht.
Freilich in diese Richtung zielt die Aussage von Kol 1,24
nicht[17]. Solche Reflexionen stehen nur unausgesprochen
hinter diesem Satz. Der Apostel hat ein anderes Interesse.
Er zeigt auf, daß jedes Christusleid, das er übernimmt,
der Gemeinde erspart bleibt. Das apostolische Leiden kommt
auf dieser Basis der Gemeinde direkt zugut: "Je mehr Paulus
an Leiden erfährt, um so weniger bleibt noch für die Gemeinde übrig"[18].

---

15) Cf. LOHSE, Kol 114f.
16) Z.B.: 2Kor 1,4.8; 2,4; 4,17; 6,4; 7,4; 8,2.13; Phil 1,17;
    4,14.
17) Das betont SCHWEIZER, Kol 84 A.233, zu Recht.
18) LOHSE, Märtyrer 202.

Einige Exegeten[19] wollen die Vorstellung auch an anderen
Stellen der nt. Briefe, in denen von einem Leiden des
Apostels zugunsten der Gemeinde die Rede ist, gebraucht
sehen:

> "Sei es, daß wir bedrängt werden, so geschieht es
> zu eurem Trost und Heil" (2Kor 1,6a).

> "Damit ist der Tod an uns wirksam, das Leben aber
> an euch" (2Kor 4,12).

> "Darum ertrage ich alles mutig um der Auserwählten
> willen, damit auch sie das Heil, das in Christus
> Jesus liegt, zusammen mit der ewigen Herrlichkeit
> erlangen" (2Tim 2,10).

Natürlich ist die Aufnahme des Maßmotivs an diesen drei
Stellen grundsätzlich möglich. Nur geben die Texte dafür
selbst keinen Anstoß; immer wird Kol 1,24 zum Schlüssel
der Auslegung auch dieser Stellen gemacht. Verständlich
sind die drei Stellen auch ohne die Annahme der Maß-
rezeption[20]. Ja, näher liegt zunächst die Annahme,
daß das Leiden des Apostels der Gemeinde insofern zugute
kommt, als sie selbst dadurch Mut und Kraft bekommt, ihrerseits Leiden zu tragen und unter Leiden Verkündigung zu
betreiben. Der Nutzen des apostolischen Leidens wäre dann
primär unter dem Gesichtspunkt seines Zeugnischarakters
gesehen. Ganz eindeutig ist das in Phil 1,12-14 gemeint.

Von Phil 1,12-14 her könnte am ehesten auch 2Kor 1,6
verstanden werden, zumal hier ausdrücklich steht, daß das
Leiden des Apostels zunächst zur παράκλησις der Gemeinde
geschieht. Doch wird der Satz weitergeführt[21] durch καὶ
(sc. ὑπὲρ τῆς ὑμῶν) σωτηρίας. Zwar ist damit immer noch möglich, die Aussage vom Maßmotiv her zu deuten, aber das ist
- anders als in Kol 1,24 - weder notwendig noch nahelie-

---

19) LOHSE, aaO 200f; JEREMIAS, Tim 54.

20) Cf. KREMER, aaO 199-201.

21) Jedenfalls nach der Lesart, die ich für ursprünglich halte,
weil sie von alten, wichtigen und verschiedenen Texttypen
angehörenden Zeugen geboten wird: Chester-Beatty-Papyrus,
Hesychianische Zeugen, einige andere griechische Handschriften, einer altlateinischen Handschrift, Vulgata
und Peschitto.

gend. Das καί könnte epexegetisch gemeint sein[22], σωτηρία
also παράκλησις erklären.
In 2Kor 4,12 und 2Tim 2,10 hingegen ist die Aufnahme des
Maßmotivs näherliegend, zumal es in 2Tim 2,10 ausdrücklich
heißt, daß das Leiden des Apostels zur σωτηρία der Gemeinde
geschieht. So zwingend wie in Kol 1,24 aber ist solche
Exegese hier nicht.

III. Das Sündenmaß im NT (Mt 23,32; 1Thess 2,16)
-.-

An zwei Stellen ist im NT das Motiv vom eschat. Maß der
Sünde aufgenommen:

> "Daher bezeugt ihr euch selbst, daß ihr Söhne derer
> seid, die die Propheten getötet haben. Und so werdet
> ihr das Maß eurer Väter vollmachen!" (Mt 23,32)

> "Die Juden... sie hindern uns, den Menschen aus der
> Völkerwelt zu predigen, damit sie gerettet werden,
> so daß sie stets das Maß ihrer Sünden vollmachen.
> Es kommt aber der Zorn Gottes über sie - endgültig."
> (1Thess 2,16)

Aus der sehr vielschichtigen Traditionsgeschichte ist mit
beiden Sätzen an die Tradition angeknüpft, die mit einem
von Gott gesetzten Sündenmaß für das Gottesvolk selbst
rechnet. In AntB wird unter Aufnahme der Tradition vom
eschat. Völkersturm gegen Jerusalem[1] als Gotteswort
tradiert:

> "Wenn das Maß der Sünden meines Volkes voll ist,
> werden die Feinde beginnen, ihrem Haus Gewalt anzu-
> tun" (26,13).

Das traditionelle Motiv, das für die Heidenvölker mit einem bestimmten Sündenmaß rechnete, ist hier also in sein
Gegenteil verkehrt: Das Volk Israel hat ein solches Maß
gesetzt bekommen. Dieses Maß hat es gefüllt und darum
wird es von Gott, der sich dazu der Heiden bedient, bestraft.
Die Fortsetzung im AntB zeigt freilich, daß dies nur eine
Episode innerhalb der Geschichte des Gottesvolkes ist, der

---

22) Bl-Debr-R § 442, 6a.
 1) S.o.S. 53 A.26.

das neuerliche Erbarmen folgt: "bis daß Gleiches an den Heidenvölkern geschieht."

Die urchristliche Gemeinde hat sich dieses Motivs bedient, um sich vor Israel, das den Messias Jesus nicht anerkennt, abzugrenzen.

Pls zitiert in 1Thess 2,14-16 traditionell geprägtes Gut[2]. O. MICHEL sieht 2Chr 36,15f aufgenommen[3], während STECK überzeugend nachgewiesen hat, daß hier die alte, weit verbreitete Tradition vom "gewaltsamen Geschick der Propheten" zugrunde liegt[4], der auch 2Chr 36,15f angehört[5]. Im Gegensatz zu seiner späteren Überzeugung, wie sie in Röm 9-11 zum Ausdruck kommt[6], ist Pls hier der Ansicht, daß die Verwerfung Israels durch Gott endgültig ist (εἰς τέλος). Die Ablehnung des Messias Jesus, seine Kreuzigung wie die Behinderung und Verfolgung der Christen durch die Juden deutet Pls mit Hilfe des eschat. Sündenmaßes: Israel füllt damit sein Sündenmaß. Wenn dieses Maß voll ist, ist mit der Vernichtung Israels auch das Ende da. Pls kombiniert also die antijüdische und die eschat. Intention des Motivs.

Im gleichen Sinn hat Mt das Motiv aufgenommen - auch dort im Rahmen der Tradition vom "gewaltsamen Geschick der Propheten"[7]. Die Formulierung ist allerdings singulär. Nur hier steht innerhalb der nt. Rezeption das Stichwort μέτρον . Daß es sich um das Sündenmaß handelt, läßt nur der Kontext erkennen[8].

---

2) Cf. DIBELIUS, Thess 9f; HAHN, Mission 90 A.1; MICHEL, Fragen 52f; ausführlich nachgewiesen bei STECK, Israel 274f.

3) AaO 58.

4) AaO Passim, bes. 274-278.

5) Ebd 78f.

6) S.u.S.164ff.

7) STECK, aaO 280-284; 290-297.

8) MERX möchte die Wendung bei der Annahme, daß jedem Menschen ein gleiches Maß an Sünde zugemessen ist, so verstehen, daß die Zeitgenossen Jesu ihr Maß so voll machen wie ihre Väter ihr Maß. Hier sei gesagt, sie werden ebenso viel sündigen wie ihre Väter (Mt 331f). Abgesehen davon, daß die Vorstellung sich nirgendwo sonst findet, enthält die Konstruktion MERXs noch einen anderen Fehler. Wenn er von der Beobachtung ausgeht, daß es im Hebräischen die Wendung

Im Sinne mt Redaktion ist die Konkretisierung der Sünde
genau so verstanden wie in 1Thess 2,14-16: Israels Maß wird
voll durch die Verfolgung urchristlicher Missionare.

Geht dieses Logion auf Jesus selber zurück, ist es ein-
zureihen in die scharfen Worte über die γενεὰ αὕτη 9).
Wenn Jesus davon "überzeugt war, daß seine Sendung der
Auftakt für das Kommen der eschatologischen Notzeit sei"[10],
dann proklamiert er hier, daß "die Ermordung des letzten
Gottesboten durch das prophetenmörderische Jerusalem...
das von Gott gesetzte Maß der Schuld überlaufen lassen"[11]
wird und damit das Ende einleitet.

Exkurs
======

Zu den in temporibus inlata, die durch ein gottgesetztes
Maß determiniert sind, wird über Sünde und Leiden hinaus
auch anderes gezählt. Ob das zu Recht geschieht, soll im
Folgenden untersucht werden.

1. Ein Maß an Freude?

An sechs Stellen wird im johanneischen Schrifttum von der
χαρά ausgesagt, daß sie "gefüllt" wird: Joh 3,29; 15,11;
16,24; 17,13; 1Joh 1,4; 2Joh 12.
E.G. GULIN geht davon aus, daß χαρά metonymisch als Gegenstand der Freude verstanden werden muß und πληροῦν hier im
Sinne von "erfüllen" zu verstehen ist[1], also punktuelle
Bedeutung hat[2]. Das scheitert jedoch daran, daß χαρά

---

gibt "seine Tage voll machen = seine Lebenslänge erreichen",
und dann sagt, man könne statt"seiner Tage" eben auch"die
Tage seines Vaters"sagen, so muß dem widersprochen werden.
Diese Formulierung findet sich so nirgendwo, sie ist vielmehr
MERXsche Erfindung.

9) Cf. JEREMIAS, NtTh I, 135f.

10) Ebd 128.

11) Ebd.

1) Freude II, 67-71.

2) S.o.S. 20

"gar nicht den Gedanken der Determination"[3] enthält, wie
ihn die Begriffe "Voraussage, Forderung, Hoffnung etc."
enthalten.

Die rabbinischen Belege, die SCHLATTER[4] und BILLERBECK[5]
zur Erklärung beibringen, zeigen sehr deutlich, daß es sich
hierbei nicht um das Motiv des eschat. Maßes handelt.
Denn הִשְׂמַחְתָּ שְׂמַחַת = χαρὰ πεπληρωμένη ist Terminus technicus für die eschat. Freude. πληροῦν heißt dann in dieser
Verbindung "die Freude in den Zustand eschat. Vollkommenheit
bringen". An das Füllen eines Maßes ist dabei also nicht
gedacht. Im Hintergrund steht wohl kaum die Vorstellung,
daß die Gemeinde ein fast randvolles Maß an Freuden habe,
das nun durch eine letzte Freude gefüllt wird. Das ist
umso überzeugender, als offensichtlich Aussagen, die von
der Setzung eines Maßes für die Freude sprechen, ganz
fehlen.

2. Ein Maß an Gerechtigkeit?

In Mt 3,15 möchte H. LJUNGMAN das Motiv vom eschat. Maß
verwenden sehen. Dabei versteht er δικαιοσύνη als Gabe
der Heilszeit[6] und πληροῦν als einen eschat. Akt. Selbst
wenn man dem zustimmte und δικαιοσύνη hier nicht als
"ethische Haltung"[7] deutet, was jedenfalls im Sinn mt
Theologie näher liegt,   selbst dann läge hier nur
die gleiche Denkfigur zugrunde wie bei den Aussagen über
die Freude bei Joh. Das Motiv des eschat. Maßes aber ist
nicht gebraucht. Für die Maßvorstellung ist ja konstitutiv,
daß sich das einmal gesetzte Maß kontinuierlich und allmählich füllt und so das Ende determiniert. Hier aber ist
gesagt, daß Gott selbst in einem schöpferischen Akt bzw.
Jesus als der von Gott legitimierte Weltvollender die
Gerechtigkeit bringt. Damit ist der Gedanke an eine allmähliche Maßfüllung ausgeschlossen.

---

3) BULTMANN, Joh 387 A. 2.
4) Joh 108.
5) II, 429f.
6) Gesetz 113f.
7) STRECKER, Weg 157f;cf. BORNKAMM, Enderwartung 28; BARTH,
   Gesetzesverständnis 130.

3. Ein Maß von $\overset{\text{c}}{o}\ \nu\acute{o}\mu o\varsigma\ \overset{\text{\'a}}{\eta}\ \alpha\overset{\text{c}}{\iota}\ \pi\rho o\varphi\tilde{\eta}\tau\alpha\iota$?

Ähnlich liegt das Problem in Mt 5,17. Auf eine Diskussion
der verschiedenen vorgeschlagenen Deutungsmöglichkeiten
von $\pi\lambda\eta\rho o\tilde{\upsilon}\nu$ in diesem Vers kann verzichtet werden[8]. Ich
beschränke mich auf eine Erörterung der Position, die in
$\pi\lambda\eta\rho o\tilde{\upsilon}\nu$ die Füllung des eschat. Maßes sieht.
Soweit ich sehe, wird diese Ansicht vertreten von J. JERE-
MIAS[9], und zwar für den ursprünglichen Sinn des Logions
gegen den Sinn im jetzigen Kontext, und G. HARDER[10] und
unausgesprochen auch H. LJUNGMAN[11], beide für den Sinn
des Logions in der Endredaktion des Mt.

HARDER versteht unter dem Terminus $\overset{\text{c}}{o}\ \nu\acute{o}\mu o\varsigma\ \overset{\text{\'a}}{\eta}\ \alpha\overset{\text{c}}{\iota}\ \pi\rho o\varphi\tilde{\eta}\tau\alpha\iota$
also als Inhalt des Maßes, "die Kundgebung des göttlichen
Willens, der auf Verwirklichung... drängt"[12], wie LJUNGMAN
schon ähnlich gedeutet hatte. Beide interpretieren mit
Blick auf Mt 3,15 und durch Kombination mit dem Ver-
ständnis von $\pi\lambda\eta\rho o\tilde{\upsilon}\nu$ als "verwirklichen, erfüllen", daß
Jesus das von Gott für die Menschheit gesetzte Maß an
Gehorsam seinem Willen gegenüber voll gemacht habe und
damit wohl das Ende angebrochen sei. Für diese Interpretation treten die gleichen Schwierigkeiten auf wie
bei der oben skizzierten von Mt 3,15.

JEREMIAS hingegen versteht unter $\overset{\text{c}}{o}\ \nu\acute{o}\mu o\varsigma\ \overset{\text{\'a}}{\eta}\ \alpha\overset{\text{c}}{\iota}\ \pi\rho o\varphi\tilde{\eta}\tau\alpha\iota$
"die Gottesoffenbarung"[13]. $\Pi\lambda\eta\rho o\tilde{\upsilon}\nu$ hat zwar dann ein-
deutig eschat. Bedeutung, ob aber der Gedanke des eschat.
Maßes hier vorliegt, ist zu fragen. Läge er vor, so wäre
gesagt: Gott hat ein bestimmtes Maß an Offenbarung festgesetzt, das sich allmählich füllt, bis das Ende kommt.
Jesus hat das fast randvolle Maß gefüllt. Jesus wäre
dann einer unter vielen Offenbarungsträgern, eben der
letzte, der das Maß vollmacht, grundsätzlich nicht anders

---

8) Cf. dazu HARDER, Jesus 110-112.
9) Jesusworte 30 A. 122; NtTh I, 87-89.
10) Ebd.
11) Gesetz, passim.
12) AaO 111.
13) Jesusworte ebd.

qualifiziert als alle vorhergehenden auch.
Der letzte Märtyrer, der das Maß füllt, ist nicht anders
qualifiziert als alle anderen auch. Die letzte Sünde,
die das Maß füllt, ist keine andere als alle vorhergehenden auch. Der letzte Völkerrepräsentant, der auf dem Zion
erscheint und damit die Vollzahl voll macht, ist nicht
hervorgehoben unter seinen Vorgängern.
Zu diesen Schwierigkeiten kommen noch zwei weitere. Die
Exegese arbeitet mit verschiedenen Postulaten, die nicht
zu erweisen sind[14]. Vor allem aber fehlen alle religionsgeschichtlichen Belege für die Vorstellung, daß Gott
seiner Offenbarung ein Maß gesetzt hat, das sich bis zum
Eschaton füllen soll.

Fazit: Zu der mensura in temporibus inlatorum ist über
Sünde und Leiden hinaus nichts Weiteres zu zählen. Als
Determinante für das Eschaton tritt neben die mensura
temporum und die mensura in temporibus inlatorum aber
der numerus clausus. Dieses Motiv soll in einem dritten
Teil untersucht werden.

---

14) πληροῦν = aramäisch: ʾosophe; "Gesetz oder Propheten" =
Gottesoffenbarung.

I. Wurzel und Entstehung des Motivs
-.-.-.-.-.-.-.-.-.-.-.-.-.-.-.-.-.-.-

A. Der numerus iustorum in 4Esr 4,33-37
==

Der S. 41-45 besprochene Abschnitt 4Esr 4,33-37 zeigt, daß
in 4Esr neben die Vorstellung vom festgesetzten Maß der
Zeit das Motiv der von Gott bestimmten Anzahl der Heilsempfänger als Determinationsfaktor des Endtermins tritt.

> 33) Ich antwortete und sprach: "Wie lange noch und
> wann wird das sein? - Sind doch so kurz und böse
> unsere Jahre!" 34) Er antwortete und sprach: "Eile
> nicht mehr als der Höchste! Du willst eilen um
> deiner selbst willen, der Höchste aber (zögert) um
> der vielen willen.
> 35) Haben nicht danach schon die Seelen der Gerech-
> ten in ihren Kammern gefragt, indem sie sprachen:
> 'Bis wann sollen wir hier bleiben? [1] und wann kommt
> die Frucht auf der Tenne unseres Lohns?'? 36) Und
> es antwortete ihnen der Erzengel Jeremiel und sprach:
> 'Wenn die Zahl von euresgleichen voll geworden ist.'
> (4Esr 4,33-36a)[2].

Der Endtermin ist also determiniert nicht nur durch das
von Gott festgesetzte Maß der Zeit, sondern auch durch die
von ihm im voraus festgelegte Anzahl der Gerechten. "Das
den Gerechten zugesagte Heil (vgl. 4,27a) kommt... dann,
wenn die von Gott festgesetzte Zahl der Heilsempfänger erreicht ist"[3]. Mit der vorzeitlichen Festlegung der Anzahl
der Heilsempfänger durch Gott ist ein Maß für die Zeit bis
zum Ende gesetzt, das sich durch das stetige Anwachsen der
Zahl der Seelen der verstorbenen[4] Gerechten in den für sie
bestimmten himmlischen Räumen füllt.
"Das Motiv des prästabilierten numerus iustorum"[5] hat natürlich die gleiche Funktion im Rahmen der Gesamtkonzeption

---

1) Zum Text cf. VIOLET I, 42 A.5; II, 18 A.; STROBEL, Untersuchungen
   28 A.2; HARNISCH, Verhängnis 278 A.2.
2) Die Übersetzung lehnt sich an die Ausführungen HARNISCHs (aaO
   276-281) an.
3) HARNISCH, aaO 280.
4) Mit VOLZ 38; BOX, in: Charles AP II 567 A.; BILLERBECK II, 341;
   KEULERS, Lehre 158; SJÖBERG, ThWNT VI, 378 A.247; HARNISCH, aaO
   280 A.1 gegen GUNKEL, in: Kautzsch AP II, 358 d, und MEYER,
   Rabbinische Anthropologie 55, die meinen, es handle sich hier
   um präexistente Seelen.
5) HARNISCH, aaO 281.

des 4Esr wie das Theorem der mensura temporum. Es dient der Apologie der traditionellen Eschatologie, versucht, "die unleugbare Distanz zwischen dem Jetzt und dem Dann... doktrinär zu begründen"[6], um so "die eschatologische Naherwartung durch den Gedanken der Determination des Zeitenablaufs zu entspannen"[7].

Die doppelte Determination des Endtermins setzt voraus, daß beide Maße kongruent sind. Die Anzahl der Seelen der Gerechten muß dem Maß der Zeit entsprechen. Das eine kann nicht gegen das andere ausgespielt werden.

In 4Esr 4,33-37 ist das Motiv vom numerus iustorum dem des Zeitmaßes ganz untergeordnet[8]. Und damit unterstreicht gerade diese Weise der Kombination, daß auch der numerus iustorum – wie die mensura temporum –

– Gottes souveräne Setzung ist, die damit menschlicher Einsicht und Berechnung verschlossen ist,

– eine irreversible Setzung ist, die damit das Ende determiniert,

– eine Setzung ist, deren Erfüllung menschlichen Möglichkeiten entzogen ist. Damit ist jede Möglichkeit menschlicher Einflußnahme auf das Vollwerden des numerus iustorum und damit das Kommen des Endtermins ausgeschlossen.

Das Motiv vom prästabilierten numerus iustorum als solches schließt diese Einflußnahme aber nicht aus. Das haben F. ROSENTHAL[9] und A. STROBEL[10] richtig erkannt, wenn sie dieses Motiv in die Nähe des bekannten Grundsatzes R. Eliezers b. Hyrkanos rücken, nach dem der Endtermin von Israels Buße abhängt[11]. Erst die Verklammerung beider Motive in der oben angeführten Weise zeigt, daß der Vf. von 4Esr das Motiv nicht im Sinne von R. Eliezer versteht[12]. Er sieht die iusti also nicht so sehr unter dem Gesichtspunkt,

6) Ebd 287.

7) Ebd 286; cf. BRANDENBURGER, Verborgenheit 190.

8) Cf. die ausführliche und stringente Analyse dieser Zusammenhänge bei HARNISCH, aaO 281-286.

9) Bücher 61f.

10) AaO 33.

11) Cf. BILLERBECK I, 162ff. 599f; IV, 992f.

12) Das übersieht F.ROSENTHAL, aaO; richtig: STROBEL, aaO 28; HARNISCH, aaO 280 A.4.

daß sie sich gerecht verhalten und recht handeln[13], sondern
in erster Linie unter dem Gesichtspunkt, daß sie Gerechtigkeit empfangen, also als Heilsempfänger. Daß sie das Heil
deshalb empfangen, weil sie in ihrem Leben entsprechend
gehandelt haben, ist zwar für 4Esr selbstverständlich[14],
hat hier aber nicht den Ton.
Von daher ist die Kritik W. HARNISCHs an A. STROBELs Sicht
des Problems[15] nur insofern berechtigt, als A. STROBEL die
bewußte Verklammerung beider Motive durch 4Esr übersieht.
Eine generelle "sachliche Zusammengehörigkeit beider Motiv-
komplexe"[16] ist jedoch nicht gegeben. Beide Motive können
ja durchaus auch isoliert auftreten. Und daß das Motiv vom
numerus iustorum auch anthropozentrisch verwendet wird[17],
also mit menschlicher Einflußnahme gerechnet, ja diese mit
Hilfe jenes Motivs sogar provoziert wird, werden wir noch
sehen[18].

Ist in V.36 (in der von 4Esr verarbeiteten Tradition) der
Determinationsfaktor der numerus animarum iustorum, so sind,
dem genau entsprechend, auch die multi in V.34 so zu verstehen. Das diesem zugrundeliegende πολλοί/רַבִּים ist zwar mit
J. JEREMIAS[19] inkludierend zu übersetzen, nicht aber ohne
"ein zugleich differenzierendes Moment"[20]. Πολλοί/רַבִּים
meint hier - anders als in 8,1.3 - nicht "die gesamte
Menschheit"[21], sondern die Gesamtheit der Gerechten. Es
ist Umschreibung des eschat. Maßes, nicht des numerus
omnium hominum, sondern des numerus iustorum[22].

---

13) Damit wäre ihnen ja die Möglichkeit einer Einflußnahme gegeben:
durch "gerechtes" Verhalten, wie bei R.Eliezer. Die Formulierung
HARNISCHs ("...den Zusammenbruch dieses Äons erst dann eintreten
zu lassen, wenn sich eine bestimmte Anzahl von Menschen für den
künftigen Äon qualifiziert hat", aaO 279) könnte in diese Richtung mißverstanden werden.

14) Cf. HARNISCH, aaO 142ff.

15) AaO 280f A.4.

16) Ebd A.4, 281.

17) HARNISCH selber (ebd) verweist auf AntB 13,6, wo zwar von meri-
torischem Fasten, nicht aber vom numerus iustorum die Rede ist.

18) S.u.S.162.187f.

19) ThWNT VI, 539; Abendmahlsworte 173 A.4.

20) PLÖGER, Theokratie 29 A.1.

21) JEREMIAS, ThWNT VI, 539.

22) HARNISCH, aaO 279.

Daß der Vf. des 4Esr damit eine ihm überkommene und vielleicht auch seinen Lesern bekannte Tradition aufnimmt, wird
schon im Formalen deutlich. Er läßt den Offenbarer hier den
Erzengel Jeremiel zitieren, statt ihn selbst antworten zu
lassen, wie er es sonst tut. Dazu scheint die rhetorische
Frage in V.35 die Leser an etwas ihnen schon Bekanntes zu
erinnern. Und in der Tat ist die Tradition, die er hier
aufnimmt, auch mindestens an zwei anderen Stellen zu erkennen: äHen 47 und Apk 6,9-11. Die Parallelen sind so eng,
daß W. BOUSSET zu dem Urteil kommt: "eine literarische
Beziehung muß vorhanden sein"[23] dergestalt, daß hinter den
drei Texten "eine gemeinsame ältere Quelle liegt"[24]. Auch
wenn man den Sachverhalt etwas vorsichtiger beurteilt, sind
zumindest traditionsgeschichtliche Zusammenhänge nicht zu
leugnen. Dabei ist in die Untersuchung der Traditionsgeschichte auch noch äHen 8,4 - 11,2 mit einzubeziehen, da
auch in diesem Text die gleiche Tradition sichtbar wird.

B. Analyse von äHen 47
========================

Bevor diese traditionsgeschichtlichen Zusammenhänge erhellt
werden können, muß zunächst äHen 47 genauer untersucht werden.

1) In jenen Tagen wird das Gebet der Gerechten und das Blut
   des Gerechten vor den Herrn der Geister aufsteigen.

2) In diesen Tagen werden die Heiligen, die oben in den
   Himmeln wohnen, einstimmig fürbitten, beten, loben, danken und preisen den Namen des Herrn der Geister wegen
   des Bluts der Gerechten und des Gebets der Gerechten,
   daß es vor dem Herrn der Geister nicht vergeblich sein
   möge, daß das Gericht für sie vollzogen und der Verzug
   desselben für sie nicht ewig dauere.

3) In jenen Tagen sah ich, wie sich der Betagte auf den
   Thron seiner Herrlichkeit setzte, und die Bücher der
   Lebendigen vor ihm aufgeschlagen wurden, und sein ganzes Heer, das oben in den Himmeln und um ihn herum ist,
   vor ihm stand.

4) Die Herzen der Heiligen waren von Freude erfüllt, weil
   die Zahl der Gerechtigkeit nahe, das Gebet der Gerechten erhört und das Blut des Gerechten vor dem Herrn der
   Geister gerächt war.

---

23) Apk 272.
24) Apk 273.

Der Aufbau des Abschnitts ist klar, er zerfällt in zwei
Teile: der Gebetsschrei nach Gottes Gerechtigkeit schaf-
fendem Gericht (V.1f) und seine Erhörung (V.3f).
Subjekt des Gebetes sind gewaltsam Getötete aus dem Kreis
der Gerechten. So nämlich ist die dreimalige enge Parallelisierung von Gebet und Blut der Gerechten (V.1.2.4) zu
verstehen[1]. Der Wortlaut des Textes an sich läßt auch
eine weiter gefaßte Deutung zu – dergestalt, daß es sich
um Gerechte handelt, denen Gewalt angetan wurde, so daß
es zwar zu Blutvergießen, nicht aber zu ihrer Tötung gekommen sein muß. Dem widerrät aber die Tradition, in der
die hier gebrauchten Formulierungen ihren Ort haben. Daß
das gewaltsam vergossene Blut zum Himmel aufsteigt und so
quasi personifiziert das Gerechtigkeit schaffende Gottesgericht invoziert[2], ist nämlich ein verbreitetes Motiv,
das seinen at. Ursprung in Gen 4,10, der Erzählung vom
Mord an Abel, hat[3]. An allen Stellen ist das Blut – wie
auch sonst gelegentlich im AT[4] – Umschreibung für einen
gewaltsamen Tod. Daß es sich bei den Getöteten um Märtyrer
handelt, sie also aufgrund ihrer Überzeugung hingerichtet
wurden, ist nur in 2Makk 8,3; AssMos 9,7 gesagt. Wir werden uns also hüten, die Gerechten in äHen 47 vorschnell
als Märtyrer zu qualifizieren[5]. Die hier anklingende

---

1) Der Singular (des Gerechten) in V.1 und V.4 ist ein kollektiver;
   cf. DILLMANN, Henoch 159; BEER, in: Kautzsch AP II, 263 k. Daß es
   sich um den Tod des Heilbringers, der zwar in 38,2; 53,6 auch "der
   Gerechte" heißen kann - was freilich textlich "nicht ganz gesichert" ist (SJÖBERG, Menschensohn 96 A.48; cf. THEISOHN, Richter
   32f) - handelt (so BILLERBECK, Nathanael 21, 104f; JEREMIAS, ThWNT
   V, 686 A.248; OEPKE, ThWNT IV, 1089 A.24; ZORN, Fürbitte 42 A.3
   und andere bei SJÖBERG, aaO 129 A.37, und THEISOHN, aaO 33f, genannte Forscher), ist schon dadurch ausgeschlossen, daß in V.2
   der Plural steht; stilistische variatio ist also das Nächstlie-
   gende; cf. SJÖBERG, aaO 128-130; COLPE, ThWNT VIII, 428; THEISOHN,
   aaO 33-35.

2) Schon in Gen 4,1o hat diese Redeweise juridischen Charakter, ist
   damit geradezu "die Rede von einem zu Jahwe schreienden Tatbestand" (CHRIST, Blutvergießen 82); cf. auch GnR 22 (15ᵇ), BILLER-
   BECK III, 402f.

3) Jub 4,3; äHen 22,5-7; 2Makk 8,3; AssMos 9,7; Hebr 11,4; 12,24;
   rabbinische Belege: BILLERBECK I, 940-942.

4) CHRIST, aaO 19-27.30-34; cf. KBL 212; GERLEMAN, THAT I, 449; so
   auch im NT, cf. BAUER,WB 44; BEHM, ThWNT I, 172f.

5) "Der Erzähler denkt hier an (pharisäische) Märtyrer, die in der
   syr. Religionsnot und dann von den Makkabäern selbst, zB von
   Alexander Jannäus, hingeschlachtet wurden", BEER, aaO 263 k; cf.
   CHARLES, Apk I, 178f; BILLERBECK III, 803; VOLZ 261; LOHSE, Märtyrer 197; COLPE, aaO 428.

Tradition vom leidenden Gerechten[6] darf so nicht eingeengt werden[7].

Der Ruf der Getöteten wird verstärkt durch die Fürsprache der Engel (cf. 40,6), die so in Solidargemeinschaft zu den Leidenden treten[8]. Inhalt der Fürsprache ist die Invokation des Endgerichts[9], das den Getöteten Heil schafft[10] und die Tötenden bestraft[11], also die zu Lebzeiten unausgeglichen gebliebenen Tat-Ergehen-Folgen postmortal korrigiert. Darüberhinaus ist das Gebet darauf gerichtet, daß das Endgericht ohne Verzug kommt[12]; damit kommt das Zeitproblem in Blick.

Mit der gleichen Einleitungsformel wie die Bitte wird die Erfüllung des Gebetsrufs in Form einer Vision beschrieben: das erbetene Gericht findet statt. Dabei nimmt der Vf. sehr deutlich Bezug auf Dan 7,9f[13]. Gott, der sonst in der Regel innerhalb der Bilderreden "Herr der Geister" genannt wird, heißt nun "der Betagte" (Dan 7,9)[14]. Der Thron Gottes und Gottes Niedersitzen (7,9), das Aufschlagen der Bücher und das vor Gott stehende himmlische Heer (7,10) und wohl auch die Charakterisierung des Ganzen als Vision (7,9) sind sämtlich aus Dan 7 stammende Elemente. Von daher ist zu fragen,

---

6) Cf. RÖSSLER, Gesetz 88-95.

7) Cf. STECK, Israel 254-257; auch LOHSE möchte grundsätzlich differenziert wissen, "weil der Kreis derjenigen, die als Gerechte bezeichnet werden, weiter gezogen wird und nicht nur die Märtyrer umfaßt" (aaO 78).

8) Cf. außer äHen 9(dazu s.u.) auch 89,76; 68,4; TestAd 2,6; TestLev 3,6; 5,6; TestDan 6,2; LebAd 9; cf. ZORN, Fürbitte 98-106.

9) Cf. Sir 36,10; äHen 8,4ff; 22,5-7; 97,3.5; 99,3; Lk 18,7; Apk 6, 9-11.

10) V.2: "Daß das Gericht zu ihren Gunsten vollzogen werde" (so die Übersetzung von SJÖBERG, aaO 74; cf. aber THEISOHN, aaO 215 A. 44

11) V.4: "das Blut des Gerechten vor dem Herrn der Geister gerächt war". Das Urteil THEISOHNs, "der erste Akt, die Bestrafung der Mächtigen, ist bereits vorüber (äHen 46)", aaO 28, stellt darum eine Harmonisierung dar, die der assoziativen Arbeitsweise des Vf.s der Bilderreden nicht gerecht wird.

12) V.2: "und der Verzug (des Gerichts) für sie nicht ewig dauere"; wörtlich: "daß sie nicht ewig warten müssen".

13) Cf. DILLMANN, aaO 159; NOTH, Komposition 15f; THEISOHN, aaO 20f.

14) So nur im Zusammenhang mit dem Menschensohn in 46,1; 48,2. Die Belege in 55,1; 60,2 gehören zu den Fragmenten der Noahapokalypse und wie 71,10 nicht zum Grundbestand der Bilderreden (cf. BEER, aaO 227; SJÖBERG, aaO 33).

ob nicht auch die Bezeichnung der Engel als "die Heiligen"
Reflex auf Dan 7 ist[15].

Die rätselhafte Wendung "die Zahl der Gerechtigkeit" schließlich erklärt sich auch am besten als Aufnahme einer Verheißung aus dem Danielbuch, nämlich Dan 9,24. Zumeist helfen
sich die Exegeten, indem sie jeweils eines der beiden Wörter aus der Wendung "die Zahl der Gerechtigkeit" ausdrücklich oder stillschweigend konjezieren.

Statt "Zahl der Gerechtigkeit" wird "Zahl der Gerechten"
gelesen und so die Aussage von 4Esr 4,35f und Apk 6₁₁ vorschnell eingetragen[16]. Das verbietet aber der äthiopische
Text, der an dieser Stelle ohne Zweifel $s^e d^e q$ bietet und
nicht $s\bar{a}dq\bar{a}n$, also unmißverständlich differenziert zwischen
der Zahl der Gerechtigkeit und Gebet und Blut der Gerechten[17]. Zwar könnte die semitische Stileigentümlichkeit
abstractum pro concreto[18] dazu berechtigen, hier "der
Gerechten" statt "der Gerechtigkeit" zu übersetzen[19],
dann aber wäre immer noch das Verbum ungewöhnlich. "Nahe
sein" oder "gekommen sein" paßt wohl zu einem Datum, nicht
aber zum numerus iustorum[20].

---

15) Das setzt freilich voraus, daß der Vf. קַדִּישֵׁי עֶלְיוֹנִין in Dan 7,
18 u.ö. als himmlische Wesen verstanden hat, was umstritten ist -
auch unabhängig von der Frage, wie der Vf. des Danielbuches oder
seine ihm vorliegende Tradition den Terminus verstanden hat. Cf.
NOTH, Heiligen; PLÖGER, Dan 115.117; BREKELMANS, aaO; KUHN, Enderwartung 90-93; HANHART, Heiligen; THEISOHN, aaO 109f A.8.

16) Cf. BEER, aaO 263 p; BOUSSET-GRESSMANN 248; CHARLES, Apk I, 178f;
BILLERBECK III, 803; LOHMEYER, Apk 64; HADORN, Apk 86; LOHSE,
Märtyrer 197 A.9; Apk 43; SATAKE, Gemeindeordnung 95.

17) DILLMANN, Liber z.St.; FLEMMING, TU 22,1, 51.
CHARLES, AP II, 216; Ethiopic Version 89, beruft sich für die
Lesart $s\bar{a}dq\bar{a}n$ zwar auf einige Handschriften. Aber da $s\bar{a}dq\bar{a}n$
häufig im Kontext vorkommt (V.1.2.4) und die Lesart $s^e d^e q$ zwar
schwierig, jedoch keineswegs sinnlos ist (s.u.), hat $s^e d^e q$ nach
der Regel lectio difficilior est potior mehr Anspruch auf Ursprünglichkeit. - Beratung und Belehrung in Fragen äthiopischer
Philologie verdanke ich meinem Kollegen Dr. Erich DOBBERAHN,
Bonn.

18) Cf. KÖNIG, Syntax § 242f; GESENIUS-KAUTZSCH § 83.

19) Wie in 61,4 (mit SJÖBERG, aaO 75).

20) CHARLES, Apk I, 179, wagt die Hypothese, im hebräischen Urtext
habe ursprünglich קרב gestanden, was sowohl "nahe kommen" wie
"darbringen" heißen kann, und das sei vom Übersetzer mißverstanden worden; der ursprüngliche Text habe gelautet:"Weil die Zahl
der Gerechten dargebracht war". Ein klassischer Fall von Eisegese,
die am Textbestand und am sprachlichen Befund (s.o.) scheitert;
äHen 47,4 ist zwar ein schwieriger, aber nicht ein "unintelli-

Dem Wortlaut des Textes wird auch die Deutung, die die
"Zahl der Gerechtigkeit" als "Maß der Gerechtigkeit" versteht[21], nicht gerecht, denn eine solche Bedeutung des
äthiopischen Wortes ḥuᵉlquᵉ ist sonst nich belegt[22]. Im
übrigen fiele eine solche Deutung völlig aus dem Duktus
des Kap. 47. "Gerechtigkeit" wird doch als Desiderat gesehen und darum von Gott flehentlich erbeten und nicht
als ein sich innerweltlich allmählich auffüllender Prozeß.
Und schließlich ist auch die Vorstellung, daß der Gerechtigkeit ein Maß gesetzt ist, das sich unter den Menschen
bis zum Ende füllt, soweit ich sehe, bisher nicht nachgewiesen. Allenfalls könnte man sich auf Mt 3,15 berufen[23],
aber das hieße ein x durch ein y erklären.
Darum empfiehlt es sich, beim Wortlaut des Textes zu bleiben, zumal er nicht völlig unverständlich ist und das Prädikat am ehesten auf ein Datum als Subjekt des Satzes schließen läßt. Sieht man hierin nämlich eine Anspielung auf
Dan 9,24, so wäre damit die Zahl der siebzig Jahrwochen
gemeint, bei deren Eintreffen u. a. "ewige Gerechtigkeit
erbracht wird"[24]. Die Zahl der Gerechtigkeit ist dann am
wahrscheinlichsten eine Kurzfassung – vielleicht auch eine
bewußte Verschlüsselung – für das in Dan 9,24 ausführlicher
beschriebene eschat. Maß der Zeit[25].
Der Passus korrespondiert der Bitte, daß das Gericht ohne
Verzug eintreffen möge (V.2) und bildet auch darin eine

---

gible text" (ebd), der solche Konjekturen nötig machte. – BOUS-
SET, Apk 273, verändert den Text stillschweigend: "...daß die
Zahl der Gerechtigkeit erfüllt...".

21) Cf. VOLZ 140.

22) DILLMANN, Lexicon 577; GREBAUT, Supplément 366.

23) LJUNGMANN, Gesetz 115-117.

24) Daneben erinnert die Erhörung des Gebets an den Passus "bis Ge-
sicht und Prophet bestätigt ist" und die Sühnung des Bluts an
die Wendung "bis die Schuld gesühnt ist". Wörtliche Anklänge
in den äthiopischen Fassungen von äHen 47,4 und Dan 9,24 sind
nach Auskunft von E.DOBBERAHN nicht festzustellen. Die äthiopische Übersetzung von Dan 9,24 divergiert allerdings sehr stark
vom hebräischen Original (cf. LÖFGREN, Übersetzung 62.140f). Die
Bezugnahme wäre also eindeutig nur auf hebräischer Textbasis
nachzuweisen.

25) DILLMANN, Henoch 159: "die für die Offenbarung der vollen göttlichen Gerechtigkeit im Gericht vorausbestimmte Jahreszahl";
diese Deutungsmöglichkeit wird auch von BEER, aaO 263 p, und
VOLZ 140 erwogen.

Analogie zu dem Text in Dan 9, in dem der Hinweis auf das eschat. Maß ebenfalls der Bitte, das Heil ohne Verzug zu schaffen (עֲשֵׂה אַל־תְּאַחַר V.19), antwortet.

2. Elemente at. Klage

Die Struktur wie einzelne Elemente des Textes zeigen, daß äHen 47 zur Nachgeschichte der "Klage im AT"[1] gehört. Warum- und Wannfrage, die Hauptkennzeichen der Anklage Gottes[2] in den Volksklageliedern des AT, tauchen zwar nicht ausdrücklich auf, stehen aber ohne Zweifel hinter den Wendungen der oratio obliqua in V.2. Der zweite Teil des Textes (V.3f) kann dann als Weiterentwicklung des "Bekenntnisses der Zuversicht" verstanden werden, in dem die Rettung präsent (V.3) und der Beter freudig ihrer gewiß wird (V.4).

WESTERMANN hat gezeigt, daß im Gefolge dtn. Theologie die Anklage Gottes zugunsten des Lobes Gottes in der Spätzeit Israels zurücktritt[3]. Auch in äHen 47 findet sich die Anklage nur noch indirekt. Das Gebet wird, obwohl inhaltlich eine Anklage Gottes, auffällig umschrieben mit den Wörtern "fürbitten, beten, loben, preisen, danken" und statt der Leidenden selber sprechen hier die Engel das Gebetsanliegen aus. Die Anklage Gottes ist also hier nicht nur durch die Elemente des Lob- und Bittgebets[4], sondern zusätzlich noch durch die Transformation der Klage zur Fürsprache der Himmlischen abgemildert.

Daß das Klagegebet nicht im Wortlaut vorgetragen wird, ja nur einige Elemente lediglich in oratio obliqua auftauchen, im übrigen aber der Klagevorgang stattdessen beschrieben wird, deutet auf ein Stadium später distanzierter Reflexion. Trotz dieser Modifikationen ist jedoch der formale und theologische Zusammenhang mit der Klage im AT unverkennbar.

---

1) Cf.dazu WESTERMANN, Struktur 266-305.
2) Cf. aaO 275-277.
3) AaO 271.296f.
4) AaO 298f.

3. Kontext

Der Text äHen 47 ist ein relativ geschlossenes Traditionsstück[5] innerhalb des ersten Teils (45-51)[6] der zweiten
Bilderrede. Die Frage nach Gottes Gerechtigkeit angesichts
der Erfahrung massiven Unheils ist das durchgehende Thema.
Unter Aufnahme at. Verheißungen (bes. aus Dtjes und Dan)
wird Gottes Heilschaffen angekündigt, das für die Sünder,
deren Taten gegenwärtig ungestraft bleiben, Unheil bedeutet und für die irdisch noch nicht belohnten Gerechten
Heil bringt.Verschiedene Traditionsstücke sind z. T.
spannungsreich und unausgeglichen - also ohne weitgreifende harmonisierende Redaktion - zusammengestellt worden,
die sich nun wie "Variationen über ein Thema" lesen[7].

Kap. 45: Wohnrecht der Gerechten auf einer verwandelten
Erde, Vertreibung der Sünder durch Gott (V.3f:
Gericht des Auserwählten)

Kap. 46: Vernichtung der Sünder durch den Menschensohn

Kap. 47: Bitte der Gerechten um gerechtes Gericht und ihre
Erhörung durch Gott

Kap. 48, 1-7: Der Menschensohn als Heilbringer für die
Gerechten

Kap. 48, 8-10:Vernichtung der Sünder durch die Gerechten

Kap. 49: Preis des Auserwählten als Richter

Kap. 50: Gottes barmherziges Gericht (mit Gelegenheit zur
Buße)

Kap. 51: Auferweckung der Gerechten und Verherrlichung des
Auserwählten

Die Spannungen zwischen Kap. 47 und seinem Kontext werden
nun deutlich:

1. Während in 47 in enger Anlehnung an Dan 7 Gott
selber Gericht hält, und vor ihm das Blut der gewaltsam Getöteten gerächt wird, nehmen im Kontext
beide Funktionen der Auserwählte, bzw. der Menschensohn wahr. Die Richterfunktion kommt dem Auserwählten
in 45,3; 49,4; 61,8; 69,27[8] zu, die Rächerfunktion
expressis verbis in 48,7 und der Sache nach in
46,4-8[9]. In Kap. 47 ist (wie in Kap. 50) im Gegensatz
zum Kontext überhaupt nicht von dem Erwählten oder dem

---

5) STIER, Komposition 77.

6) Ab Kap.52 ist die Vision verschiedener himmlischer Lokalitäten
(Berge, Schluchten etc.) Leitfaden.

7) Cf. auch THEISOHN, aaO 54.

8) Cf. auch die Redeweise vom "Sitzen auf dem Thron der Herrlichkeit"
(45,3; 51,3; 55,4; 61,8; 62,2f.5; 69,27.29) und dazu THEISOHN,
aaO 68-98.

9) Die Rache an den Bösen wird in 54,6 durch Gott und in 62,11 von
den Strafengeln vollzogen.

das doch nahe gelegt hätte[10].

2. In Kap. 47 sind die Termini "Die Heiligen, die oben in den Himmeln wohnen"(V.2) und "die Heiligen" (V.4) Bezeichnungen für die Engel, die damit den "Gerechten" als zweite Gruppe gegenüberstehen, während im Kontext "die Heiligen" synonym für "die Gerechten" und "die Auserwählten" ist[11].

3. Das Terminproblem kommt, wenn auch nicht expliziert, innerhalb der Bilderreden nur hier in Blick[12]. Dh die Wannfrage, die in vergleichbaren Texten eine so beherrschende Rolle spielt, ist für den Vf. der Bilderreden und seine Gemeinde überhaupt kein Problem[13], während sie Kap. 47 maßgeblich mitgestaltet hat[14].

4. Ein weiteres Unicum in Kap. 47 sind die eindeutigen Hinweise auf Mord und Totschlag gegenüber den Gerechten, während das übrige Corpus der Bilderreden weder von Hinrichtungen, noch von Religionsverfolgung noch von Leiden anderer Art etwas erkennen läßt[15].

5. Schließlich zeigt Kap 47 keinerlei Reflexion im Hinblick auf den Aufenthaltsort der getöteten Gerechten – im Gegensatz zu den Heiligen, die ausdrücklich "oben

---

10) SJÖBERG, aaO 142f, findet das allerdings erstaunlicherweise nicht "merkwürdig".

11) Cf. zB: 48,1.4.7.9; 50,1. Nur in 39,5; 57,2; (60,4); 61,10.12 findet sich eindeutig der gleiche Sprachgebrauch wie in 47,2.4 innerhalb der Bilderreden.

12) STROBEL, Untersuchungen 35f, will außerdem solche Anklänge noch in 51,5 (sc.52,5); 62,7; 63,8; 65,10 sehen; das sind aber allesamt sehr vage Belege.

13) Anders: STROBEL, aaO 34-37.

14) Cf. die Tradition der Klagelieder; s.o.S.117 u. 29f.

15) Anders THEISOHN, aaO 220 A.29. Die wenigen Stellen aber, die von einer Bedrängnis der Gerechten sprechen, geben eher traditionelle Topoi wieder, als daß sie auf eine akute Notsituation der Gemeinde der Bilderreden schließen lassen. Das gilt auch für 53,7 wie für 62,11.–48,4 ist mit THEISOHNs Deutung fraglos überfrachtet: es handelt sich eher um eine Anspielung auf Jes 42,7 (cf. JEREMIAS, ThWNT V, 687). 46,8 ist textlich unsicher. Nach DILLMANN, FLEMMING und BEER wird hier das zukünftige Schicksal der Sünder und nicht das gegenwärtige der Gerechten beschrieben. Nach CHARLES, Ethiopic Version 88, geht es zwar um Verfolgung der Gerechten. Damit aber wäre dieser Vers gerade ein Indiz für die Existenz einer vorredaktionellen Vorgeschichte von Kap.47. 46,8 wäre dann nämlich der einzige Hinweis auf eine Verfolgungssituation und damit der Haken, an dem das alte Traditionsstück Kap.47 angehängt wäre - in einer für die Bilderreden typischen "assoziativen Verbindung" (SJÖBERG, aaO 22; cf. auch JEREMIAS, Gleichnisse 156 A.3).

in den Himmeln" lokalisiert sind. Das "Aufsteigen"
von Gebet und Blut weist im Vergleich dazu eher auf
einen irdischen Ort, vielleicht den Ort, an dem ihr
Blut vergossen wurde, oder den Ort ihres Begräbnisses[16].
Im übrigen Corpus der Bilderreden wird im Gegensatz
dazu aber damit gerechnet, daß die Verstorbenen sich
in besonderen himmlischen Wohnungen[17] aufhalten[18].

Aus alledem ist zu schließen, daß Kap. 47 ein altes Traditionsstück innerhalb der Bilderreden darstellt. Zwar könnten die Spannungen zum Kontext grundsätzlich auch zu der Vermutung führen, Kap. 47 sei ein Nachtrag. Dem widerrät aber
entschieden die Beobachtung, in welcher Weise hier Dan 7
aufgenommen ist. Während nämlich in den Bilderreden Dan 7
so transformiert worden ist, daß aus der bei Gericht an-
wesenden Menschensohn-Gestalt in Dan 7 nun die Richterge-
stalt selber geworden ist   , repräsentiert Kap. 47 die
Tradition von Dan 7 in reiner und darum älterer Gestalt:
Richter ist der Betagte.
Den Ausschluß hellenistischen Einflusses legt die Beobachtung nahe, daß über den Aufenthaltsort der Verstorbenen
nicht reflektiert ist. Das den Text strukturierende Terminproblem wie der Hinweis auf die gewaltsamen Tötungen der
Gerechten lassen vermuten, daß äHen 47 im Gegensatz zu
den Bilderreden in einer akuten Not- und Verfolgungssituation entstanden sein könnte.

---

16) Die verstorbenen Gerechten wirken von ihrem Grabe aus: Wunder,
Heilungen, Rettungen usw. (cf. ZORN, Fürbitte 67ff; JEREMIAS,
Heiligengräber 127-129).

17) Cf. 38,2; 39,4f; 41,2; 45,3; 48,1; (60,8); 61,1-4.12; (70,3).

18) Dazu im Gegensatz steht auch 51,1, wahrscheinlich ebenfalls eine
alte unveränderte Tradition: die Verstorbenen befinden sich hier
nach unterschiedslos in der Erde in der Scheol (cf. BILLERBECK
IV, 1017; BIETENHARD, Welt 175).

================================

Daß der Text in Kap. 47 eine feste Tradition präsentiert,
zeigt ein Blick auf einen Abschnitt aus dem sog. angelologischen Buch, äHen 8,4-11,2[1]. Alle wesentlichen Elemente samt der G$_r$undstruktur von Kap. 47 finden sich nämlich hier wieder.

Auch hier ergeht der Gebetsruf der gewaltsam Getöteten
(cf. 7,4) nach dem Gerechtigkeit schaffenden Gottesgericht:

> "Und weil ein Teil der Menschheit von der Erde weg
> vernichtet wurde, drang ihr Geschrei herauf in den
> Himmel". (8,4; cf. 7,6; 87,1)
> "Die Seelen der Menschen streben einen Prozeß an
> und sagen: 'Bring unsere Streitsache vor den Höchsten!'"
> (9,3).

Diesen Gebetsruf nehmen die Engel auf, besprechen ihn untereinander und machen sich ihn Gott gegenüber zueigen:

> (1) "Darauf schauten Michael, Sariel, Raphael und
>   Gabriel herunter vom Heiligtum des Himmels auf
>   die Erde, und sie sahen, daß viel Blut auf der
>   Erde vergossen war. Und die ganze Erde war voll
>   von Gottlosigkeit und Gewalttat, so daß die Sünde
>   überhand genommen hatte.
> (2) Und als die vier das hörten, gingen sie hinein
>   und sagten untereinander: 'Das Rufen und Schreien,
>   daß die Kinder der Erde umkommen, dringt herauf
>   bis an die Pforten des Himmels.
> (3) Denn sie (die Kinder der Erde) sagen zu den Hei-
>   ligen des Himmels: Und nun zu Euch, ihr Heiligen
>   des Himmels, die Seelen der Menschen strengen
>   einen Prozeß an und sagen: Bring unsere Streit-
>   sache vor den Höchsten...'
> (4) Da gingen sie (die vier Engel) hinein und sagten
>   zum Herrn:..." (9,1-4).

In ihrer Fürsprache[2] (9,4-11), in der Form eines ausge-
führten Klageliedes, wird wie in 47,2 das Anliegen der
Umgekommenen noch einmal zitiert:

> "Und nun ist das Geschrei der Seelen der Verstorbe-
> nen bis an die Pforten des Himmels gedrungen und ihr
> Stöhnen ist aufgestiegen und kann nicht aufhören an-
> gesichts der auf Erden verübten Gottlosigkeiten..."
> (9,10; cf. o.V.3).

---

1) Die Übersetzung orientiert sich an den verschiedenen in Qumran
   gefundenen aramäischen Fragmenten, cf. MILIK-BLACK 157-163; 170-
   177; 189-192 und am griechischen Text, cf. BLACK, PVTG 3, 22-27;
   cf. auch BOUSSET, ARW 18, 16øf; BETZ, ZThK 63, 401-403.

2) Den Text hat ZORN, Fürbitte, nicht berücksichtigt. Die Behauptung,
   "die Fürsprache vor Gott...zielt stets auf die Abwendung bzw. Aufhebung des Gottesgerichtes" (JEREMIAS, Heiligengräber 133f) wird
   durch äHen 47 und 9,4-11 widerlegt. Hier dient die Fürsprache der
   Engel vor Gott gerade umgekehrt der Invokation des Gottesgerichtes.

Auf diese Fürsprache hin reagiert Gott sofort und leitet
das Gericht durch die vier namentlich genannten Thronengel ein: 10,1ff.4ff.9f.11ff. Schließlich wird zur Bestimmung der Zeit bis zum endgültigen Gericht das Motiv
vom eschat. Maß verwendet:

> "... und fessele sie siebzig Generationen lang in
> den Tälern der Erde bis zum großen Tag ihres Ge-
> richts" (10,12).

Hier wird wie in Dan 9,24 die Zahl siebzig gebraucht und
wie dort die dann anbrechende Heilszeit mit der Negation
von Gewalttat, Ungerechtigkeit und Sünde etc. (V.16a.20.22)
und der Position von Gerechtigkeit, Wahrheit, Frieden etc.
(V.16b-19.21;11,1f) beschrieben.

Diesen auffälligen und engen Gemeinsamkeiten beider Texte
stehen einige Differenzen gegenüber:
Neben den ins Auge springenden formalen Unterschied in der
Ausführlichkeit der Schilderung treten auch sachliche Unterschiede.

- Im Engelbuch wird auf die durch den Engelfall ver-
  ursachten Gewalttaten und das ihnen folgende Sint-
  flutgericht abgehoben. Im Text der Bilderreden
  findet sich nicht eine solche Spezialisierung der
  Gewalttaten.
- Trotz des eingeleiteten Sintflutgerichts steht das
  Endgericht in der Vision in 8-11 noch aus, dessen
  Vollzug in 47 schon visionär geschaut wird.
- Darum wird in 10,12 die Setzung des eschat. Maßes
  genannt, in 47,4 seine Erfüllung.
- Eine Aufnahme danielischer Tradition wie in 47,3
  findet sich nicht in 8,4ff. Die Zahl siebzig für
  das eschat. Maß und die Beschreibung der Heilszeit
  werden nicht direkt auf Dan 9,24 fußen, wohl aber
  an dem gleichen Überlieferungsstrom partizipieren.
  In 10,12 beträgt das Maß ja auch siebzig Generationen (70 x 40 Jahre) seit der Sintflut, in Dan 9,24
  siebzig Jahrwochen (70 x 7 Jahre) seit dem Exil.

Eine nähere Untersuchung des Abschnitts deckt Spannungen
innerhalb des Textes auf, die auf seine noch erkennbare
Überlieferungsgeschichte schließen lassen. Sowohl im Klageruf (Kap. 9) wie in der Schilderung seiner Erhörung (Kap.
10f) werden jeweils zwei verschiedene Traditionslinien
sichtbar.

Der Gesamtduktus der Klage ist lediglich auf eine Beendigung der durch den Engelfall verursachten Störung und
die Restitution der heilen Schöpfung aus. Wenn gesagt
wird, daß die Klagen nicht aufhören können "angesichts
der auf Erden verübten Gottlosigkeiten" (V.10), so darf
wohl daraus geschlossen werden, daß die Gottlosigkeiten
noch anhalten und die Intention dieser Klage nur auf ihre
Beendigung(nicht auf ihre Bestrafung) zielt. Mehr lassen
auch die Sätze in 7,6;8,4 nicht erkennen. Nur ein einziger
Satz zielt über den Stop des Unheils hinaus: "... die
Seelen der Menschen strengen einen Prozeß an und sagen:
Bring unsere Streitsache vor den Höchsten!" (9,3). Und
dieser Vers stellt inhaltlich eine sprachlich ungeschickte
Dublette zum vorangehenden Vers dar, steht also unter dem
Verdacht, später Zusatz zu sein. Die hier anklingende
juridische Terminologie ist in dem Klageruf singulär. Allein
dieser Satz klagt das Gerechtigkeit schaffende Gottesgericht
herbei, ist also auf Strafe und Rehabilitierung aus, nicht
nur auf das Ende der Schöpfungsperversion.
Diesem einen Satz innerhalb der Klage entsprechen in der
Schilderung der Erhörung wieder nur kleine Teileelemente,
während im übrigen das Einschreiten der Thronengel gegen
die Dämonisierten, dem Duktus der Klage (unter Ausschluß
von V.3) entsprechend, auf den Stop des Unheils und die
Restitution des Heils zielt. Das ist in dem Abschnitt 10,16-
11,2 wiederholt unbestreitbar ausgedrückt, wird aber auch
in den Anweisungen an die vier Engel (10,1-14) deutlich,
soweit ihre Finalität ausgesprochen ist[3]. Lediglich in
V.6 und 12 wird mit der Wendung "großer Tag ihres Gerichts"
die juridische Terminologie aufgenommen und wie in V.15
die Vernichtung der Dämonisierten als Bestrafung angesagt.

Die Aussage in V.6 "Am Tag des großen Gerichts soll er
(Asael) in den Feuerpfuhl geworfen werden", steht in
Spannung zu der Aussage in V.5, nach der er in einem Loch
der Wüste Dudael <u>für ewig</u> wohnen soll, und damit im Verdacht, ein interpretierender Nachtrag zu sein. Das Gleiche
muß man für den Satz annehmen, der den zweiten Abschnitt
(V. 15ff) einleitet. Die Vernichtung der Verführten ist
bereits in V.9f befohlen. V.15 wiederholt das mit dem Nach-
satz "weil sie die Menschen mißhandelt haben". Damit wird
die Vernichtung der Engelkinder auf der Basis der Tat-Ergehen-Folge als Strafe gedeutet, also damit deutlich über
die Aussage in V.9f hinausgegangen.
Aus diesen Beobachtungen ist zu schließen, daß in einer
früheren Fassung der Erzählung lediglich die Beendigung
der durch den Engelfall verursachten Perversion und die
Restitution der guten Schöpfung erbeten und vollzogen
wurde. Demgegenüber sind der Schrei nach Gerechtigkeit
und die Hinweise auf das strafende Gericht Gottes leicht
erkennbare spätere Erweiterungen des Textes (9,3;10,6.12.15).

---

3) "Lehre ihn (Noah), damit er entrinne und...seine Nachkommenschaft
   ...erhalten bleibe" (10,3); "Heile die Erde...damit...nicht alle
   Menschenkinder umkommen" (10,7).

1. Gemeinsame Charakteristika

Hinter allen Texten steht erstens das gleiche beherrschende Problem, nämlich eine durch den Tod unterbroche-
ne und darum unausgeglichen gebliebene Tat-Ergehen-Folge.
In äHen 47 konkretisiert sich das in Gewalttaten gegenüber
den Gerechten, in Apk 6,9-11 im Martyrium, in äHen 8-11
in dem von den gefallenen Engeln verursachten Mord und
Totschlag. Das Unrecht fordert nun postmortal die Bestrafung der Täter und die Belohnung der Opfer. In 4Esr
4,33-37 ist zwar wie in äHen 47 von "Gerechten" die Rede,
gemeint sind aber im Gegensatz zu äHen 47 nicht gewaltsam Getötete, sondern - weiter gefaßt - Menschen, denen
auf Erden, aus welchen Gründen auch immer, der Lohn für
ihre gerechten Taten versagt geblieben ist. Der Kreis
der ungestraften Täter ist an dieser Stelle nicht im
Blick.

In allen Texten rufen darum zweitens die Benachteiligten
nach dem Gerechtigkeit schaffenden göttlichen Richter[1].
Die Elemente at. Klage sind in allen vier Texten noch greif-
bar. Wie in äHen 47, so ist auch in äHen 9,4-11 die Anklage
Gottes abgemildert durch Elemente des Lob- und Bittgebets
(Lob der Präscienz Gottes V.4f.11) und durch die Transformation der Klage in eine Fürbitte der Engel. Das Element des Sich-Beklagens ist hier wie schon in den Klgl[2]
stark erweitert zu einer Schilderung des beklagten Zustands.
Und schließlich findet sich auch das Element des Verklagens
der Feinde, hier transformiert zum Verklagen der gefallenen
Engel, gegen die die Fürbittenden dann als Strafengel ein-
gesetzt werden. Auch die Gebete in 4Esr 4,33.35 und Apk 6,10
sind durch Elemente at. Klage bestimmt. Während diese in
4Esr 4,33.35 auf die Wannfrage reduziert sind, spielt
Apk 6,10 außer der Wannfrage[3] auch mit anderen Wendungen

---

1) Apk 6,10:"...und sie rufen mit lauter Stimme:...sprichst du nicht
   Recht?"; äHen 47,1.2.4:"das Gebet der Gerechten"; 47,2:"...daß
   das Gericht zu ihren Gunsten vollzogen werde".
2) Cf. WESTERMANN, Struktur 278.
3) Ἕως πότε : Ψ 12,2f; 78,5; 79,5, 88,47 u.ö.

geradezu wörtlich an at. Klagepsalmen an[4].
Der Gebetsschrei nach Gerechtigkeit wird in äHen 47 und
Apk 6,9-11 unterstrichen durch die Wendung, daß ihr
Blut nach der Rache Gottes schreit[5]. In 4Esr 4,33-37
fehlt zwar dieser Zug aus verständlichen Gründen, nicht
aber der Gebetschrei nach dem Richter, der Gerechtigkeit schaffen soll[6]. Auch der Text in äHen 8-11 ist
auf den Ruf nach dem Richter beschränkt[7], obwohl das
vergossene Blut erwähnt wird[8].

Mit allen Texten wird <u>drittens</u> das <u>Problem der unabge-
goltenen Verheißung</u> angegangen. Die Tatsache der nicht
erfüllten Verheißung führt nicht zur Skepsis[9], sondern
vielmehr dazu, daß die Angefochtenen die Verheißungen
Gottes ihm selbst gegenüber ins Feld führen. Die Tatsache, daß hier im Gefolge at. Klagelieder die unerfüllten Verheißungen Gottes im Gebet zur Sprache kommen,
bringt das Vertrauen und die Zuversicht der Beter trotz
aller Anfechtungen zum Ausdruck. Die Spannung zwischen
dem verheißenen Heil und dem erfahrenen Unheil wird verstanden als eine Frage der Zeit. Das nicht eingetroffene
Heil erscheint als <u>noch</u> nicht eingetroffenes Heil.

In allen Texten findet sich darum <u>viertens</u> das <u>Termin-
problem.</u> In äHen 8-11 und 47 meldet es sich nur verhalten

---

4) ψ 78: 3) ἐξέχεαν τὸ αἷμα αὐτῶν... 5) ἕως πότε, κύριος, ὀργισθήσῃ εἰς τέλος... 10) καὶ γνωσθήτω...ἡ ἐκδίκησις τοῦ αἵματος τῶν δούλων σου τοῦ ἐκκεχυμένου.
   cf. KRAFT, Apk 119; DEICHGRÄBER, Gotteshymnus 53.

5) Apk 6,10: "...rächst du nicht unser Blut an den Erdbewohnern?";
   äHen 47,1: "...wird das Blut des Gerechten vor dem Herrn der
   Geister aufsteigen"; V.2: "...wegen des Bluts der Gerechten, daß
   es nicht vergeblich sein möge"; V.4: "...und das Blut des Gerechten vor dem Herrn der Geister gerächt war".

6) 4Esr 4,35: "Wann kommt die Frucht auf der Tenne unseres Lohns?".

7) Cf. äHen 9,3: "...sie strengen einen Prozeß an und sagen: Bring
   unsere Streitsache vor den Höchsten!".

8) Cf. äHen 9,1: "...und sie sahen, daß viel Blut auf der Erde vergossen war."; 9,9: "...dadurch wurde die ganze Erde von Blut und
   Ungerechtigkeit voll". Das bestätigt noch einmal unsere oben vor-
   gelegte Analyse: Auch die Erwähnung des Blutes hat hier nicht den
   juridischen Charakter wie in der auf Gen 4,1o fußenden Tradition.

9) Auch nicht bei 4Esr oder der von ihm aufgenommenen Tradition. Beides muß ja von der angesprochenen Front, die in 4Esr auch zu Wort
   kommt, unterschieden werden; cf. HARNISCH, aaO 19-42.60-67.

zu Wort[10], in 4Esr 4,33-37 und Apk 6,9-11 ist es eigens
thematisiert. Dabei taucht dann die nachgerade zu einem
Protestruf transformierte Wannfrage auf[11]. Die Frage
"Wie lange? Bis wann?", ursprünglich nur Erweiterung und
Parallelisierung der Warumfrage in den Klageliedern[12],
hat nun die Warumfrage ganz verdrängt und ist so zum
beherrschenden Element geworden. Damit wird der Weg zu
Terminspekulationen geebnet; die Wannfrage als solche
signalisiert diese aber noch nicht.

Fünftens wird in allen Texten das Motiv des eschat. Maßes
gebraucht, mit Hilfe dessen der aufgeworfenen Wannfrage
begegnet wird. In äHen 10,12 und 47,4 hat das Maß ein
Zeitquantum zum Inhalt, in 4Esr 4,34.36 und Apk 6,11 eine
Anzahl von Menschen. Das ist bei allen engen Gemeinsamkeiten der vier Texte ein gravierender Unterschied, der
genauer untersucht zu werden verdient[13].

Schließlich wird in allen Texten eine Solidargemeinschaft
von zwei Gruppen konstatiert. Diese Gemeinschaft besteht
in 4Esr 4,33-37 zwischen den Seelen der Verstorbenen Gerechten und den noch lebenden Gerechten[14]. In Apk 6,9-11
besteht sie zwischen den Seelen der Märtyrer und denen,
die im Begriff stehen, das Martyrium zu erleiden[15]. Entsprechend dem anderen Inhalt des Maßes in äHen 8-11 und
47 ist die Solidargemeinschaft zwischen den beiden Gruppen
von anderer Art. Komplettierte in 4Esr 4,33-37 und Apk
6,9-11 jeweils die eine Gruppe das durch die andere teilweise gefüllte Maß, besteht die Verbindung hier ganz ab-
seits des eschat. Maßes. Sie konkretisiert sich lediglich
in der Interzession.

---

10) 47,2: "...daß die Verzögerung des Gerichts für sie nicht ewig dau
    ere"; 10,12: "...siebzig Generationen lang...bis zum großen Tag
    ihres Gerichts".

11) Apk 6,10: ἕως πότε ; 4Esr 4, 33.35: usquequo...quando.

12) Cf. WESTERMANN, aaO 276.

13) S.u.S. 124f.

14) Sie wird betont durch die Wendung numerus similium vobis (V.36).

15) Sie wird betont durch die Wendungen οἱ σύνδουλοι αὐτῶν καὶ οἱ ἀδελφοὶ
    αὐτῶν und οἱ μέλλοντες ἀποκτέννεσθαι ὡς καὶ αὐτοί (V.11).

Obwohl äHen 8,4-11,2 literarisch sicher älter ist als
äHen 47[1], steckt in äHen 47 die wahrscheinlich älteste
Fassung der hier entfalteten Tradition. Jedenfalls ist
dieser Text am wenigsten reflektiert im Hinblick auf
den Zwischenzustand der Verstorbenen. Nicht nur über den
Aufenthaltsort der Toten finden sich in den anderen Texten detailliertere und reflektiertere Angaben, sondern
auch über die Existenzweise der Toten.

a) Werden die Verstorbenen in äHen 47 einfach als "Gerechte" bezeichnet, deren Gebet und Blut zu Gott aufsteigen, ohne daß näher entfaltet wäre, in welcher Weise
Gestorbene existieren, so daß sie beten können, werden
sie in äHen 9,3.10 נפשׁת/ψυχαί[2], in Apk 6,9 ψυχαί
und in 4Esr 4,35 animae genannt. Darin wird zwar ein for-
maler hellenistischer Einfluß sichtbar[3], aber ohne daß
die griechische dichotome Anthropologie schon ganz übernommen ist[4]. Das gilt wenigstens für die Apk; denn da
die ψυχαί dort dem Seher sichtbar sind, eine Stimme haben
und - vor allem - später bekleidet werden, sind sie nicht
körperlos gedacht. Mit נפשׁ/ψυχή/anima wird aber wohl in
allen drei Texten in Aufnahme at. Tradition[5] der totus
homo näher beschrieben und zwar als "der den Tod überle-
bende Mensch vor seiner Auferstehung"[6], der Mensch im sog.
Zwischenzustand. In äHen 47 fehlt hingegen eine solche
Näherbestimmung.

b) Wie über die Existenzweise, so wird in äHen 47 auch
über den Aufenthaltsort der Verstorbenen geschwiegen
(s. o.). Das ist auch in äHen 9,2-10 so. Damit bleibt auch

---

1) Das angelologische Buch ist voressenisch, wahrscheinlich in der
2.Hälfte des 2.Jh.(a.Chr.n.) entstanden. Die Bilderreden stammen
wahrscheinlich aus der 2.Hälfte des 1.Jh.(a.Chr.n.); aber auch eine
spätere Datierung läßt unsere Hypothese unberührt. Zur Datierung
cf. SCHÜRER III, 279f; EISSFELDT, Einleitung 839; ROST, Einleitung 1o4; HENGEL, JuH 321 A.444.

2) נפשׁ ist in den aramäischen Fragmenten nicht belegt. In
äHen 22,5 steht רוח אישׁ מת (MILIK-BLACK 229); die griechische Übersetzung hat in V.7 τὸ πνεῦμα.

3) HENGEL, aaO 361f; DIHLE/LOHSE, ThWNT IX, 630-635.

4) SCHUBERT, Entwicklung 192f; anders HADORN, Apk 86.

5) Cf. JACOB, ThWNT IX, 616f; WESTERMANN, THAT II, 71-96.

6) SCHWEIZER, ThWNT IX, 654; cf. KRAFT, Apk 119.

dieser Text hinter dem Reflexionsniveau von äHen 22, das
zum gleichen Buch gehört wie 8-11, zurück. Das Aufsteigen
des Rufs zum Himmel ist hier wie in äHen 47 noch unmittel-
barer Reflex auf Gen 4,10. Diese Terminologie **beherrscht**
übrigens auch den Abschnitt äHen 22,5-7, der in seiner
vorredaktionellen Traditionsstufe ebenfalls noch keine
Aussage über den Ort des Zwischenzustands macht. Erst
der Kontext liefert die klassische Beschreibung der Scheol -
unter Einwirkung außerisraelitischer Einflüsse[7].
Dieser Vorstellung folgt dann 4Esr 4,35, wo sich die animae
iustorum in promtuariis suis aufhalten.

Die Märtyrer der Apk werden demgegenüber für den Zwischenzustand im Himmel lokalisiert. Die Szene der Sieben-Siegel-
Vision spielt nämlich im Himmel (4,1f)[8]. Innerhalb dessen
ist der Platz für die Märtyrer der Ort unter dem Brand-
opferaltar[9]. Wie das Blut der geschlachteten Opfertiere,
das als Sitz ihres Lebens gilt, sich unter dem Altar im
Vorhof des Tempels sammelt, so die Seelen der "geschlachteten" Märtyrer unter dem himmlischen Altar[10]. Damit
erhalten "die Märtyrer schon für die Dauer des Zwischen-
zustandes das Vorrecht..., Gottes Thron am nächsten zu
sein"[11].

Neben diesen Differenzen, die das überlieferungsgeschicht-
liche Gefälle andeuten, fallen die Gattungsunterschiede
ins Auge. Mit der Erhellung der Gattungen der Texte wird
zugleich die Frage nach ihrer Intention und darin die
Frage nach der Funktion des eschat. Maßes beantwortet.

Der Text äHen 8,4-11,2 ist Teil einer theologischen
Lehrerzählung, die die Tradition vom Engelfall so ent-

---

7) BEER, aaO 252 q; JEREMIAS, ThWNT I, 147; VOLZ 258; HENGEL, aaO
360-362; STUIBER, Refrigerium 21-23.

8) Dessen ungeachtet,denkt HADORN, Apk 85f, an den irdischen Altar
im Jerusalemer Tempel. Mit Bezug auf Mt 23,35 sieht er die Märtyrer des Alten Bundes "dort, wo der letzte dieser Märtyrer gemor-
det worden ist" (86) lokalisiert. Dem folgt KRAFT, Apk 119, der
auf die Ermordung Abels, des ersten in dieser Reihe der Gerechten,
ebenfalls am Altar ergänzend hinweist.

9) Cf. auch zum folgenden: JEREMIAS, Golgotha 85-87; BIETENHARD, Welt
182f; LOHSE, Märtyrer 196f; MICHEL, ThWNT VII, 935.

10) SATTLER, ZNW 20, 233f, versucht im Anschluß an F.BOLL, die Orts-
angabe aus hellenistischen Voraussetzungen zu klären; zur Kritik
cf. JEREMIAS, aaO 85f A.9.

11) JEREMIAS, aaO 87.

faltet und erweitert, daß sie durchsichtig für die eigene
Situation der angesprochenen Gruppe wird und diese über
den Zusammenhang von Sünde und Gericht belehrt. Das eschat.
Maß bringt in diesem Zusammenhang nur zum Ausdruck, daß
das Endgericht zu einem von Gott festgelegten Termin stattfindet. Es ist Element der Lehraussagen.

Die anderen drei Texte als solche sind sämtlich <u>Paraklesen.</u>
Sie wollen Angefochtenen Zuversicht geben und Leidende in
akuten Notsituationen trösten. Angesichts von unausgeglichenen Tat-Ergehen-Folgen prädizieren sie das Desiderat
Gerechtigkeit als noch ausstehend und damit als Gegenstand
gegenwärtig nicht erfahrbarer Verheißung. Dem Motiv des
eschat. Maßes kommt dabei die Funktion zu, diese Aussage
zu sichern. Es macht einsichtig, daß das gegenwärtige Leid
nicht zufällig, sondern notwendig ist und darum die Verheißung nicht bestreitet. Weil der Zeitpunkt der Ankunft
des Heils determiniert ist, ist die gegenwärtige Erfahrung
der Anfechtung notwendig, aber genauso notwendig begrenzt.
So wahr die Erfahrung gegenwärtigen Unheils ist, so wahr
ist auch die Verheißung zukünftigen Heils. Das eschat. Maß
zeigt einen Kausalnexus zwischen Gegenwart und Zukunft auf.

Während der Vf. der Apk diese Tradition so aufnimmt, daß
dabei ihre parakletische Intention erhalten und verstärkt
wird[12], ist in den Bilderreden wie im 4Esr bereits die
Distanz zur Paraklese zu spüren. In den <u>Bilderreden</u> ist
im jetzigen Kontext aus dem einmal in eine konkrete Notsituation hineingesprochenen Text ein Element abstrakt-
theologischer Belehrung über das Endgericht geworden. Die
drängenden Fragen nach dem Leiden der Gerechten und dem
Termin der Ankunft des Heils sind verblaßt. Das Motiv vom
eschat. Maß ist zum Topos traditioneller lehrhafter Eschatologie neben anderen geworden.
Im <u>4Esr</u> schließlich ist die Tradition, die noch als
abrufbare, traditionelle Antwort erkennbar ist, ebenfalls
der Gesamtkonzeption des Vf. dienstbar gemacht. Sie ist
auch hier zur Doktrin transformiert. Das eschat. Maß hat
die Aufgabe, die Apologie einer bestrittenen Naherwartungs-
eschatologie doktrinär zu stützen[13].

---

12) S.u.S.161-163.
13) S.o.S.45; etwas anders: BRANDENBURGER, Verborgenheit 168f.

1. Die Umdeutung der "Zahl der Gerechtigkeit"

Daß äHen das älteste greifbare Stadium der Tradition
repräsentiert, haben wir schon mehrfach erkannt. Von
hier aus ist auch die Frage nach der Differenz im Inhalt
des eschat. Maßes anzugehen, die sich nun so präzisieren
läßt: Wie kommt es vom Zeitquantum (äHen 47,4; 10,12)
zur Anzahl von Menschen (Apk 6,11; 4Esr 4,34.36) als Inhalt des eschat. Maßes? Die Wurzel für diese Transformation liegt vielleicht in der schwer verständlichen und
darum Neuinterpretationen provozierenden Wendung "Zahl
der Gerechtigkeit" (äHen 47,4) selber. So sehr die oben
dargestellte Deutung als ursprüngliche Aussage des Textes
wahrscheinlich ist, so wahrscheinlich ist auch, daß diese
Wendung im Laufe der Zeit auch weiter interpretiert worden
ist. Auf dem Weg der Überlieferung von äHen 47 zu Apk
6,9-11 einerseits und 4Esr 4,33-37 andererseits ist die
Transformation durch bewußte oder unbewußte Neuinterpretation des Ausdrucks "Zahl der Gerechtigkeit" möglicherweise entstanden.

Sicheres ist darüber natürlich nicht auszumachen, zumal der
Text bisher einzig in äthiopischer Sprache, wahrscheinlich
einer tertiären Übersetzung[1], zugänglich ist. Angesichts
der oben entfalteten engen Gemeinsamkeiten, die zwingend
auf eine gemeinsame Tradition schließen lassen, in der
äHen 47 das älteste Stadium repräsentiert, liegt diese
Annahme jedenfalls am nächsten.

Der מִסְפַּר צֶדֶק wurde, wie auch immer, als מִסְפַּר צַדִּיקִים
verstanden. Dann konnte es einerseits zum Motiv vom numerus
iustorum kommen, wobei der in äHen 47 verankerte Gedanke
des Leidens der Gerechten zurücktrat, und andererseits zum
Motiv vom numerus martyrum, wobei die gewaltsam getöteten
Gerechten in äHen 47 eingeengt als Märtyrer verstanden
wurden.
Unterstützt werden könnte die Vermutung einer solchen
Uminterpretation auch dann, wenn die Heiligen in V.2.4
im Laufe des Überlieferungsprozesses nicht mehr als Engel
verstanden wurden, sondern vielmehr, dem Duktus des Kon-

---

1) BEER, in: Kautzsch AP II, 217f.

textes entsprechend, als Synonym für die Gerechten[2]. Dann
konnte man in V.1 die Gerechten sehen, die im Begriff
standen, getötet zu werden[3] und in V.2 die schon getöteten
Gerechten. Damit war dann die Voraussetzung für die Anschauung gegeben, daß durch die eine Gruppe das mit der anderen
Gruppe bereits teilweise gefüllte Maß komplettiert wird.

Natürlich ist eine so weitgreifende Umdeutung nur denkbar,
wenn die Vorstellung vom numerus clausus schon bekannt
war oder zumindest von anderen Vorstellungen her nahelag.
Ein Hinweis auf eine dem numerus clausus verwandte Vorstellung findet sich in äHen 47 selber: das Motiv vom Lebensbuch (V.3).

2. Das Lebensbuch

Ein dem Theorem vom numerus iustorum verwandtes Vorstellungsmotiv ist das des Lebensbuches[4], vielleicht eines seiner
religionsgeschichtlichen Präformationen[5]. Im "Lebensbuch"
sind die Namen derer, die "leben" sollen, aufgezeichnet.
Dabei ist die Vorstellung vom "Leben" keineswegs einheitlich und einlinig. Im Folgenden soll das des näheren untersucht und differenziert werden. Auch nach der Entstehung
des Inhalts des Lebensbuches ist dabei zu differenzieren
mit der Frage, ob es sich jeweils um einen liber praescriptus oder postscriptus handelt.

---

2) Cf. SCHUBERT, Religion 39, der (unter Mißachtung der Aussage in
V.1) V.2 von vornherein als "Fürbitte der Gerechten im Jenseits"
deutet. Daß in den Bilderreden die Interzession der Engel und
die der verstorbenen Gerechten ineinander übergehen, zeigt äHen
39,4f.

3) Das aufsteigende Blut kann dann nicht mehr als Metonymie für gewaltsamen Tod, muß vielmehr real verstanden werden (vergossenes
Blut Überlebender oder noch Lebender?).

4) Cf. zu dem ganzen Problemkreis: BEER, in: Kautzsch AP II, 263 o;
BOUSSET-GRESSMANN 258; BILLERBECK II, 169-176; VOLZ 290-292;
SCHRENK, ThWNT I, 617-620; KOEP, Buch 31-39; 68-89; BIETENHARD,
Welt 231-254.

5) Davon zu unterscheiden ist das sog. Schicksalsbuch und die sog.
Lebensprotokolle. Im Schicksalsbuch ist der Verlauf der Geschichte
in Umrissen und Grundmarkierungen im voraus festgeschrieben: Der
Inhalt des Himmelsbuches bestimmt menschliche Geschichte. Es
ist ein liber praescriptus, die "Vorschrift" der Geschichte. In
den Lebensprotokollen werden die vollbrachten Taten der Menschen
festgehalten, um beim Endgericht Basis des Urteilsspruchs zu
werden. Menschliche Geschichte bestimmt also umgekehrt den Inhalt des Himmelsbuches. Es ist ein liber postscriptus, die
"Nachschrift" einer menschlichen Lebensgeschichte.

a) Die Eintragung im himmlischen Buch als Voraussetzung für
   physisches Leben

Der in der Bibel älteste Beleg für die Vorstellung vom
himmlischen Lebensbuch findet sich in Ex 32,30-34. Der Passus
stammt wahrscheinlich "aus der Zeit noch vor dem Ende des
Staates Israels und seiner königlichen Heiligtümer"[6].
Auf die Strafandrohung Jahwes für das abgefallene Volk
bietet Moses seinen stellvertretenden Tod als Sühne an,
indem er formuliert: "... tilge mich aus dem Buch, das du
geschrieben hast!". Dieses Angebot wird von Jahwe abgelehnt
mit dem Hinweis, daß jeder selber für seine Sünde haftet:
"Wer sich an mir versündigt, den tilge ich aus meinem
Buch". Die Formulierungen lassen auf die Vorstellung
schließen, daß Jahwe eine Liste aller Lebenden besitzt.
Eine Tilgung aus dieser Liste bedeutet Tod; und Ursache
für die Tilgung ist ein todeswürdiges Vergehen, hier:
der Götzendienst[7]. Die Tilgung aus dem Buch Jahwes
entspricht nicht dem Tod selber[8], sondern einem göttlichen Todesurteil, das früher oder später, aber unumgänglich vollstreckt wird[9].
Sollte damit in Ex 32,32f wirklich "nicht gemeint sein,
daß einfach jeder, der am Leben ist, in diesem Buch vor
Gott verzeichnet ist"[10]? "Registriert werden" jedenfalls
hier nicht "nur einzelne Auserwählte oder die Schar derer,
die in einer Katastrophe bewahrt bleiben sollen"[11]. Ausgetilgt aus der Liste sind vielmehr nur diejenigen lebenden Personen, die ein todeswürdiges Verbrechen begangen
haben, an denen das göttliche Todesurteil aber noch nicht
vollstreckt ist.

Verwandt mit dieser Vorstellung ist das Motiv vom צְרוֹר הַחַיִּים
(1Sam 25,29), das man mit EISSFELDT als "eine Vorstufe

---

6) NOTH, Ex 207.

7) Es darf also keineswegs unter Mißachtung des Kontextes so verall-
   gemeinert werden, als ob jeder "Sünder aus diesem Buch getilgt
   wird" (so KÜHLEWEIN, THAT II, 172).

8) Gegen KOEP, aaO 31.

9) Daß "das Austilgen aus dem Buch und der Tod des Sünders zeitlich
   nicht zusammenfallen müssen"(KÜHLEWEIN, aaO 173), darauf weist
   ausdrücklich V.34 hin.

10) So WILDBERGER, Jes 158.

11) Ebd.

zu dem von Jahwe geführten Buch der Lebendigen"[12] bezeichnen kann.

Abigail richtet an David den Segenswunsch:

> "Wenn sich jemand aufmacht, dich zu verfolgen und dir
> nach dem Leben zu trachten, so möge die Seele meines
> Herrn im Beutel des Lebens eingebeutelt sein bei Jahwe,
> deinem Gott! Die Seele deiner Feinde aber schleudere
> er fort mit der Schleuderpfanne!"

Die zu mancherlei phantastischen Erklärungsversuchen[13]
herausfordernde Textstelle dürfte befriedigend geklärt sein,
seit bestimmte Texte aus Nuzi veröffentlicht sind[14]. In den
Nuzi-Texten nämlich ist für den Alten Orient der Brauch belegt, daß "Rechensteine zur Registrierung der Verschiebungen
im Tierbestand gebraucht worden sind, indem die Belassung
einer bestimmten Zahl von Steinen in den betreffenden Be-
hältern das Vorhandensein einer entsprechenden Menge von
Tieren bekundete, die Herausnahme von Steinen aber die
Entfernung so und so vieler Tiere bedeutete"[15]. Dementsprechend ist das hier verwendete Bild so zu erklären:
"Der hier als von Jahwe verwahrt erwähnte Beutel der
Lebendigen ist mit Steinen gefüllt zu denken, die Re-
präsentanten von Menschen darstellen. Die Menschen, deren
Steine in dem Beutel belassen werden, bleiben am Leben,
während die Entfernung von Steinen aus ihm besagt, daß
die durch sie symbolisierten Menschen dem Tode verfallen
sind"[16]. Damit hat sich hier eine archaische Redeweise
erhalten, die aus einer Zeit stammt, in der man noch
keine schriftliche Buchführung kannte. Erst "mit der
sich immer mehr ausbreitenden Kenntnis der Schrift" ist
"jene ältere Rechnungs- und Registrierungsart durch
schriftliche Buchführung abgelöst worden... Dieser Wandel
der Dinge hat auch vor Jahwe nicht Halt gemacht, vielmehr
ist im Zuge dieser Entwicklung bei ihm das 'Buch (סֵפֶר)
der Lebendigen', d. h. eine zur Aufnahme von schriftlichen Eintragungen bestimmte Leder- oder Papyrusrolle
an die Stelle des Beutels 'der Lebendigen' getreten"[17].

---

12) Beutel 25.
13) Cf. FRAZER, Folk-Lore II, 503-516; MARMORSTEIN, ZAW 43, 119-124;
    GASTER, Myth 457-462.
14) OPPENHEIM, JNES 18, 121-128.
15) EISSFELDT, Beutel 24f.
16) AaO 25.
17) AaO 27.

In <u>Ps 139,16</u> ist das Motiv vom Buch Jahwes aus Ex 32,32f aufgenommen:

> "Schon als Embryo haben mich deine Augen gesehen, und in dein Buch werden sie alle geschrieben. Die Tage waren gestaltet, als noch nicht einer vorhanden war."

Der Text ist unsicher. Im MT, dem die Übersetzung folgt, ist das Subjekt zu יִכָּתֵבוּ ungewiß: was ist mit כֻּלָּם gemeint? Ändert man das im AT singuläre גָלְמִי gegen die Masoreten und die rabbinische Exegese[18] in גְּמֻלַי (=meine Taten)[19], sind "meine Taten" Subjekt im folgenden Satz. Dann liegt die Vorstellung vom Lebensprotokoll vor. Bleibt man dem MT am Anfang des Verses treu, mag man mit KRAUS[20] כָּל־יוֹם יִכָּתֵב lesen, also hier den MT verändern. Dann wäre das Lebensbuch gemeint und so modifiziert, daß die Lebenszeit aller Individuen darin fixiert ist[21]. Dafür spricht die zweite Vershälfte. Der MT ist m. E. aber auch ohne Konjekturen verständlich, zumal auch die LXX den Text so verstanden hat. Mit כֻּלָּם sind dann "alle Menschen, selbst schon im Embryonalzustand" gemeint. Die Vorstellung vom Buch Jahwes aus Ex 32,32f also in diese Richtung hin radikalisiert.

Schließlich zeigt die Metaphorik in <u>Ps 87</u> Jahwe bei einem Schreibvorgang:

> "Jahwe zählt bei der Niederschrift Völker (auf)" (V.<u>6a</u>).

Auch hier ist vorausgesetzt, daß die Völker, aber auch – dem Kontext gemäß – die unter sie verstreuten Israeliten von Jahwe aufgeschrieben sind. Offen bleiben muß, ob die Vorstellung wie in Ps 69,29 (s. u.) auch hier schon dahin transformiert worden ist, daß in diese Schrift nur "die zu Jahwe gehörigen 'Gerechten' eingetragen wurden"[22] oder ob wie in Ex 32,32f vorausgesetzt ist, daß alle Lebenden hier verzeichnet sind.

---

18) BILLERBECK II, 173f.

19) Cf. BUHL in BHK.

20) Psalmen 914 j.

21) KÜHLEWEIN, aaO 173, meint hingegen, damit seien die Taten der Menschen fixiert.

22) KRAUS, aaO 602.

b) Die Eintragung im himmlischen Buch als Voraussetzung für den Eintritt in die Gottesgemeinschaft

Der aus der "Zeit unmittelbar nach dem Exil" stammende
Ps 69[23]   nimmt die Wendung "aus dem Buch tilgen"
(מָחָה מִסֵּפֶר ,V. 29) aus Ex 32,32f auf und interpretiert das Buch Jahwes (vielleicht in Kombination mit
der in 1Sam 25,29 begegnenden Metapher) neu als סֵפֶר חַיִּים.
Dabei kann offen bleiben, ob diese im AT singuläre
Wendung mit dem NT als βιβλίον (βίβλος) τῆς ζωῆς [24] oder
mit der LXX als βίβλος ζώντων [25] zu verstehen ist.
Auch inhaltlich ist das Motiv weiter entwickelt. Dadurch,
daß die Wendung "aus dem Buch des Lebens tilgen" mit der
anderen "mit den Gerechten aufschreiben" parallelisiert
ist und der ganze Parallelismus die Wendung בוֹא בְּצִדְקַת יְהוָה
umschreibt (V.28), wird deutlich, daß Leben nicht wie
in Ex 32,32f nur im nackten physischen Sinn verstanden
ist, sondern vielmehr "die heilsame Sphäre der Gottes-
gemeinschaft"[26] meint. Inhalt des Buches sind also nicht
mehr alle Lebenden, sondern nur die "Gerechten".

Damit ist der Grund gelegt für das spätere eschat. Verständnis des Lebensbuches; eine generelle Offenheit in
diese Richtung ist so gegeben. Darum gilt auch für den
סֵפֶר חַיִּים in Ps 69,29, was vRAD für die Lebensaussagen
bestimmter Psalmen konstatiert, nämlich daß "immer neue
Inhalte die alten Worte, so wie sie waren und blieben,
aus sich entlassen konnten... Was jeweils herausgehört
wurde, das war... zuzeiten verschieden"[27].

Einen ähnlichen Übergang im Verständnis der Metapher
zeigt Ez 13,9. Den Lügenpropheten wird mit drei parallelen Wendungen der Ausschluß vom Heil angesagt. Eine dieser
Wendungen lautet:

> "... sie werden nicht aufgeschrieben in die Liste
> des Hauses Israel..."

---

23) Ebd 481.
24) βιβλίον : Apk 13,8; 17,8; 20,12; 21,27; βίβλος : Phil 4,3; Apk
    3,5; 13,8 (𝔓47, ℵ*).
25) So auch 1Clem 53,4 (Zitat Ex 32,32).
26) KRAUS, aaO 484.
27) vRAD, Gerechtigkeit 246.

Damit ist sicher zunächst die Tilgung aus den realen Bürger-
listen Jerusalems, den Stammrollen Israels gemeint (cf. Jer
22,30; Esr 2,62). Darüber hinaus aber ist auch zum Ausdruck
gebracht, daß sie aus dem Heilsbereich Jahwes, "vom 'Leben',
das als göttliche Möglichkeit auch über dem gerichteten
Volke steht..., ausgeschlossen"[28] bleiben.

Umgekehrt wird in Jes 56,5 den Kastraten, die nach Dtn 23,2
aus der Heilsgemeinde ausgeschlossen waren, das Heil mit
den Worten verheißen:

> "Einen ewigen Namen gebe ich ihnen, der nicht getilgt
> wird."

c) Die Eintragung im himmlischen Buch als Voraussetzung für Gottes eschat. Rettungsakt

Eindeutig in diesem Sinne ist von dem Buch in Dan 12,1
die Rede. Die eschat. Rettung wird denen zugesagt, die
"sich aufgezeichnet finden im Buch". Damit ist innerhalb des Volkes Israel eine Teilmenge ausgegrenzt.
Auch ohne daß die Maßterminologie hier anklingt, wird
eine ähnliche, wenn auch nicht ganz gleiche Aussage
gemacht: Im Augenblick des Endes ist die Zahl derer,
die gerettet werden, präfixiert. Anders als beim Maßmotiv ist aber nicht nur die Zahl der zu Rettenden
präfixiert, sondern die Menschen selber sind präfixiert:
ihre Namen sind notiert[29]. Andererseits ist diese
Fixierung nicht selber ein Determinationsfaktor für das
Ende. Denn durch wen und auf welche Weise diese Zahl
zustande kommt, bleibt hier prima vista offen: Es könnte
sich um eine prädestinierte, also von Gott festgesetzte
Menge von Menschen handeln - wie beim eschat. Maß. Die
Fixierung im Buch könnte aber auch himmlische Reaktion
auf das Tun der Menschen auf Erden sein - ähnlich den
Lebensprotokollen.
Angesichts der Funktion der Aussage Dan 12,1 im Kontext
muß man das letztere annehmen. Die unausgeglichene Tat-

---

28) ZIMMERLI, Ez 293.
29) Cf. VOLZ 109.

Ergehen-Folge fragt nach Gottes Gerechtigkeit. Darauf antwortet Dan 12,1ff mit der Verheißung postmortaler Korrektur.
Die Märtyrer werden zum Leben auferstehen, die auf Erden
glücklich gewordenen Gottlosen zu ewigem Verderben. Die
Aufzeichnung im Buch ist darum in diesem Zusammenhang am
ehesten als göttliche Reaktion auf menschliche guten Taten,
zu verstehen, die irdisch ungelohnt geblieben sind.

Im gleichen Sachkontext steht auch die Erwähnung des
"Gedenkbuchs" in Mal 3,16. Wieder wird der Anfechtung,
die durch die Erfahrung entstanden ist, daß es den Gott-
losen gut geht (V. 14f), mit dem Hinweis gewehrt: "Und ein
Gedenkbuch wurde geschrieben vor ihm für die, die Jahwe
fürchten und seinen Namen achten". Hier ist also ganz
deutlich, daß die Gerechten aufgrund ihrer Taten für den
"Tag Jahwes" (V.17) aufgeschrieben sind. Der Inhalt des
Buches ist Reaktion und schließlich Resultat menschlichen
Tuns. Vielleicht ist aber hier überhaupt eher an ein
Lebensprotokoll gedacht, da der Inhalt des Buches nicht
näher angegeben ist. Statt der Namen der Gerechten könnten
auch ihre Taten festgehalten sein.

Der Krise der Tat-Ergehen-Doktrin begegnet auch die
Erwähnung des "Buches der Heiligen" im sog. paränetischen
Henochbuch (äHen 91-105) und im Schlußkapitel des äHen (108).
Angesichts der ungelohnt gebliebenen guten Taten der Gerechten und der ungestraft gebliebenen bösen Taten der
Sünder (cf. 104, 2.6.7 u.ö.) wird den Gerechten verheißen:
"Eure Namen sind vor der Herrlichkeit des Großen aufge-
schrieben" (104,1) und im Hinblick auf die Sünder wird
konstatiert: "Ihre Namen werden aus den Büchern der Heiligen ausgelöscht" (108,3). Die Tilgung ist zwar auf jeden
Fall göttliche Reaktion auf menschliches Tun, sie sagt aber
als solche nichts darüber aus, ob es sich bei dem Buch überhaupt um einen liber praescriptus oder postscriptus handelt[30].
Nur der Zusammenhang mit dem Problem der unausgeglichenen
Tat-Ergehen-Folge zeigt, daß nicht nur die Tilgung Reaktion auf das jeweilige menschliche Verhalten ist, sondern
auch bereits die Eintragung[31]. Auch hier handelt es sich

---

30) Das übersieht KOEP, Buch 34, der schon aufgrund der Terminologie
    des Austilgens das Motiv vom liber postscriptus verwendet sieht.

31) Anders in Apk 3,5; s.u.S.144.

also um einen liber postscriptus: Ungelohnte gute Taten
bewirken die Eintragung des Namens im Buch der Heiligen,
ungestrafte böse Taten ihre Tilgung.

Darüberhinaus ist im paränetischen Henochbuch offensichtlich vorausgesetzt, daß das Buch der Heiligen nicht nur
eine Namensliste ist, sondern in der Art des Schicksalsbuches auch umrißhaft Angaben über das zukünftige post-
mortale Schicksal der Heiligen enthält (103,2-4). Haupt-
gesichtspunkte dieser postmortalen Existenz sind Leben
(103,4) und Jahwes Gedenken (103,4; 104,1). Darin wird
deutlich, daß sowohl auf Ps 69,29; Dan 12,1f wie auf Mal
3,16 rekurriert wird.

Dafür, daß die Lebensbücher in äHen 47,3 im Sinne des
liber postscriptus verstanden sind, gibt es mehrere Gründe[32]. Auch hier geht es, wie wir oben gesehen haben[33],
um den postmortalen Ausgleich der Tat-Ergehen-Folge.
Darüber hinaus handelt es sich hier eindeutig um eine
Transformation der "Bücher" aus Dan 7,10, die dort
"Lebensprotokolle" darstellen, aufgrund deren das Gericht tagt. Diesen Bezug beweisen nicht nur die oben auf-
gezeigten z. T. wörtlichen Anklänge an Dan 7,9f, zu denen
auch das "Öffnen der Bücher" gehört, sondern auch die völlig singuläre Pluralform; vom Lebensbuch wird nämlich
sonst im Unterschied zu den Lebensprotokollen und den
Schicksalsbüchern ausnahmslos im Singular geredet.
THEISOHN möchte aus dieser Transformation schließen, daß
es bei dem Gericht nur um eine Rehabilitierung der gewaltsam getöteten Gerechten gehe, während die Rache an den
Mördern laut Kap. 46 schon vollzogen sei[34]. Diese Vermutung könnte vielleicht für den Vf. der Bilderreden richtig
sein; sie übersieht aber, daß nach der Tradition, der äHen 47
verpflichtet ist[35], das Blut solange "zum Himmel aufsteigt",
wie der Mörder noch nicht bestraft ist, 47,1 also voraussetzt,
daß die Rache noch nicht vollzogen ist. Näher liegt der Gedanke, daß dem Gericht hier nicht der Prozeß der Beweis-

---

32) Cf. auch VOLZ 291.

33) S.o.S.113.

34) Richter 28f.

35) S.o.S.113 u. A.2.

aufnahme aufgrund der Lebensprotokolle obliegt, also nicht
erst festgestellt werden muß, wer schuldig ist und wer
nicht, daß das Gericht vielmehr hier lediglich das schon
feststehende Urteil zu verkünden und zu vollstrecken hat[36].

Während an allen bisher genannten Stellen die Fixierung
im Buch eine göttliche Reaktion auf ein menschliches
Tun ist, gibt es daneben aber auch eine Tradition, bei
der die Eintragung im Buch ein allem menschlichen Handeln vorausliegender, prädestinierender Akt Gottes
ist[37]. Und genau dieser Traditionsstrom ist möglicherweise eine Präformation der Vorstellung vom numerus
iustorum.
Ältester Beleg ist ein Satz in einem nachexilischen
Zusatz[38] zum Jesajabuch: Der heilige Rest wird umschrieben mit der Wendung "alle die aufgeschrieben sind zum
Leben" (Jes 4,3). Auch hier ist חַיִּים - wie schon in
Ps 69,29 - nicht nur im physischen Sinn zu verstehen,
sondern als eschat. Heilsgabe[39].
Das Problem der unausgeglichenen Tat-Ergehen-Folge spielt
hier keine Rolle, wie überhaupt von menschlichem Wohlverhalten als Grund für die Eintragung zum Leben nicht
die Rede ist. Darum ist am ehesten "der Rest in Zion
als die Schar der von Gott in einem Akt der Erwählung
zum eschat. Heil Ausgesonderten zu verstehen. Das Heil
beruht auf göttlicher Prädestination"[40].

Im Jubiläenbuch und in der Damaskusschrift sind beide
Traditionsströme zusammengeflossen: Hier wird sowohl
mit einem liber praesriptus iustorum gerechnet, in

---

36) Cf. die parallele Transformation in Jub, s.u.S.141f; eine bewußte
Beziehung zu Dan 12,1 ist wegen der anderen Terminologie unwahrscheinlich (gegen THEISOHN ebd).
37) Das übersieht VOLZ 109, der alle Belege einebnet und dann zu dem
Urteil kommt:"Das Bild vom 'Aufgeschriebenwerden' und von den
Büchern, in denen die Namen stehen, ist kein Bild für die Prädestination"(ebd).
38) Cf. DUHM, Jes 52; KAISER, Jes 41f; WILDBERGER, Jes 153f.
39) WILDBERGER, aaO 158.
40) Ebd gegen DUHM, aaO 52.

dem die zum Heil Prädestinierten verzeichnet sind,
wie auch mit einem liber postscriptus iustorum, in
dem die Namen der Gerechten aufgrund ihres Tuns eingetragen sind.

Überhaupt hat das in Jub durchgehende Motiv von den
"himmlischen Tafeln" sehr verschiedene Vorstellungen
vom Himmelsbuch in sich vereinigt[41].

Erstens sind die Gebote Gottes in diese Tafeln ge-
meißelt, um sie als allem geschichtlichem Wandel
überlegen zu erweisen (so 3,10; 15,25; 16,28f; 18,19;
28,6; 32,10.15; 33,10). Dabei ragen besonders die
Gebote hervor, die die Beachtung von Terminen und
Fristen vorschreiben (6,31.35; 49,8; 50,13). Zugleich
sind auch die Strafen für den Fall ihrer Nichtbeach-
tung schon verhängt. Die Gebotsübertretungen sind
also gleichsam auf den Himmelstafeln präjudiziert
(5,13f; 16,9; 30,5.9; 39,6).

Sodann ist der Verlauf der Geschichte im voraus auf
den himmlischen Tafeln notiert, womit also das Motiv
vom präskribierten Geschichtsverlauf aufgenommen ist.
Dabei ist das besondere Interesse an der Periodisierung
der Geschichte in Jahrwochen, Jubiläen, Jahren etc.
erkennbar (1,29; 4,23f; 5,17f; 16,3; 23,32; 31,32;
31,21f.28).

In all diesen Fällen handelt es sich um einen liber
praescriptus, der von Gott verfaßt, aller menschlichen Geschichte voraus ist, also um die Vorstellung
des sog. Schicksalsbuches.

Im Hinblick auf zum Heil notierte Menschen kommt in
Jub 2,20 zum Ausdruck, daß die schriftliche Fixierung
im Himmel Ausdruck und Bekräftigung von Gottes freiem
Erwählungshandeln ist.

> "Und ich (Gott) habe den Samen Jakobs von dem,
> was ich gesehen habe, ganz auserwählt und habe ihn
> mir aufgeschrieben als erstgeborenen Sohn und habe
> ihn mir geheiligt für alle Ewigkeit..." (cf. 16,3).

Eine ähnliche Vorstellung findet sich in der Damaskusschrift, die von einer Liste der Erwählten spricht:

> "Und die Söhne Zadoqs sind die Erwählten Israels,
> die bei Namen Gerufenen, die am Ende der Tage
> auftreten werden. Siehe, das genaue Verzeichnis
> ihrer Namen nach ihren Geschlechtern..." (CD 4,3-5).

Ganz anders motiviert ist die schriftliche Fixierung
des Namens Abrahams in der Liste der Freunde Gottes
auf den himmlischen Tafeln. Er wird als Freund Gottes[42]
aufgeschrieben, weil er auch noch nach der zehnten Versuchung "als gläubig erfunden" wurde, also aufgrund
seiner guten Taten (Jub 19,9). Auch Isaak und Jakob

---

41) Cf. RAU, Kosmologie 359-377.
42) Cf. zu diesem Prädikat Jes 41,8.

werden in diese Liste aufgenommen aufgrund ihrer per-
fekten Gebotserfüllung (CD 3,2-4).
Die himmlischen Tafeln haben also nicht nur die Funktion eines liber praescriptus, sondern auch die eines
liber postscriptus. Sie gehen hier nicht der menschlichen Geschichte voraus, sondern sind umgekehrt deren
Niederschlag im Himmel. Sie gleichen so den himmlischen
Lebensprotokollen.
Das macht der in diesem Zusammenhang aufschlußreiche
Abschnitt Jub 30,20-23 vollends deutlich. Zunächst heißt
es: "Und wir gedenken der Gerechtigkeit, die ein Mensch
in seinem Leben geübt hat... (darum ist er) als Freund
und Gerechter auf den himmlischen Tafeln aufgeschrieben"
(V.20). Die guten Taten bewirken also auch hier, daß der
Name des Täters in einer Liste der Freunde und Gerechten
notiert wird. Für den entgegengesetzten Fall - "wenn
sie... auf lauter Wegen der Unreinheit wandeln" (V.22) -
wird in Aufnahme der Terminologie von Ex 32,32f; Ps 69,29
wie in äHen 108,3 gesagt, daß sie "aus dem Buch des Lebens getilgt" werden (ebd). Die Unheilsdrohung ist aber
darüberhinaus weiterentwickelt zu dem Satz, daß "sie auf
den himmlischen Tafeln als Feinde aufgeschrieben... und
in das Buch derer, die umkommen werden, geschrieben werden" (ebd). Hier finden sich also zum ersten Mal die
Analogiebildungen zum Buch des Lebens "das Buch derer,
die umkommen werden" und zur Liste der Freunde Gottes
und Gerechten "die Liste der Feinde Gottes".
Mit der Vorstellung, daß im Himmel eine doppelte Liste
geführt wird, ist nicht mehr nur die Möglichkeit der
Buchung und Tilgung im Buch des Lebens gegeben, sondern
auch die der göttlichen Umbuchung infolge einer menschlichen Verhaltensänderung. Die himmlische Buchführung
ist totalisiert[43].
Die Nähe zur Vorstellung von den himmlischen Lebensprotokollen liegt auf der Hand. Darauf weist einmal die
wechselnde Terminologie gerade in Kap. 30 hin. Heißt es
in V.20.22, daß die Menschen (sc. ihre Namen) aufge-

---

43) Der gleiche Vorstellungskomplex wird im Jub noch einmal angesprochen in 36,9f:"Jeder, der wider seinen Bruder nach Bösem trachtet,
...wird ausgetilgt werden aus dem Buch der Ermahnung der Menschenkinder und wird nicht aufgezeichnet werden im Buch des Lebens,
sondern in dem der zum Untergang Bestimmten...".

schrieben werden, ist in V.17.19.23 eher daran zu denken,
daß die Taten der Menschen "zur Gerechtigkeit"[44]oder
"zum Segen" aufgeschrieben werden. Zum anderen weist in
diese Richtung die Beobachtung, daß das Motiv der himmlischen Namenslisten die gleiche Funktion hat wie das
der Lebensprotokolle, in denen die guten und bösen Taten
der Menschen notiert sind. Das theologische Problem der
uneingelösten Tat-Ergehen-Folge spielt in diesem Zusammenhang in Jub und CD keine Rolle. Stattdessen wird mit
Hilfe dieses Motivs - wie mit Hilfe des Motivs vom Lebensprotokoll (cf. 39,6) - zu optimalem Gebotsgehorsam
angespornt: "Alles dies habe ich dir aufgeschrieben und
dir geboten, daß du den Kindern Israels sagest, sie sollten keine Sünde tun..., damit sie... als Freunde aufgeschrieben werden" (30,21)

Da das Motiv der Lebensprotokolle in Jub nur eine geringe
Rolle spielt[45], mag man vermuten, daß dieses Motiv sich
zu dem der doppelten himmlischen Namensliste transformiert hat[46].

d) Das Motiv vom Lebensbuch im NT

An allen neun Stellen, an denen das Motiv der himmlischen
Namensfixierung im NT aufgenommen ist, handelt es sich
um die Vorstellung von der prädestinierenden Eintragung,
vom liber praescriptus in der Linie von Jes 4,3; Jub 2,20;
CD 4,3-5.
Die Wendung "die Gemeinde derer, die als Erstgeborene im
Himmel aufgeschrieben sind" in Hebr 12,23 hat zu großem
Rätselraten der Kommentatoren des Hebr geführt[47]. Der
Lösung des Rätsels kommt aber der näher, der die Ver-

---

44) Cf. den Zusatz "es wurde ihnen zur Gerechtigkeit angeschrieben"
in 30,17 zu dem Satz "es wurde ihnen zur Gerechtigkeit angerech-
net" im Vergleich zu 14,6; 31,23; cf. auch STUHLMACHER, Gerechti᷑
keit 167 A.2.

45) Außer den genannten Anklängen in Kap.30 nur in 39,6.

46) Zu vergleichen wäre die oben vermutete Transformation bei äHen
47,3; s.o.S.138f.

47) Cf. MICHEL, Hebr 464f.

wandtschaft dieser Aussage mit der in Jub 2,20 sieht.
Hier wie da kommt nämlich die singuläre Wendung "als
Erstgeborener aufgeschrieben werden" vor. Die Parelle-
lität spricht eindeutig dafür, daß mit Hebr 12,23 "jüdischen Christen zugesprochen (ist), worum sie als An-
gehörige Israels, des 'erstgeborenen Sohnes Gottes'...,
in besonderer Weise wissen dürfen[48]". Die Niederschrift
im Himmel ist darum hier wie in Jub 2,20 von menschlichem Tun unabhängig und Ausdruck von Gottes freier
Gnadenwahl.

An beiden Stellen ist übrigens lediglich von einer
schriftlichen Fixierung die Rede, nicht von einem Buch.
Das ist auch in Lk 10,20 der Fall, der anderen nt. Stelle,
die statt von der Eintragung ins Buch, vom "aufschreiben
im Himmel" spricht. Dabei zeigt sich in dieser termino-
logischen Differenz aber wohl kaum ein sachlicher Unterschied an.

Im antithetischen parallelismus membrorum in Lk 10,20
stellt Jesus der Freude über die exorzistischen Leistungen der Jünger die Freude über die himmlische Niederschrift ihrer Namen gegenüber. Die Niederschrift ist
damit im Sinne des liber praescriptus verstanden. Die
Eintragung der Namen ist von menschlicher Leistung unabhängig, ja steht dazu geradezu im Kontrast[49].
Die Niederschrift im Himmel ist an diesen beiden nt.
Stellen darum wohl als prädestinierendes Geschehen zu
verstehen, nicht als Frucht menschlichen Wohlverhaltens.

Die Vorstellung vom liber praescriptus liegt auch den
sechs Stellen der Apk zugrunde. Eindeutig ist das bei
den beiden ähnlich lautenden Stellen 13,8 und 17,8 der
Fall, weil hiernach ausdrücklich die Eintragung ἀπὸ κατα-
βολῆς κόσμου erfolgt ist. Der großen Versuchung des Abfalls,
der die ganze Welt verfällt, widerstehen nur die vorzeitlich im Lebensbuch namentlich Fixierten. Ihre Perseveranz
ist in ihrer Prädestination begründet. Es ist wichtig zu

---

48) STROBEL, Hebr 240.

49) Daß das Logion auf Jesus selbst zurückgeht, darauf weist, neben
den sprachlichen Indizien (antithetischer Parallelismus membrorum,
passivum divinum) untrüglich sein Inhalt, da "Jesus hier die Dä-
monenaustreibungen und Machttaten, die die Urkirche so schätzte,
abwertet" (JEREMIAS, NtTh I, 96).

beachten, daß das Argumentationsgefälle nicht umgekehrt
verläuft: Die Eintragung ins Lebensbuch ist keine Garan-
tie für die Perseveranz. Im Gegenteil, in Apk 3,5 wird
auch für die ins Lebensbuch Eingetragenen mit der Möglichkeit des Abfalls gerechnet, der dann mit der Tilgung
aus dem Lebensbuch quittiert würde. Das heißt: Für die
Perseveranz ist zwar die Prädestination notwendige Voraussetzung, die Perseveranz ist aber nicht die notwendige
Folge der Prädestination[50].

Die Tilgung ist natürlich in jedem Fall göttliche Reaktion auf menschliches Tun. Darüber aber, wie die Eintragung ins Lebensbuch zustande kommt, ist damit noch nichts
ausgesagt. Erst der Kontext der Apk bestimmt, daß auch
hier, im Unterschied zu äHen 108,3; Jub 30,20; 36,9, an
einen liber praescriptus gedacht ist[51]. Daß die Eintragung ins Buch auch die eschat. Rettung bewirkt, sagen
Apk 20,15 und 21,27, wo die Bewahrung vor dem Sturz in
den Feuersee und der Einzug ins himmlische Jerusalem
exklusiv denen verheißen wird, die im Lebensbuch notiert
sind. In Apk 20,12 wird das Lebensbuch ausdrücklich ab-
gesetzt von den Büchern, in denen die Taten der Menschen
als Basis der himmlischen Gerichtsverhandlung notiert
sind. Der Vf. der Apk ist sich also durchaus des Unterschieds der beiden Traditionen bewußt und weiß darum zu
unterscheiden zwischen dem liber praescriptus, in dem
die zum Heil Prädestinierten notiert sind, und dem liber
postscriptus, in dem die Taten der Menschen festgehalten
sind.

"An Hand des in den Büchern der Werke festgestellten
Befundes wird das Urteil gefällt; das aber bedeutet für
das Lebensbuch die endgültige Fixierung, die Promulgie-
rung und Ratifizierung der Bürgerliste. Nach Ansicht der
Apokalypse am Anfang der Welt verfaßt, entspricht sie
am Ende der Tage infolge der menschlichen Sünden nicht
mehr den wirklichen Verhältnissen und muß — vor allem
durch Streichung der Sünder — aufgrund des Gerichts-

---

50) Cf. SATTLER, ZNW 21, 52f. "Der prädestinatianische Gedanke erscheint nicht ohne die Betonung des kohortativen Motivs zum wil-
ligen Gehorsam" (SCHRENK, ThWNT I, 619).

51) Anders KOEP, Buch 34, der diesen Sachverhalt nicht auseinander-
hält.

urteils revidiert werden. Nur wer dann besteht, geht
in das ewige Leben ein"[52].

An der einzigen Stelle, an der Pls vom Lebensbuch
redet, <u>Phil 4,3</u>, dürfte der Gesamtkontext der pln Theologie klarstellen, daß hier die Eintragung ins Lebensbuch Voraussetzung, nicht Folge der Missionstätigkeit
der genannten Mitarbeiter und Mitarbeiterinnen des Pls
ist[53].

Bei den <u>Apostolischen Vätern</u> kommt es dann wieder zur
Verwendung des Motivs im Sinne des liber postscriptus:
z. B. 1Clem 45,8; Herm mand 8,6; vis 1,3,2. An allen
Stellen ist die himmlische Eintragung bedingt durch
irdisches Wohlverhalten[54] und Niederschlag menschlichen
Tuns[55].

In Herm wird schließlich das Motiv vom numerus iustorum
und dem des Lebensbuches verbunden, signalisiert durch
die Wendung ἐγγράφειν εἰς τὸν ἀριθμόν. Der schriftlich
fixierte Inhalt des Buches stellt so die abgeschlossene
Zahl der Heilsempfänger dar, die Zahl derer, die die
Gebote halten, in sim 5,3,2[56] und die Zahl der Seligen
und Engel in sim 9,24,4[57].

3. Die Vorstellung von den begrenzten Aufenthaltsräumen im Jenseits

Ein weiterer Vorstellungsbereich könnte die Entstehung
vom numerus clausus mitbestimmt haben. Älter als dieses
Motiv jedenfalls ist die Vorstellung, daß die jenseitigen Räume für die Heilsempfänger ein bestimmtes Maß
haben und darum begrenzt sind. Deshalb wäre denkbar,
daß die Zahl der Gerechten bestimmt ist durch die festgelegte Größe ihrer postmortalen Aufenthaltsräume.

---

52) KOEP, aaO 32f.

53) Der Text als solcher läßt natürlich beide Interpretationen zu.
   KOEP deutet Phil 4,3 in Sinne einer Belohnung für gute Taten,
   weil er von einer anderen Sicht pln Theologie ausgeht.

54) Οἱ δὲ ὑπομένοντες ἐν πεποιθήσει... ἔγγραφοι ἐγένοντο (1Clem 45,8);
   ἐγκράτευται οὖν ἀπὸ πάντων τούτων, ἵνα... ἐγγραφήσῃ..(Herm mand 8,6);
   ἐὰν μετανοήσωσιν ἐξ ὅλης καρδίας αὐτῶν... (Herm vis 1,3,2).

55) So wohl auch PetrApk(akhm) 17, Hennecke-Schneemelcher II, 483.

56) Ἐγγραφήσῃ εἰς τὸν ἀριθμὸν τῶν φυλασσόντων τὰς ἐντολὰς αὐτοῦ.

57) Die Engel sagen: der Herr ἐνέγραψεν ὑμᾶς εἰς τὸν ἀριθμὸν τὸν ἡμέτερον.

<u>a) Angelologisches Henochbuch und Bilderreden</u>

Die frühnachexilische Anschauung rechnete zunächst mit
einer unbegrenzten Fülle der Heilsempfänger, des resti-
tuierten Israel. Im Anschluß an die Verheißung Dtrjes
(49,19ff) ist das die Botschaft Sach (2,7) und Dtrsach
(10,10), wie der Tierapokalypse (äHen 85-90).

Dabei kann die Fülle metaphorisch so beschrieben werden,
daß die Räume das Gottesvolk nicht fassen können:

> "Das Land ist zu eng für die Bewohner[1]... Israel
> ruft: zu eng ist mir der Raum; mach mir Platz,
> daß ich wohnen kann![2] (Jes 49,19f).

> "Alle Schafe wurden in jenes Haus eingeladen,
> und es faßte sie nicht... Ich sah, daß jenes
> Haus groß, geräumig und sehr voll war."
> (äHen 90,34.36)

In Sach 2,7 wird die Messung Jerusalems abgelehnt, weil
sie die Fülle seiner Bewohner begrenzen und einengen
würde[3].

Ein Zusammenhang zwischen eschat. Raum und eschat. Zahl
ist damit gegeben. Selbst da, wo ausgesagt wird, daß die
Zahl den Raum sprengt, geschieht das so emphatisch, daß
man vermuten muß, diese prophetische Verheißung wolle sich
gegen die landläufige Vorstellung durchsetzen, daß der
Raum die Zahl irreversibel prästabiliert.

Diese Vorstellung hat nämlich die spätere Tradition bestimmt. Dabei geht es nicht mehr um die Verheißung eines
Volkes, das durch seinen Bevölkerungsreichtum den ihm
gegebenen geographischen Raum sprengt, sondern nun um
das Schicksal der verstorbenen Heilsempfänger im sog.
Zwischenzustand.

Bekanntlich hat die Lehre von der Auferstehung unter
späterem Einfluß hellenistischer Anthropologie die Doktrin vom Zwischenzustand gebildet und so die at. Vorstellung von der Scheol in einen Aufenthaltsraum der
Verstorbenen für die Zeit des Zwischenzustands transformiert[4].

---

1) Nach der in BHK vorgeschlagenen Konjektur: אֶרֶץ...תֵּצַר מֵיֹשֵׁב.
2) צַר־לִי הַמָּקוֹם גְּשָׁה־לִּי וְאֵשֵׁבָה.
3) C.JEREMIAS, Nachtgesichte 166.
4) BILLERBECK IV, 1016ff; VOLZ 256ff; JEREMIAS, ThWNT I, 146ff;
   V, 763ff; BIETENHARD, Welt 184-186; STUIBER, Refrigerium 17-20;
   HENGEL, JuH 360ff.

Der älteste Beleg für diese Anschauung, äHen 22, beschreibt
bereits detailliert den Aufenthaltsort der Verstorbenen
als geometrisch meßbare Räume: "Hohlräume, geräumige
Plätze, Aufenthaltsorte, besondere Abteilung, Räume,
die in die Tiefe und Breite sich erstrecken" etc.[5].
Auch die in der gleichen Schrift genannte "Schlucht ,
für die bis in Ewigkeit Verfluchten" (27,2)[6] ist als
geometrisch meßbarer Raum vorgestellt.
In den **Bilderreden** begegnet dann gehäuft die Vorstellung
von den Wohnungen der Gerechten: 39,4f; 41,2; 45,3; 48,1.
Während die Frage nach dem Aufenthaltsort der verstorbenen Sünder lehrmäßig noch nicht endgültig fixiert zu sein
scheint (cf. 38,2), lokalisieren (das vorredaktionelle
Stück) 60,8 und 61,12 die Wohnungen der Gerechten im
Garten Eden[7]. Neben diesem eher formelhaften Gebrauch,
der über den Charakter dieser Wohnungen noch schweigt,
findet sich innerhalb der Bilderreden auch ein Abschnitt,
der sich ausführlicher über die jenseitigen Räume für
die Heilsempfänger ausläßt und dabei Angaben über ihre
Begrenzung macht: äHen 61,1-5.

b) äHen 61,1-5; 70,3

1) Ich sah, wie in jenen Tagen jenen Engeln lange
   Schnüre gegeben wurden, und sie nahmen sich Flügel,
   flogen und wandten sich nach Norden zu.
2) Ich fragte den Engel, indem ich sagte: Warum haben
   jene lange Schnüre genommen und sind weggegangen?
   Er sprach zu mir: Sie sind weggegangen, um zu messen.
3) Der Engel, der mit mir ging, sagte zu mir: Diese bringen für die Gerechten die Maße der Gerechten und die
   Schnüre der Gerechten, damit sich für immer und
   ewig auf den Namen des Herrn der Geister stützen.
4) Die Auserwählten werden anfangen, bei den Auserwählten zu wohnen, und dies sind die Maße, die dem Glauben gegeben werden und (das Wort der) Gerechtigkeit
   festigen.
5) Diese Maße werden alle Geheimnisse in der Tiefe der
   Erde offenbaren und die, welche in der Wüste umgekommen sind, oder von den Fischen des Meeres und
   von den wilden Tieren verschlungen wurden, damit
   sie wiederkehren und sich auf den Tag des Auserwählten stützen; denn keiner wird vor dem Herrn
   der Geister umkommen und keiner wird umkommen
   können.

---

5) אנון מחתא זה־בר ה ענון (22,4; cf. MILIK-BLACK 229); κοῖλοι,
   βάθος ἔχοντες ; κοιλώματα ; κυκλώματα ; οἱ τόποι εἰς ἐπισύνεξεσιν.
6) φάραγξ ; τὸ οἰκητήριον.
7) Die komplizierte Frage nach der jeweiligen Lokalisierung der
   Aufenthaltsräume ist hier ausgeklammert; cf. dazu die in A.4
   angegebene Literatur.

Der Text ist nur schwach im Kontext verklammert[8] und
in sich keineswegs einheitlich. Die verschiedenen literarkritischen Scheidungsversuche an den Bilderreden
haben auch hier reichlich Angriffsflächen gefunden[9].
In Wahrheit entpuppen sich die Schwierigkeiten als
Indizien einer noch erkennbaren Überlieferungsgeschichte
des Textes. Ich möchte vorschlagen, ihn als einen im
Prozeß der Überlieferung stufenweise prolongierten Text
zu verstehen, der trotz seiner Brüche dann schließlich
von _einem_ Vf. in das Corpus der Bilderreden aufgenommen
wurde[10].

V.1 beschreibt die Vision. Der Flug nach Norden wird in
der Regel als Flug zum Paradies verstanden[11]. Diese
Exegese beruht jedoch auf Kombinationen mit anderen
Texten. Der Wortlaut selber ist für verschiedene Deutungen offen. Die Schnüre sind hier, wie die Deutung
in V.2 zeigt, Meßinstrumente[12]. V.2 bringt, dem Form-
schema entsprechend, die Frage des Sehers und die Antwort
des angelus interpres. Bis hierhin ist der Text klar
und verständlich[13].

Mit V.3 setzt eine neue Rede eines Engels ein, der nun
aber als der, "der mit mir ging" bezeichnet wird. Die
neue Antwort konkurriert mit der in V.2 und führt zugleich über sie hinaus. Zudem ist der Text nicht ohne
weiteres zu verstehen. Wie soll man sich "Maße und
Schnüre der Gerechten" vorstellen, die geeignet sind,
es den Gerechten zu ermöglichen, sich für immer und

---

8) STIER (Komposition 84f) sieht eine Verknüpfung mit Kap.58 und
in 61,1-5 "geradezu die Ausführung des Befehls in 58,3" (muß
heißen: 58,5; S.84). Auf diese Beziehung hat auch schon DILL-
MANN, Henoch 192, hingewiesen.

9) BEER, in: Kautzsch AP II, 227; CHARLES AP II, 169.

10) Daß der Text Spannungen aufweist, sieht auch SJÖBERG, Menschensohn 29f, der im übrigen alle Quellenscheidung innerhalb der
Bilderreden mit Recht abweist.

11) DILLMANN, aaO 192; BEER, aaO 262 i; STIER, aaO 84; alle mit Verweis auf 77,3. Diese Stelle gehört aber nicht zu den Bilderreden.
Im übrigen steht sie in Spannung zu den Angaben in 32,2f.

12) Cf. חֶבֶל Sach 2,5; 2Sam 8,2 u.ö.; קָו 2Kön 21,13 u.ö.

13) THEISOHN, Richter 198f, scheint auch mit einem Bruch zwischen
der Vision (V.1) und ihrer Deutung (V.2) zu rechnen, wenn er
die Schnüre als "Gerichtsutensilien" (198) verstehen will.
Dafür gibt der Text aber keinen Anhalt. Die Schnüre haben hier
eine andere Funktion als in 56,1.

ewig auf Gott zu verlassen? Greift man auf die möglicherweise zugrundeliegenden hebräischen Wörter zurück, kommt
man dem Verständnis näher. Rechnet man im Urtext mit
מִדּוֹת und חֲבָלִים [14] ist die Übersetzung "abge-
messenes Grundstück" allein sinnvoll, was sowohl מִדָּה
wie חֶבֶל heißen kann [15]. Damit ist das Wort חֶבֶל, das
in V.1f ein Meßinstrument bezeichnete, umgedeutet. Der
Tradent des V.3 interpretiert also V.1f so: Die Engel
haben den Gerechten die himmlischen Wohnungen abgemessen [16].

Dazu fügt sich auch gut V.4a, der wohl vom gleichen
Tradenten wie V.3 stammt: Die jetzt sterbenden Erwählten
werden dort bei den früher schon gestorbenen Erwählten
wohnen [17]. V.4b führt erneut zu Verstehensschwierigkeiten.
Vielleicht soll gesagt werden, daß die zugemessenen Orte
aufgrund von Treue und Glauben auf Erden vergeben werden [18]. Aber dann bleibt unklar, wieso diese Orte die
Gerechtigkeit (oder das Wort der Gerechtigkeit [19]) festigen. Sinnvoll wird der Text, wenn man mit SJÖBERG [20] die
semitische Stileigentümlichkeit abstractum pro concreto
voraussetzt: "Sie stärken die Gerechten" oder "bestätigen
die Worte der Gerechten" [21].

Wie zwischen V.1f und V.3 mit einer Bedeutungsverschiebung des Wortes חֶבֶל gerechnet wurde, so muß nun zwischen
V.3f und V.5 mit einer Bedeutungsverschiebung des Wortes

---

14) Das Postulat dieser hebräischen Wörter wird gestützt durch die
entsprechenden Äquivalente im äthiopischen Text: ʾaḥbāl und
ʾamtāna . Zur etymologischen Verwandtschaft von ʾamtāna mit
מִדָּה cf. DILLMANN, Lexicon 221. Beratung und Belehrung in
Fragen äthiopischer Philologie erfuhr ich auch hier durch Dr.
E.DOBBERAHN, Bonn.

15) מִדָּה bezeichnet 1. das bezifferte Maß (zB Jos 3,4), 2. den
Meßvorgang (zB Lev 19,35) und 3. das Ergebnis der Messung,
das Abgemessene (zB Neh 3,11); cf. KBL 495f; KBL³ 274f. חֶבֶל
bezeichnet als Meßschnur 1. das Meßinstrument (zB Sach 2,5)
und 2. das Ergebnis der Messung, das abgemessene Stück, das
Grundstück (zB Jos 17,5); cf. KBL 271f; KBL³ 519.

16) Daß diese identisch sind mit dem himmlischen Jerusalem, trägt
DILLMANN, aaO 192, von Sach 2,5-9 her ein.

17) DILLMANN ebd; anders VOLZ 355.

18) So VOLZ 405.

19) Cf. BEER, aaO 270 n.

20) AaO 75.

21) DILLMANN, aaO 192.

מִדָּה gerechnet werden. In V.5 sind mit den מִדּוֹת die Meß-
vorgänge gemeint. Denn nur die Messungen und nicht die
Meßinstrumente oder gar die abgemessenen Orte können
etwas offenbaren und ans Licht bringen. Diese Beobachtung
hilft den Text in V.5, der den Exegeten seit je Schwierigkeiten gemacht hat[22], zu verstehen.

Und vollends verständlich wird er, wenn man sieht, daß er
einen Gedanken antithetisch aufnimmt, der Jer 31,37 ausgesprochen ist. In einer Eidesformel wird dort der Ausschluß
der Unzuverlässigkeit durch zwei Adynata beteuert:

> "So gewiß die Himmel droben nicht zu ermessen und
> die Tiefen der Erde drunten nicht zu ergründen
> sind, ..."

Die Tiefen der Erde sind wie die Höhe des Himmels un-
meßbar. Am Ende wird das Unmögliche möglich: Die Engel
messen das bisher Ungemessene, den Raum des Chaos. So
bringen sie "die dorthin versunkenen toten Menschen"[23],
nämlich die, die ohne ordentliches Begräbnis umgekommen
sind[24] und darum z. Z. der Auferweckung nicht sind, wo
sie hingehören, nämlich weder in der Erde noch in der
Scheol (cf. 51,1), noch in den Wohnungen, ans Licht. Die
eschat. Messung der Tiefe der Erde ist wie die Messung
in Jes 40,12; Hi28,25; 38,5 Gottes souveräner herrscher-
licher Schöpfungsakt.

Die Messung mißt das Ungemessene, strukturiert das
Unstrukturierte, lichtet das Verborgene. Der Vf. von
V.5 interpretiert V.1f also anders als der Vf. von V.3f.
Für ihn messen die Engel nicht die himmlischen Wohnungen
der Gerechten ab, sondern sie vermessen das bisher Ungemessene, um die ohne ordentliches Begräbnis Verstorbenen
vor der Preisgabe an das Chaos zu bewahren. Trotz dieses
Unterschieds in der Funktion der Maße sind beide innerhalb einer Schrift denkbar, wie SJÖBERG begründet behauptet. "Zwischen den beiden Funktionen der Masse besteht nämlich ein Zusammenhang, insofern als sie beide

---

22) DILLMANN, aaO 193: "etwas kühn"; VOLZ 239: "...mit diesen etwas
dunklen Worten..."; CHARLES, Apk I, 276: "The exact meaning of
measuring in this passage is difficult to determine".

23) SJÖBERG, aaO 104 A.12.

24) VOLZ 239.261; cf. auch äthPetrApk 4 (Hennecke-Schneemelcher II,
473).

sich auf die künftige Seligkeit der Gerechten beziehen,
und die durch die Masse gesammelten Gerechten eben zu
der durch die erste Funktion der Masse ausgemessenen
Seligkeit auferstehen werden[25].

Schließlich findet sich (neben den Vf. von V.3f und V.5)
noch ein dritter Interpret von V.1f: der Verfasser der
Nachtragskapitel zu den Bilderreden. Er versteht den
Abschnitt wie der Vf. von V.3f, allerdings ohne die
Bedeutungsverschiebung des Wortes חֶבֶל vorzunehmen.
Er nimmt auf 61,1f Bezug, indem er schreibt: "... wo
die Engel die Schnüre nahmen, um für mich den Ort für
die Auserwählten und Gerechten zu messen" (70,3).

Aus dem allem ist zu schließen, daß in einer Tradition,
die älter als die Bilderreden ist, sehr plastisch aus-
gemalt wird, daß die jenseitigen Räume für die Gerechten
genau bemessen und begrenzt sind, ihre Größe also prästabiliert ist. Von da aus ist der Weg bis zu der Vorstellung vom numerus clausus der Heilsempfänger nicht
weit: der locus finitus bedingt den numerus clausus.

c) 4Esr, sBar, AntB und Targumim

4Esr und sBar wie auch AntB dokumentieren, daß dieser
gedankliche Weg inzwischen ganz offensichtlich zu Ende
gegangen wurde. In allen drei Schriften, alle um die
Wende vom 1. ins 2. Jh. entstanden, findet sich die
feste Vorstellung von "Kammern" als Aufenthaltsräumen
für die Verstorbenen im Zwischenzustand[26].
Der Umstand, daß diese Vorstellung in allen drei Schriften als bekannt vorausgesetzt wird, läßt auf ihre allgemeine Verbreitung schließen.
Die אֹצָרוֹת im Himmel werden schon im AT[27], so
dann in den Qumranschriften[28], im angelologischen

---

25) SJÖBERG, aaO 29.

26) VOLZ 257; SCHUBERT, Religion 39ff; Entwicklung 208f; SJÖBERG,
ThWNT VI, 377; STUIBER, Refrigerium 23-25; BIETENHARD, Welt
180f.

27) Segen (Dtn 28,12); Böses (Dtn 32,34); Jahwes Zorn (Jer 50,25);
Schnee, Hagel (Hi 38,22); Wind (Jer 10,13; 51,16; Ps 135,7);
Wasserfluten (Ps 33,7); Blitz (Sir 43,14); alles (Sir 39,30).

28) Licht, Finsternis (1QS 10,1f); Plan (1QH 1,12f); Herrlichkeit
(1QM 10,12f).

Henochbuch[29] und in den kosmologischen Partien der Bilderreden[30] erwähnt. Daneben finden חֲדָרִים in diesem
Sinne Erwähnung[31]. Die Kammern dienen vor allem dazu,
substantiell vorgestellte kosmische und klimatische
Phänomene aufzubewahren[32].

Diese Funktion kommt den promptuaria auch in 4Esr und sBar
zu[33]. Darüber hinaus ist die Vorstellung ausgeweitet auf
Speicher der guten Taten[34] und schließlich auf Aufenthaltsräume der Verstorbenen[35], vor allem der verstorbenen Gerechten[36], aber auch der Sünder[37].

In sBar deutet der Ausdruck "weite Räume des Paradieses"
(51,11) und "Größe des Paradieses" (59,8) eine Kenntnis
der in äHen 61,1-4; 70,3 laut werdenden Tradition an.
Die Beobachtung, daß im Zusammenhang mit dem numerus
clausus in sBar 23,4; 30,2 auf den Aufenthaltsraum dieses numerus ausdrücklich hingewiesen wird[38], läßt vermuten, daß der primäre Determinationsfaktor nicht der
numerus animarum selber, sondern die mensura locorum
animarum darstellt.

Das wird schließlich durch 4Esr 4,41b bestätigt. Während
in V.40 die mit der Zeugung zwangsläufig auf neun Monate
limitierte Schwangerschaft die Metapher für die Zwangs-

---

29) Segen (11,1); Blitz, Donner (17,3); Wind (18,1).

30) Böses (42,3); Klimatisches (41,4f; 54,7; 60,11.19-21; 69,23).

31) Stürme in Kammern des Südens (Hi 9,9; 37,9); Kammern der Scheol
(Spr 7,27; 1QH 10,34).

32) Anders: Dtn 28,12; 32,34; Jer 50,25; Spr 7,27; Sir 39,30; äHen
11,1; 42,3; 1QH 1,12f; 10,34; 1QM 10,12f.

33) 4Esr 5,37; 6,40; sBar 10,11.

34) sBar 14,12; cf. 44,14; 4Esr 7,77.83; 8,33.36.39; 13,56. Ansätze
zu dieser Vorstellung schon in Tob 4,7-11; äHen 38,2; cf. VOLZ
95; BIETENHARD, Welt 223-225; KOCH, Schatz 52ff.

35) sBar 21,23; 23,4; cf. 48,16; 50,2 (Erde).

36) 4Esr 4,35.41; 7,32.80.85.95.101; sBar 30,2; AntB 23,13; 32,13;
cf. sBar 51,10f; 59,8 (Paradies).

37) AntB 15,5. Im slHen werden die Aufenthaltsorte der Verstorbenen
zwar nicht Kammern genannt (7,1; 9,1; 10,4), wohl aber ist die
Redeweise von den Kammern für die kosmischen und klimatischen
Phänomene bekannt (5,1; 6,1; 40,10f). Zusammen mit den Seelen
sind auch deren Aufbewahrungsorte präexistent (23,5); cf. auch
die slavische Version des gBar 15/16 (JSHRZ V, 41).

38) S.u.S.193. 215.

läufigkeit des Vollzugs der großen Wende"[39] ist und in
V.42 der Geburtsvorgang, den die Gebärende wegen ihrer
Schmerzen zu beschleunigen sucht, im Blick ist, setzt
V.41b ein gegenüber beiden Metaphern eigenen Akzent.
Er vergleicht die Kammern der Seelen in der Scheol
mit dem Mutterschoß und stellt so eine bewußte Verbin-
dung her zwischen Termin und Aufenthaltsort. Wie die
Geburt erst dann eintritt, wenn der foetus keinen Platz
mehr im Mutterschoß hat, so ist der Termin des Endes
durch die Größe der Aufenthaltsräume der Scheol bestimmt:
Das Ende kommt, wenn die Scheol voll ist.

Die Vorstellung vom Aufenthalt der Verstorbenen im jenseitigen Schatzhaus (aramäisch: גִּנְזַיָּא/גִּנְזִין) ist auch
in den Targumim belegt[40]. Dabei entsteht eine interessante Querverbindung zur Tradition vom Lebensbuch. Die in
1Sam 25,29 gebrauchte Metapher צְרוֹר הַחַיִּים wird nun real
verstanden als konkreter, bemessener Raum, als Beutel,
in dem die Seelen der verstorbenen Gerechten gesammelt
werden[41]. Der Targum zu 1Sam 25,29 ersetzt die Wendung
durch גִּנְזָא חַיֵּי עָלְמָא (= "Schatzhaus des ewigen
Lebens"[42]). Und von den Rabbanan wird der צְרוֹר הַחַיִּים
mit dem אוֹצָר identifiziert[43].

---

39) HARNISCH, Verhängnis 290.

40) Jeruschalmi I zu Dtn 31,16; Tar 1Sam 25,29; BILLERBECK II, 268.

41) Eine Transformation in Richtung auf ein eschat. Verständnis
liegt schon beim Gebrauch der Metapher in 1QH 2,2o vor; cf.
EISSFELDT, Beutel 30f.

42) Cf. BILLERBECK ebd.

43) Cf. BILLERBECK ebd. Zur Nachgeschichte der Metapher aus 1Sam 25,
29 cf. VOLZ 264; BILLERBECK II, 268f; EISSFELDT, Beutel 28-40;
b.Schab 152b (R. Eliezer, um 90), BILLERBECK IV, 1045. 1035 A.2
u.ö.; b.Chag 12b par. (R.Meir, um 150), BILLERBECK II, 265f;
III, 532; TanchB וַיִּצֵא § 6 (74b), BILLERBECK I, 1028; SNu 6,24
§ 40 (12a), BILLERBECK IV, 248; ein Gebet aus dem zeitgenössischen Judentum (BILLERBECK IV, 1049).

II. Numerus clausus als Determinationsfaktor für das
Eschaton im Neuen Testament
-.-

A. Der numerus martyrum in Apk 6, 9-11
===

Da dieser Text im Rahmen der oben entwickelten Traditionsgeschichte des Motivs schon mehrfach zur Sprache kam, soll
im folgenden nur noch sein spezifisches Profil und seine
Intention im Rahmen der Apk dargestellt werden, um so die
Funktion des Maßmotivs deutlich werden zu lassen.

> 9) Und als er das fünfte Siegel öffnete, sah ich
> unter dem Altar die Seelen derer, die wegen des
> Wortes Gottes und wegen des Zeugnisses, das sie
> festhielten, geschlachtet sind.
> 10) Und sie riefen mit lauter Stimme und sprachen:
> "Wie lange, Herr, Heiliger und Wahrhaftiger, dau-
> ert es noch, daß du weder Gericht hälst noch unser
> Blut rächst an den Erdbewohnern?"
> 11) Da wurde ihnen, einem jeden, ein lichtes Ge-
> wand gegeben. Und es wurde ihnen gesagt, daß sie
> noch eine kurze Zeit stillhalten sollten, bis daß
> die Anzahl auch ihrer Mitknechte und ihrer Brüder,
> die wie auch sie getötet werden sollen, voll ge-
> worden ist.

1. Profil des Textes

Zunächst stellt sich die <u>Frage nach der Identität</u> derer,
"die wegen des Wortes Gottes und wegen des Zeugnisses,
das sie festhielten, geschlachtet sind". Daß es sich um
Märtyrer handelt, also um Menschen, die wegen ihres
Glaubens hingerichtet wurden, bedarf keiner Erörterung.
Umstritten ist jedoch, zu welchem Personenkreis die
Märtyrer gehört haben.

H. STRATHMANN denkt an eine besondere Gruppe innerhalb
der christlichen Gemeinde, die Propheten[1]. Ihnen allein
habe die Wortverkündigung oblegen, und die Wendung
$\mu\alpha\rho\tau\upsilon\rho\iota\alpha\nu$ $\eta\nu$ $\epsilon\iota\chi\upsilon\nu$ weise auf eine mit dieser Aufgabe betraute besondere Gruppe innerhalb der christlichen
Gemeinde[2]. H. STRATHMANN muß aber einräumen, daß min-
destens in 12,17 die $\epsilon\chi\upsilon\nu\tau\epsilon\varsigma$ $\tau\eta\nu$ $\mu\alpha\rho\tau\upsilon\rho\iota\alpha\nu$ $I\eta\sigma\upsilon$ eindeutig

---

1)   ThWNT IV, 506f.

2)   Von daher möchte er auch in V.11 "ihre Mitknechte
      und ihre Brüder... unterschieden" (aaO 507) wissen:
      die Brüder seien "Christen schlechthin", die Mit-
      knechte "Knechte im besonderen Sinn, wie die Rufen-
      den selbst" (ebd).

"Christen schlechthin" sind[3]. Und "Christen schlechthin" sind auch an den beiden anderen Stellen gemeint,
die die Wendung μαρτυρίαν ἔχειν gebrauchen (6,9; 19,10).

Die sprachlichen Schwierigkeiten lösen sich nämlich auf,
wenn man die Wendung mit W. BAUER[4] als Umschreibung der
Perseveranz in der Anfechtung versteht und übersetzt:
"das Zeugnis festhalten"[5]. Gemeint sind also die, die
auch angesichts drohender Hinrichtung, der sie nur dadurch hätten entgehen können, daß sie nicht mehr "das
Zeugnis festhielten", standhaft blieben: πιστὸς ἄχρι θανάτου
(2,10). Und für dieses Geschick ist wahrlich nicht nur
eine Gruppe in der christlichen Gemeinde privilegiert.

Auffällig ist, daß hier das sonst in der Apk übliche
Attribut Ἰησοῦ (Χριστοῦ)[6] fehlt. Während W. BOUSSET[7]
darauf "kein Gewicht zu legen" fordert und E. LOHMEYER[8],
um diese Erklärung nie verlegen, aber darum noch lange
nicht überzeugend, "rhythmische Gründe" anführt, sieht
W. HADORN darin wohl mit Recht zum Ausdruck kommen, daß
"nicht bloß die christlichen Märtyrer gemeint (sind),
sondern auch die des alten Bundes"[9]. Darauf liegt freilich nicht der Ton. Aber angesichts dessen, daß die christliche Gemeinde der Apk auch sonst in Kontinuität zum Volk
Israel gesehen wird (z. B. 7,1-8; 7,9; 11,1f; 21,12 u.ö.)[10],
sollten die Märtyrer Israels, "die wegen des Wortes Gottes
und wegen des Zeugnisses, das sie festhielten, geschlachtet
sind", hier nicht ausgeschlossen werden. Das umso mehr,

---

3) AaO 507.

4) WB s.v., 656.

5) Cf. CHARLES, Apk I,174; SATAKE, Gemeindeordnung
102f; auch 47-51.
Zu vergleichen sind ähnliche Wendungen, die die
Perseveranz ausdrücken: τηρεῖν : 12,17 (parallel zu μαρτυρίαν
ἔχειν); 14,12 (ἐντολὰς); 3,8.10 (λόγον); 1,3; 22,7.9
(λόγους); 14,12 (πίστιν); κρατεῖν : 2,13 (ὄνομα); 2,25;
3,11 (ὅ ἔχεις , -ετε); οὐκ ἀρνεῖν : 2,13 (πίστιν); 3,8
(ὄνομα).

6) 1,2.9; 12,16; 19,10a.b; 20,4.   7) Apk 270 A.2.

8) Apk 63.   9) Apk 85f.   10) HUSS, Gemeinde 130-137.

als hier genuin jüdische Traditionen aufgenommen und ver-
arbeitet sind[11].

Zu der Wahl des Wortes ἐσφαγμένοι für die Märtyrer hat wohl
der Vorstellungsbereich geführt, der den Märtyrertod in
Analogie zum Opfer sieht[12], obwohl das Verb sonst auch
allgemein eine gewaltsame Tötung bezeichnen kann, z. B.
6,4[13]. Darüber hinaus könnte der Terminus bewußt dem
christologischen Titel ἀρνίον ἐσφαγμένον (5,6.12; 13,8)
korrespondieren und in diesem Kontext anzeigen, daß die
Märtyrer "in der Nachfolge des geschlachteten Lammes
stehen"[14] oder im Hinblick auf die Märtyrer Israels:
mit dem geschlachteten Lamm in Schicksalsgemeinschaft
stehen.

In allen genannten Texten dieser Tradition folgt zwar
eine unverzügliche Reaktion auf die Klage der Beter.
Während aber in äHen 47 der Bitte der Gerechten und
der Fürsprache der Heiligen voll entsprochen wird, indem Gottes Gericht Gerechtigkeit schafft, das eschat.
Maß also voll wird, hebt in Apk 6,9-11 (wie in 4Esr
4,33-37) die göttliche Antwort die Spannung nicht auf.
"Die harrenden Märtyrerseelen erhalten zunächst einen
v o r l ä u f i g e n Bescheid"[15]. Die Reaktion ist
eine doppelte: auf den Gebetsschrei erfolgt 1. eine
Investitur der Märtyrer und 2. eine Aufforderung zu
warten.

Die Bekleidung der Märtyrer mit leuchtenden[16]Gewändern
ist eindeutig ein Akt himmlischer Verklärung, der <u>Lohn</u>

---

11) Umgekehrt sollten dann aber auch nicht die christ-
    lichen Märtyrer ausgeschlossen werden. KRAFT kann
    für die Behauptung, es handle sich hier nur "um die
    alttestamentlichen Märtyrer" (Apk 119), als einzi-
    ges Argument die at. Wendungen in V.10 anführen.
    Cf. auch u.A.17.

12) S.o.S.128; LOHSE, Märtyrer 196f; MICHEL, ThWNT VII,
    935.

13) BAUER WB s.v., 1575; MICHEL, aaO 929; 932.

14) KRAFT, Apk 119.

15) SATTLER, ZNW 20, 235; nivelliert von MÜLLER, Theo-
    logiegeschichte 38.

16) Cf. BAUER WB s.v., 933f; MICHAELIS, ThWNT IV, 247:
    "...in eschatologisch→apokalyptischen Zusammenhän-
    gen' wird sich die Übersetzung <u>licht</u> empfehlen".

für die Überwinder[17]. Die gleiche Terminologie begegnet bei der Schilderung des himmlischen Siegeszuges in
7,9.13, woraus allerdings nicht geschlossen werden darf,
daß darum auch diese ικῶντες Märtyrer seien[18]. Daß
das lichte Gewand "den verklärten Leib selbst"[19] meint,
also "die Märtyrer hier ihren neuen Leib bereits vorweg
bekommen"[20], wird schwerlich damit gesagt sein[21]. Und
die von Pls präsentierte Anschauung des eschatologischen

---

17)   BOUSSET, Apk 271; LOHMEYER, Apk 64; MICHAELIS,
      aaO 255f; LOHSE, Apk 43; JEREMIAS, Gleichnisse
      187f.
      Leuchtende weiße Gewänder und Kleider sind inner-
      halb der Apk Engeln, den seligen Überwindern und
      dem siegreichen Messias vorbehalten (λευκός :
      3,4.5.18; 4,4; 19,14; λαμπρός : 15,6; 19,8). Be-
      zeichnenderweise tauchen sie sonst im NT nur bei
      der Verklärung Jesu (Mk 9,3 parr) und als Engel-
      kleidung am leeren Grab (Mk 16,5 parr) und bei der
      Himmelfahrt Jesu (Apg 1,10) auf. Schon von daher
      ist die Deutung der στολή λευκή als Taufgewand
      durch KRAFT (Apk 119) fragwürdig. Das Interesse
      dieser Deutung KRAFTs zielt auf die andere, "daß
      es sich um alttestamentliche und folglich unge-
      taufte Märtyrer handelt" (ebd). Dementsprechend
      sieht er auch die weißbekleideten Überwinder in
      7,9.13 im Unterschied zu jenen "als Getaufte aus-
      gewiesen" (aaO 128). Abgesehen von der unzutreffen-
      den Deutung der Märtyrer in 6,9-11 als ausschließ-
      lich alttestamentliche (s.o.A.11) hat an diese
      Exegese keinen Anhalt am Text, widerspricht dem
      nt. Kontext und ist eher von altkirchlichen Vor-
      aussetzungen her konstruiert. Schließlich verliert
      die Exegese KRAFTs vollends ihre Überzeugungskraft
      durch die Inkonsequenz ihres Exegeten: Zu 3,4f
      erklärt er: "Die Gewänder... bedeuten... himmlische
      Herrlichkeit" (78); zu 4,4 schreibt er: "... die
      weißen Gewänder und die Kränze, die die Sieger
      auszeichnen" (97) und zu 19,14, daß die weißen
      Pferde "zusammen mit den weißen Gewändern, den
      Lichtglanz der himmlischen Gestalten ausdrücken"
      (250). Von daher ist auch für 6,11; 7,9.13 am
      ehesten diese Deutung anzunehmen, die KRAFT immer-
      hin auch für "erwägenswert" (119) hält und nur des-
      halb verwirft, weil "im folgenden weder Himmelfahrt
      noch Verklärung der Märtyrer berichtet werden" (ebd).
      Aber das ist doch für die Vorstellung himmlischer
      Verherrlichung nicht konstitutiv.
      Das Moment der Unschuld, das HADORN, Apk 86, hier
      ausgesprochen sieht, ist eingetragen; cf. MICHAELIS,
      aaO 256 A.61.

18)   S.u.S.203.

19)   LOHMEYER, Apk 64.

20)   BOUSSET, Apk 271; cf. CHARLES, Apk I, 176.

21)   Cf. BIETENHARD, Welt 226-228 A.1.

$\overset{\sim}{\alpha}\lambda\lambda\overset{\prime}{\alpha}\sigma\sigma\varepsilon\sigma\vartheta\alpha\iota$, die W. MICHAELIS hier anklingen sieht[22],
ist ebenfalls wohl kaum dasselbe. Denn nach 1Kor 15,51ff
ist dieser Akt ausdrücklich den zur Zeit der Parusie
Lebenden vorbehalten - statt einer Auferweckung, die nur
den Toten widerfährt. In Apk 6,11 ist die himmlische Investitur aber ein postmortaler Akt[23].

In der Sicht des Vf. der Apk jedenfalls ist die Investitur nicht eine andere Form der Auferweckung. Denn bei
der Ansage der "Ersten Auferstehung" wird in 20,4 mit
einer fast gleichen Wendung wie in 6,9 gesagt, daß
daran auch die Märtyrer teilhaben[24]. Die Investitur
ist damit als ein zusätzlicher Akt vor der Auferstehung,
als ein Privileg für die $\text{VIK}\overset{\sim}{\omega}\text{VT}\varepsilon\varsigma$ erwiesen. Sie bringt
noch nicht das volle Heil, sondern ist "Zeichen der An-
wartschaft auf das eschatologische Heil"[25]. Der Zwischenzustand der Märtyrer ist demnach durch die Investitur
nicht beendet, im Gegenteil, sie stehen weiter wie die
Lebenden im Wartestand.

Damit ist deutlich, daß die Bitte der Märtyrer um das
Gerechtigkeit schaffende Gottesgericht mit dem Akt der
Investitur nur z. T. erfüllt ist[26]. Die himmlische
Investitur ist der Lohn für das irdische Martyrium.
Die Strafe für die, die den Tod der Märtyrer verursacht
und verantwortet haben oder als Apostaten dem Martyrium
entgangen sind, aber steht noch aus.

Daß die Antwort in V.11 "ein Wunder der Gnade"[27] bedeutet, weil sie von der Rache schweigt, ist ein Fehlschluß.
Die Rache unterbleibt nämlich keineswegs. Im Siegeshym-
nus über den Fall der Hure Babylon, der in 17,6; 18,24

---

22) AaO 255.

23) Vergleichbar wären allenfalls die Aussagen in Phil
3,21; 1Joh 3,2; MICHAELIS ebd.

24) SATTLER, aaO 236; SCHÜSSLER FIORENZA, Priester 307.
Daß es nur die Märtyrer seien (so SATTLER, aaO 239f;
CHARLES, Apk II,180 u.ö.; LOHMEYER, Apk 161f u.ö.),
ist hingegen nicht gemeint; cf. BRUN, ThStKr 102,
215-231; MARSHALL, TU 102, 333-339.

25) SCHÜSSLER FIORENZA, aaO 307; cf. BIETENHARD, aaO
228 A.

26) Gegen LOHSE, Apk 43.

27) LOHMEYER, Apk 64.

die Verantwortung für die blutigen Verfolgungen zur
Last gelegt wird, heißt es: "Und er hat das Blut seiner
Knechte von ihrer Hand gerächt" (19,2; cf. 18,20). Und
in der dritten Schalenvision wird der Vollzug der Rache
ausdrücklich nach dem Maß adäquater Vergeltung angesagt:
"... sie haben das Blut der Heiligen und Propheten vergossen, darum hast du ihnen Blut zu trinken gegeben.
Sie haben es verdient" (16,6)[28]. Die Rache wird also vollzogen, nur bis zum Vollzug der Rache wird noch Zeit vergehen.

Und darum geht es im zweiten Teil der göttlichen Reaktion auf die Bitte der Märtyrer. Das strafende Gottesgericht
läßt noch auf sich warten. Das ist der gravierende Unterschied zu der Tradition, die äHen 47 bietet, in der ja
der Gebetsruf unmittelbar erhört wird. Die Aufforderung,
noch eine kleine Frist abzuwarten, weist daraufhin, daß
der Termin für das Endgericht noch nicht da ist. Das
setzt aber voraus, daß dieser Termin irreversibel festgesetzt ist, daß die Zeit bis zum Ende ihr von Gott gesetztes Maß hat. Dieses Maß kann durch das Rufen der
Märtyrer offensichtlich nicht verändert werden, das
Gericht kann nicht vorfristig eintreten[29].

Die Ansage der kurzen Frist bis zum Ende taucht, wie wir
gesehen haben[30], an vielen Stellen der Apk auf. Das
Besondere in 6,11 ist, daß hier das Maß der Zeit durch
die Zahl der Märtyrer bestimmt ist. Das ist freilich
nicht ganz unumstritten. Schon die Abschreiber dieses
Textes hatten mit dieser Aussage ihre Probleme[31].

א, ﬡ, P, 1, die meisten anderen griechischen Handschriften und Origenes (im Scholienkommentar) bieten das Aktiv
πληρώσωσιν. Einige Minuskeln lesen ind.fut. statt coni.
aor.: πληρώσουσιν.[32] Da hierin keine sachliche Differenz
zum Ausdruck kommt, können wir die Prioritätsfrage

---

28) Cf. Zur Traditionsgeschichte dieses Textes: BETZ,
ZThK 63,395-408.

29) Das ist die entscheidende Differenz gegenüber Lk
18,6-8, die MÜLLER, Theologiegeschichte 41f, völlig
ignoriert.

30) S.o.S.46ff.

31) Cf. neben dem Apparat bei NESTLE-ALAND [25]:
TISCHENDORF, NTGraece II 942; CHARLES, Apk II,276.

32) Cf. BAUER, WB s.v. 661; Bl-Debr-R § 455 A.6.

zwischen diesen beiden Varianten auf sich beruhen lassen.
Entweder ist πληρόω hier a) intransitiv gebraucht, wofür es aber nur ganz wenige Belege gibt[33]: "bis sie
vollständig sind". Oder ein Objekt ist zu ergänzen; sinnvoll ist entweder b) τὸν δρόμον wie Apg 13,25[34]:
"bis sie ihren Lauf vollendet haben, bis sie gestorben
sind" oder c) τὸν ἀριθμόν [35]: "bis sie die Zahl
gefüllt haben".

A, C, eine Minuskel, die gesamte lateinische, syrische,
armenische, bohairische und äthiopische Überlieferung
lesen das Passiv: πληρωθῶσιν . Das heißt "bis sie vollzählig geworden sind, ihre Vollzahl erreicht haben".
Damit wäre das Motiv vom eschatologischen Maß aufgenommen
und πληρόω in der typischen "verkürzten Redeweise" gebraucht[36], die ich oben ausführlich entfaltet und belegt habe : statt "ein Maß wird mit x gefüllt" heißt
es "x wird gefüllt".[37]
Eben diese verkürzte Redeweise wird der Grund für die
Variantenbildung sein. Daß das Motiv vom eschat. Maß
hier verwendet ist, hat die traditionsgeschichtliche
Analyse erwiesen, zumal die gemeinsamen Elemente der
Tradition weit über dieses Motiv hinausgehen. Die für
das Vorstellungsmotiv charakteristische "verkürzte
Redeweise" mußte natürlich zu Verstehensschwierigkeiten
führen, sobald dem Schreiber diese Zusammenhänge nicht
mehr deutlich waren oder ihm das Motiv ganz unbekannt
war. Jedenfalls ist eine Textänderung, möglicherweise
durch die Σ-Θ-Assonanz begünstigt, vom Passiv ins
Aktiv nach der Regel "lectio difficilior est potior"
eher wahrscheinlich als umgekehrt. Die Textfassung

---

33) Cf. BAUER, WB s.v. 1333.

34) Ἐπλήρου Ἰωάννης τὸν δρόμον ;-Apg 20,24; 2Tim 4,7
zieht W. BOUSSET, Apk 272 A.1, hier zu Unrecht
heran, da an beiden Stellen τελέω gebraucht ist.

35) Mit ἀπαρτιλογία im Griechischen belegt bei
HERODOT, Historien 7, 29 (cf. BAUER ebd).

36) S.o.S.9. 14. 21 u.ö.

37) Falls man das Motiv des numerus clausus überhaupt
bestreiten will, bietet sich als Alternativlösung,
πληρόω hier als "befriedigen (mit einer Zahlung),
voll bezahlen" (So MUNCK, Christus 100 A.178, mit
Verweis auf PREISIGKE II 321; MOULTON/MILLIGAN 520)
zu verstehen und den Satz so zu übersetzen" bis
sie... ihren Lohn bekommen sollen". Aber das ist
doch sehr weit her geholt. Die in den Wörterbüchern
genannten Belege liegen allesamt auf einer anderen
Ebene, entstammen durchweg Urkunden aus dem pekuni-
ären Bereich, bieten also nicht wirklich Parallelen
und Verstehenshilfen. Abgesehen davon, daß J. MUNCK
Apk 6,11 mit der Bestreitung der Vorstellung vom
numerus clausus als petitio principii interpretiert,
beruft er sich zu Unrecht auf eine vermeintliche
"Regel, dass das betreffende Mass oder Zahl angegeben sein muss" (ebd), wenn vom Füllen des gesetzten Maßes die Rede ist. Wie wir oben gesehen
haben, ist das Gegenteil der Fall.

Cyprians "impleatur numerus conservorum" setzt nicht
notwendig πληρωθῇ ὁ ἀριθμὸς τῶν συνδούλων voraus, sondern ist wohl eine dem Lateinischen eher angemessene
Übersetzung von πληρωθῶσιν , wobei den Übersetzern
die Vorstellung vom zu füllenden Maß noch bekannt war.
Cyprian ist darum ein indirekter Zeuge für πληρωθῶσιν.

Wiederum stellt sich hier wie in 4Esr die Frage nach
einer möglichen <u>Konkurrenz</u> der beiden Maße. Im Gegensatz dazu ist aber hier von einer göttlichen Termin-
setzung auf der Zeitskala jedenfalls im engeren Kontext
nicht die Rede. In 4Esr 4,35f ist das Verhältnis von
mensura temporum und numerus iustorum synchron gedacht
und dabei der numerus iustorum der mensura temporum
untergeordnet, ohne daß ein (durchaus mögliches)
Konkurrenzverhältnis gesehen oder reflektiert ist. In
Apk 6,11 bestimmt der numerus martyrum die mensura temporum allein. Er ist ihr einziger Determinationsfaktor.
Da der numerus martyrum irreversibel ist, ist - anders
als in 4Esr - damit ohne weiteres die Möglichkeit gegeben, das Zeitmaß flexibel zu denken. Das Theorem von der
Beschleunigung der Zeit steht in diesem Kontext auf keinen Fall im Widerspruch zum Theorem vom eschat. Maß, sondern
ist eine mögliche Konsequenz. Setzt nämlich die Verfolgung
der Gemeinde ein und häufen sich die Tötungen der standhaften Bekenner, wird der angefochtenen Gemeinde deutlich,
daß mit jedem weiteren Martyriumsfall in der Gemeinde das
Ende näher herbeirückt.

2. Funktion des Maßmotivs

Die in der vorredaktionellen Tradition von äHen 47 und
4Esr 4,35f noch festzustellende parakletische <u>Intention</u>
ist in Apk 6,9-11 aufgenommen worden. Darüber hinaus hat
die Transformation des numerus iustorum in den numerus
martyrum diese Intention verstärkt. Das Motiv ist in
dieser Modifikation nun noch hervorragender geeignet,
in akuten Anfechtungssituationen seelsorgerlich-tröstend
zu wirken.
Das die Verheißung bestreitende Leiden der Gegenwart wird
so gedeutet, daß es einerseits nicht verharmlost wird,
die Leidenden also nicht vertröstet, sondern ernst ge-

nommen werden, und daß es andererseits so ins Verhältnis
zur verheißenen Herrlichkeit gesetzt wird, daß nun nicht
mehr das Leiden die Verheißung annulliert, sondern umgekehrt die Verheißung über die Leiden siegt, diese der
Erfüllung der Verheißung dienstbar gemacht werden. Schon
das Motiv der mensura temporum hatte eingeschärft:
- Das Leid ist Gottes Macht von allem Anfang an untergeordnet.
- Das Leid ist darum nicht endlos, sondern begrenzt.
- Die ausstehende Leidenszeit ist kürzer als die vergangene[38].
Das Motiv vom numerus martyrum bringt zusätzlich dazu
zum Ausdruck:
- Das Leid konditioniert und determiniert die Erfüllung
  der Verheißung. Das Leiden verhindert darum nicht die
  Erfüllung, sondern fördert sie.
Die Negativerfahrung des Leidens bekommt so einen unaus-
weichlich positiven Sinn. Sie wird eingeordnet in den im
Gang befindlichen Prozeß der Erfüllung göttlicher Verheißung. Leiden hält nicht das Kommen der Herrlichkeit auf,
sondern beschleunigt es.
Damit wird das Leiden nicht nur tragbar, sondern geradezu wünschbar. Das Theorem vom numerus martyrum kann so
zur ideologischen Basis einer eschat. bestimmten Marty-
riumssucht werden: Christen drängen sich zum Martyrium,
um dazu beizutragen, den festgelegten numerus zu füllen
und damit das Eintreffen des Eschaton zu beschleunigen.
Das Motiv ist also durchaus anthropozentrisch verwend-
bar; der numerus martyrum ist offen dafür, durch menschliche Aktivität (mindestens in Gestalt einer Mitwirkung)
gefüllt zu werden[39].

Freilich, diese Intention ist noch nicht die des Vf.
der Apk. Seine Intention ist vielmehr umrißhaft erkennbar aus dem, was wir von den Gemeinden wissen, an die
er diese Botschaft richtet. Wenn auch in diesem Rahmen
eine genaue religionsgeschichtliche Bestimmung der
theologischen Positionen der angesprochenen Gemeinden

---

38) Cf. GOLLINGER, Kirche 62; soweit auch SCHRAGE,
    Leiden 193.
39) Cf. GERSTENBERGER, Leiden 97.

unterbleiben muß[40], so darf doch wohl die Aussage ge-
wagt werden, daß der Enthusiasmus, den Pls etwa in Korinth
bekämpft hat, "nach Paulus weiter gewirkt hat und den
Mutterboden darstellt für die Kräfte, mit denen es der
Prophet Johannes zu tun hat"[41]. Vor allem die in Lao-
dizea umgehenden Parolen πλούσιός εἰμι, πεπλούτηκα und
οὐδὲν χρείαν ἔχω (3,17), die mit den aus 1Kor 4,8 zu
erschließenden korinthischen Parolen ἤδη κεκορεσμένοι ἐσμέν, ἤδη
πεπλουτήσαμεν und ἐβασιλεύσαμεν vergleichbar sind, lassen
eine auf die inn⁀erliche Heilserfahrung reduzierte präsentische Eschatologie erschließen[42]. Die Eschatologie der
Erfüllung ist auf den eigenen Heilsbesitz fixiert, hat
also keinen Blick mehr für die heillose Welt, ja weiß
das gerettete Ich den Leiden und Anfechtungen der Welt
enthoben.
Gegen solche Erfüllungideologie schärft der Vf. der Apk
die Notwendigkeit kommenden Leidens ein. Die Erfüllung
ist nicht Gegenstand gegenwärtiger Erfahrung, die etwa
neben oder auch gegen Leidenserfahrung festgehalten werden müßte. Die Erfüllung ist vielmehr konditioniert und
determiniert durch leidvolles Sterben.
Daß die Betonung der Notwendigkeit des Leidens der Tenor
von Apk 6,9-11 ist, läßt auch der Kontext erkennen. Der
Text ist ein Element der Siegelvision, will also wie die
Bilder, die bei der Öffnung der anderen Siegel erscheinen,
zukünftige Not ansagen. Nicht daß diese Not begrenzt ist,
sondern daß sie notwendig und unumgänglich ist, wird primär eingeschärft.
Die Antwort auf die ungeduldige Wannfrage, die in der
Tradition die durch Leiden angefochtenen Christen trö-
stete, wird hier zunächst zur polemischen Spitze gegen
einen satten und zugleich lauen Enthusiasmus, der angesichts eigenen innerlichen "Reichtums" nichts mehr erwartet und darum in statu confessionis zu versagen droht.

---

40) Cf. dazu BOUSSET, Apk 236-238; BAUER, Rechtgläu-
   bigkeit 81-93; BORNKAMM, ThWNT VI, 669f; GOLLINGER,
   Kirche 42-59; VIELHAUER, Geschichte 502f; MÜLLER,
   Theologiegeschichte 13-52.

41) MÜLLER, aaO 22.

42) Auf weitere auffällige Analogien zum Enthusiasmus
   in Korinth weist MÜLLER, aaO 21-26, 39f, hin. Daß
   es sich demgegenüber in der Apk um ein epigonales
   Phänomen handelt, lassen Apk 2,4f; 3,16 vermuten.

B. Numerus iustorum in Röm 11
================================

Das Motiv vom numerus iustorum verwendet auch Pls, und
zwar gleich mehrfach in Röm 11[1]. Bestritten wird das
nur von den Forschern, die die Existenz dieser Vorstellung in nt. Zeit überhaupt leugnen oder die Modifikationen des pln Gebrauchs in Röm 11 den eindeutigen Belegstellen gegenüber so darstellen, als gäbe es keinerlei Gemeinsamkeiten zwischen ihnen[2]. Modifiziert hat Pls
das Motiv in der Tat. Aber diese Modifikationen sind
leicht erklärbar und bestreiten nicht grundsätzlich den
pln Gebrauch des Motivs.

1. Struktur von V.25f

Am Ende seiner Ausführungen über Israel (Röm 9-11) teilt
Pls der römischen Gemeinde ein μυστήριον mit, das einerseits das vorher von ihm Ausgeführte bestätigend aufnimmt
und andererseits darüber hinausführt. Es lautet:[3]

> "Teilweise Verstockung hat Gott Israel auferlegt,
> bis es soweit ist, daß die Vollzahl der Völker
> eingekehrt ist,
> und auf diese Weise wird ganz Israel gerettet
> werden." (Röm 11,25f)

Eine Schlüsselrolle für das Verständnis der Struktur des
Mysterions kommt der Bedeutung von καὶ οὕτως zu. Mit überzeugenden Argumenten haben zuletzt unabhängig voneinander
J. JEREMIAS[4] und F. MUSSNER[5] eindeutig erwiesen, daß
καὶ οὕτως zwar modal, aber auf jeden Fall rückweisend
zu verstehen ist[6]. Der Modus der Rettung Israels wird

---

1) Dabei hat nur τὸ πλήρωμα τῶν ἐθνῶν (V.25)
   Determinationsfunktion. Die Untersuchung der
   anderen beiden Stellen (V.12.26) wird hier vor-
   gezogen.

2) Cf. MUNCK, Christus 99ff; Paulus 39ff; ZELLER,
   Juden 253ff.

3) Die Übersetzung berücksichtigt die sprachlichen
   Beobachtungen von J. JEREMIAS, Beobachtungen
   193-201.

4) AaO 198f.

5) Kairos 18, 243f.

6) Cf. auch ZELLER, Juden 251; U. MÜLLER, Prophetie
   226f; B. MEYER, Heilsratschluß 284; SCHLIER,
   Röm 339f.

in den ersten beiden Gliedern des Spruches beschrieben,
nicht im Schriftzitat[7]. Dieses Schriftzitat aber beschreibt nicht den Modus der Rettung, sondern gibt den
Rechtsgrund für das ganze Mysterion an. Es legt dar,
daß sein Inhalt in Übereinstimmung mit der Schrift steht.
Καθώς γέγραπται leitet formelhaft wie auch sonst bei Pls
das Schriftzitat ein, ohne sich auf οὕτως zu beziehen[8]
und hat kausalen Nebensinn[9].
Trotz des erwiesenen modalen Verständnisses von καὶ οὕτως
ist ein temporaler Nebensinn nicht zu leugnen. Weil der
in Zeile 1 und 2 beschriebene Modus ein durch ἄχρι οὗ
ausdrücklich temporal limitierter Prozeß ist, kommt dem
οὕτως wie in Apg 17,33; 20,11 ein temporaler Nebensinn
zu[10]. Der Modus der Rettung ganz Israels ist also nicht
nur die Tatsache der Paradoxie[11] oder die "eines eschatologischen Ereignisses"[12], sondern auch die eines geschichtlichen Prozesses[13]. Die in Zeile 3 angesagte Rettung

---

7) Gegen: BAUER WB 1185; C. MÜLLER, Gerechtigkeit
43 A.88; PLAG, Wege 37; STUHLMACHER, Interpretation 560.

8) JEREMIAS, aaO 198; MUSSNER, aaO 249.

9) MUSSNER ebd.

10) MICHEL, Röm 281; KÄSEMANN, Röm 300.

11) LUZ, Geschichtsverständnis 293f, behauptet, daß
Pls "gerade auf die zeitliche Abfolge der Ereig-
nisse nicht das Hauptgewicht legt" (293), obwohl
er damit nicht sagen will, "daß sich Pls. die
Reihenfolge nicht de facto so gedacht hätte"
(A.118). Im Endeffekt aber deutet er so "das
Paradox der Errettung Israels" (294) ungeschicht-
lich.
Das liegt daran, daß LUZ im dritten Glied καὶ οὕτως
betont sieht. Betont ist dort aber πᾶς Ἰσραήλ (cf.
SCHLIER, Röm 340). Das lehrt der Kontext, wie die
Position der Gesprächspartner (s.u.S.181).
Nicht der Modus der Rettung ganz Israels wird in
Rom bestritten, sondern das Faktum (gegen B. MAYER,
aaO 289). Skopus ist die Limitierungsaussage;
daraus folgt die Heilsverheißung für ganz Israels
Zukunft.
Nach KÜMMEL, Probleme 31, geht es nach wie vor um
die Klärung der Frage, ob Pls "in Rm 9-11 heilsgeschichtliche Konzeptionen zerbricht oder ob er
solche Konzeptionen verwendet, weil für ihn die
Heilsgegenwart eminent geschichtlichen Charakter
aufweist". Cf. dazu auch GÜTTGEMANNS, Heilsgeschichte.

12) SCHLIER, Röm 339.

13) MICHEL, Röm 280, spricht "von einem eschatologischen Prozeß, der sich stufenweise abspielt".

Israels steht am Ende eines zuvor zweifach charakteri-
sierten Geschichtsprozesses.

Daß dieser Geschichtsprozeß nun seinerseits zwei Epochen
umfasse, es sich also insgesamt um "einen chronologischen
Dreistufenplan"[14] handelt, wäre zuviel gesagt. Zeile 1
und 2 beschreiben ein und denselben geschichtlichen Prozeß - und zwar so, daß Zeile 1 ihn im Hinblick auf Israel
beschreibt, Zeile 2 im Hinblick auf die Völkerwelt. Verstockung Israels und Heidenmission verlaufen zeitlich
parallel und sachlich verschränkt: die Rettung der Völkerwelt ist Implikat der Verstockung Israels[15].

2. Rezeption der Zionstradition

Das ungewöhnliche absolut gebrauchte εἰσέρχεσθαι erklärt
sich am besten, wenn man es vom <u>Motiv der eschat. Völkerwallfahrt zum Zion</u> her versteht[16].

Daß die Zionstradition hier aufgenommen ist, ist zwar
seit langem erkannt; diese Erkenntnis setzt sich aber nur

---

14) Formulierung von STUHLMACHER, aaO 559; cf. LUZ,
aaO 293; ZAHN, Röm 523; cf. auch das tabellarisch
entwickelte Schema bei DODD, Röm 187.

15) Cf. den prospektiven Konjunktiv im Temporalsatz
(wie 1Kor 11,26; 15,25; Lk 21,24; cf. Bl-Debr-R
§ 383 A.3; JEREMIAS, Abendmahlsworte 244; Beobachtungen 196; HOFIUS, NTS 14,439-441).

16) PLAG, aaO 43-45; STUHLMACHER, aaO 560f A.29;
JEREMIAS, aaO 197. Daß die Vokabel εἰσέρχεσθαι
in diesem Zusammenhang in der LXX nur einmal
vorkommt (PLAG, aaO 44f A.187), ist dabei unerheblich, da Pls nicht zitiert. Der "Einzug" ist
jedenfalls beherrschendes Motiv dieser Tradition.
- Die Rezeption des Motivs legt sich auch von der
"Begründung" des Mysterions durch das kombinierte
Schriftzitat mit dem Stichwort Σιών (V.26f) nahe,
das in Übereinstimmung mit der Intention der Zionstradition das Heil für Israel (=Jakob) betont. Cf.
STUHLMACHER, aaO 561 und A.30; KÄSEMANN, Röm 301.
Anders LUZ, aaO 294f, und ZELLER, aaO 258-262, die
beide versuchen, die futurischen Aussagen in das
zurückliegende Christusgeschehen umzudeuten (cf.
zur Kritik: MUSSNER, aaO 250; KÄSEMANN, Röm 301).
Zeller sträubt sich gegen diese Annahme auch deshalb, weil die Völkerwallfahrt "nur in sachlicher -
nicht bloß zeitlicher - Abhängigkeit von der Erhöhung des Sion" (255) existiere, die in V.26f
nicht erwähnt ist. Dem ist aber entgegenzuhalten,
daß die Erhöhung des Zion nirgendwo Selbstzweck
ist, sondern immer auf das Heil Israels zielt, wie
es V.26f zum Ausdruck bringen. - JEREMIAS will in
Jakob "das Gesamtverheißungsvolk aus Juden und
Heiden" sehen (aaO 200); zur Kritik s.u.S.179ff.

zögernd durch[17]. Das mag vor allem daran liegen, daß die
Tradition gleichsam nicht in reiner Form anklingt. E. KÄ-
SEMANN kann sogar sagen, sie werde hier "geradezu in ihr
Gegenteil verkehrt"[18]. Zumindest ist sie modifiziert,
und zwar in zweifacher Hinsicht.

1. Die Bevorzugung der Völkerwelt vor Israel oder gar die
   Aussage, daß Israel zum Zweck des Völkerzugs zum Zion
   vom Heil ausgeschlossen ist, hat innerhalb dieser Tradition keinen Platz.
2. Niemals erscheint das Heil für die Völker als eine
   limitierte Zeitepoche innerhalb dieser Tradition.

Sind diese Modifikationen erklärbar? Woher stammen sie?
Oder widerlegen sie die Annahme einer Rezeption der Zionstradition?

a) Rollenvertauschung

Die Bevorzugung der Völkerwelt vor Israel ist weder das
Novum noch der Skopus von V.25-27. Genau das sagt Pls
auch schon in V.11-15 (immer neu variiert) an[19]. Man
könnte sagen, dieses Element sei kontextbedingt.
Aber nicht nur kontextbedingt ist es, sondern auch
situationsbedingt. Diesen Gedanken kennt nämlich die
römische Gemeinde selber[20]. Er führt eben bei den Heidenchristen in Rom, die Pls hier anspricht (V.13), zur
antijüdischen Hybris, indem sie die Bevorzugung der
Völkerwelt vor Israel für endgültig halten[21]. Genau
diese Hybris will Pls mit der Mitteilung des Mysterions

---

17) BAECK, Glaube 587f; KÄSEMANN, EVB II, 87.244;
     Röm 299; PLAG, aaO 43-45; 56f; STUHLMACHER, aaO
     560f; JEREMIAS, aaO 197f; SCHLIER, Röm 341; M.
     BARTH, Volk 94. - Dabei muß nachdrücklich daran
     erinnert werden, daß für Pls mehr zu dieser Tradi-
     tion gehört hat, als heute historisch-kritische
     Alttestamentliche Wissenschaft dazu rechnet (cf.
     JEREMIAS, Verheißung 48f).

18) Röm 299; cf. EVB II, 244.

19) S.u.S.181ff.

20) Es findet sich schon in der Verkündigung Jesu
     (cf. Mt 8,11f par.; 11,20-24 par.; 12,41f par.;
     Lk 4,25-27; cf. JEREMIAS, Verheißung 41-44) und
     hat eine at. Vorgeschichte (cf. z. B. das Jona-
     buch); cf. auch SCHLIER, Entscheidung 90-96.

21) Gleiches hat Pls nur wenige Jahre vorher selber
     verkündet (1Thess 2,16). Davon rückt Pls nun ab.
     Cf. dazu JEREMIAS, Beobachtungen 201; U. MÜLLER,
     aaO 230f.

168 dämpfen, wie der Satz ἵνα μὴ ἦτε ἑαυτοῖς φρόνιμοι eindeutig belegt (V.25a)[22].

Der gegenwärtige teilweise Ausschluß Israels vom Heil markiert also die Position der Gesprächspartner in Rom. Dieser Position gegenüber bringt Pls betont eine zentrale genuin jüdische Heilsverheißung – eben die Völkerwallfahrt zum Zion – zur Geltung. Damit wird einerseits die Position der heidenchristlichen Gesprächspartner modifiziert, andererseits aber auch die ins Spiel gebrachte Tradition.

Gegenüber der gegenwärtigen sichtbaren Erfahrung der Bevorzugung der Heiden vor Israel hält Pls an der Verheißung für Israel fest[23]. Die Bevorzugung der Völkerwelt vor Israel ist also ein Element gegenwärtiger Erfahrung, gegen die Pls die Heilsverheißung für Israel ins Feld führt.

Contra experientiam deklariert Pls in prophetischer Vollmacht das, was die Heidenchristen in Rom für endgültig halten, als vorübergehend, als limitierten Prozeß mit Berufung auf die jüdische Zionsverheißung. "Nicht die Rettung der Völkerwelt ist das Ende der Wege Gottes, sondern die Rettung Israels", sagt Pls provokativ den hochmütigen Christen aus der Völkerwelt in Rom. Die Limitierung der Verwerfung Israels also ist der Skopus des Mysterions[24]. Wie kommt Pls zu dieser Limitierungsaussage [25]?

---

22) Cf. SCHRENK, Studien 101; LUZ, aaO 292f; EICHHOLZ, Theologie 299f; MUSSNER aaO 254f; JEREMIAS aaO 195; M. BARTH, Volk 93;
gegen GLOMBITZA, Sorge 314, der die Gefahr darin sieht, "daß die Gemeinde geschichtslos werden könnte, ...wenn sie... die Tradition mit ihrem Lehrinhalt verachtet(.)".

23) Darum kann hier die Verheißung nicht nur "als Kontrast dienen" (so ZELLER, aaO 255), sondern umgekehrt: die Verheißung ist hier die Dominante, zu der die Erfahrung nur der Kontrast ist.

24) Cf. JEREMIAS, aaO 201.

25) Das Element der Limitierung spielt eine beherrschende Rolle in der Tradition vom Völkersturm gegen Jerusalem, die wie Röm 11,25f eine Bevorzugung der Völkerwelt vor Israel zum Ausdruck bringt. Diese Tradition sieht C. MÜLLER, aaO 39-41, hier aufgenommen. Angesichts des hohen Abstraktionsniveaus des Vergleichspunktes zwischen dieser Tradition und Röm 11,25f – Bevorzugung der Völker vor Israel – fragt es sich aber, ob wirklich diese

b) Limitierungsaussage

Wir haben oben in traditionsgeschichtlicher Analyse die
Einsicht gewonnen, daß eine Limitierungsaussage in Gestalt des Motivs vom numerus iustorum (wie das der mensura temporum) als Determinationsfaktor für das Eschaton
ihren genuinen Ort in einer weiter entwickelten Form at.
Klage hat[26].

Auf die Klage über eine unabgegoltene Verheißung Gottes
folgt eine göttliche Antwort, mit der die Verheißung
bestätigt und ihre Erfüllung erneut für die Zukunft in
Aussicht gestellt wird. Die nicht erfüllte Verheißung
wird zur noch nicht erfüllten Verheißung. Um die Limitierung der Zeit unerfüllter Verheißung zum Ausdruck zu
bringen, bedient man sich der Vorstellung vom eschat.
Maß. Die Erfüllung wird konditioniert durch den numerus
iustorum. Seine Unvollständigkeit erklärt, daß die Einlösung der Verheißung vorläufig ausbleibt. Die Komple-
tierung dieses numerus wird so zum Determinationsfaktor
für die Erfüllung der Verheißung. Als Prozeß terminiert
sie die bis zur Erfüllung sich erstreckende Zeit.

Das Problem unabgegoltener Verheißung ist ein beherrschendes Thema der Ausführungen des Pls in Röm 9-11.
Der Text läßt deutlich erkennen, wie gerade dieses
Problem Pls zu schaffen macht und seine Aussagen bestimmt.
Es geht um die Diastase zwischen der gültigen Heilsverheißung für Israel (9,6) und der Erfahrung gegenwärtiger
Verhärtung Israels. Diese Diastase führt bei Pls zu λύπη με-
γάλη und ἀδιάλειπτος ὀδύνη (9,2). Er findet sich damit
nicht[27] ab, klagt vielmehr die Verheißungen Gottes ein
und wird so zum Fürsprecher Israels (10,1).

Tradition die Aussage des Pls mitgestaltet hat.
Außerdem werden in Röm 11,25f die Völker zwar vor
Israel bevorzugt, aber weder sind sie dabei aktive
Gegner Israels noch gar aktive Gegner Jahwes. Zur
Kritik an C. MÜLLER cf. LUZ, aaO 81 A.222; 289;
PLAG, aaO 56 A.233; KÄSEMANN, Röm 299f; ZELLER,
aaO 250 u. A.46.

26) S.o.S.29f.117f.

27) Im Hinblick auf 1Thess 2,16 müßte man sagen: er
findet sich damit nicht mehr ab. Cf. o.S.167 A.21.

Damit wird wahrscheinlich, daß Pls in 11,25f "eine eigene
prophetische Eingebung niederschreibt"[28], die ihm als
Antwort auf seine fürbittende Klage zuteil wurde[29].
Diese Vermutung erklärt zugleich "den merkwürdigen Befund, daß V.25 zwar formgeschichtlich 'gebunden' scheint,
daß aber nach dem Vokabular kein Zitat... erkennbar wird."[30]
Damit steht das Mysterion formgeschichtlich in der Tradition der Nachgeschichte at. Klage. Es entspricht dem
"Bekenntnis der Zuversicht", das im Verlauf der Formge-
schichte transformiert wurde zu "einer prophetischen Einsicht"[31], zu einem auf göttliche Einsicht fußenden
"Prophetenspruch"[32], der "eine Erkenntnis über End-
geschehen, die vorweg Menschen wie den 1Kor 13,2
gemeinten 'Propheten' zuteil wird"[33], mitteilt.

---

28) Zeller, aaO 253; auch U. MÜLLER, aaO 226, sieht
"Die Möglichkeit, daß Paulus hier selbst einen
Prophetenspruch verfaßt hat".

29) Zu dieser Vermutung kommen auch ZELLER, aaO 252f,
und U. MÜLLER, aaO 225-232, unabhängig voneinander mit unterschiedlichem exegetischem Interesse.

30) ZELLER, aaO 252. Daß Pls hier selber formuliert,
ist trotz einiger Hapaxlegomena durch den Sprachgebrauch eindeutig erwiesen. Cf. die ausführliche
Analyse von LUZ, aaO 288f und A.98f; gegen M. BARTH,
der neuerdings mit Verweis auf $\mu\nu\sigma\tau\acute{\eta}\rho\iota o\nu$ in 1Tim 3,16
hier "ein Zitat aus einem Hymnus oder einer Bekennt-
nisformel" (zitiert bei JEREMIAS, aaO 214) finden
will; Volk 79 A.66, denkt er an ein Zitat aus einem
apokalyptischen Buch.

31) SCHRENK, Weissagung 26.

32) MICHEL, Röm 280; JEREMIAS, aaO 194 u.ö.

33) ZELLER, aaO 247. Wie solche Offenbarung zustande-
kommt, muß dabei offenbleiben (cf. DINKLER, Prädestination 97 mit Verweis auf V.33ff). SCHRENK,
Studien 75, aber überzieht: "Ob der Prophet sel-
ber auslegen kann, was das $\pi\lambda\acute{\eta}\rho\omega\mu\alpha$ $\tau\tilde{\omega}\nu$ $\dot{\epsilon}\vartheta\nu\tilde{\omega}\nu$
besagen soll? Das ist zweifelhaft. Paulus hat hier
einfach ausgesprochen, was er unter der Nötigung
des Geistes sagen mußte". Konstitutiv für eine
solche Offenbarung ist jedenfalls die Spannung
zwischen Verheißung und Erfahrung. Das betont
auch BORNKAMM, ThWNT IV, 829, der im übrigen bestreitet, daß Pls "eine nur ihm zuteilgewordene
Offenbarung" (ebd) mitteilt. Nach BORNKAMM "er-
wächst seine Deutung daraus, daß er die in der
göttlichen Erwählung Israels beschlossene Verheißung zu der nach menschlicher Einsicht wider-
sprechenden Gegenwart in Beziehung setzt... und
hieraus den eschatologischen Sinn des gegenwärtigen Geschehens erhebt". (ebd). BROWN, Background 50, sieht es "closely connected with...
the divine economy of redemption".

Wie in der Nachgeschichte at. Klage ist die Antwort
eine um die Limitierungsaussage modifizierte Erneuerung der von der Empirie her bestrittenen Verheißung.
Damit ist klar, daß das μυστήριον weder "ein theolo-
gisches Postulat des Rechtfertigungsglaubens"[34] noch "eine
für diesen Glauben unverbindliche private Spekulation
des Apostels"[35] darstellt, sondern vielmehr eine at.
prophetisch erneuerte - d. h. bekräftigte und zugleich
modifizierte - Heilsverheißung für Israel[36].
Da das Element der Limitierung der Zeit unerfüllter Verheißung in der Nachgeschichte at. Klage seinen festen Ort
hat, ist auch die Frage nach der Herkunft der Limitierungsaussage in Röm 11,25f beantwortet. Die Aussage ergibt sich
aus der Spannung zwischen dem Festhalten der Heilsverheißung und der gegenwärtigen Unheilserfahrung und ist
göttliche Antwort auf fürbittende Klage. Die Aussage ist
ganz aus der Sicht Israels heraus gemacht und darum erst
sekundär paränetisch für die Heidenchristen umfunktioniert[37].

c) Ergebnis

Die Modifikationen gegenüber der Zionstradition sind also
aus der Situation heraus zu verstehen, in der die Heilsverheißung für Israel mit der Unheilserfahrung konfron-
tiert wird. Sie annullieren nicht die Annahme, daß Pls
hier betont die Heilsverheißung für Israel in Gestalt
der Zionstradition rezipiert, sondern bestätigen sie.

Ursprünglich kam innerhalb dieser Tradition den Heidenvölkern gleichsam nur eine "Statistenrolle" zu, sie hatten
dienende Funktion für die Verherrlichung Israels und seines
Gottes. Dieser Rolle wurden die Heidenvölker durch die

---

34) GÜTTGEMANNNS, aaO 55.

35) Ebd, wohl mit Anspielung auf BULTMANN, Theologie
484, nach dessen Urteil "das heilsgeschichtliche
μυστήριον Rm 11,25ff. der spekulierenden Phan-
tasie entspringt" und CONZELMANN, Grundriß 276f.

36) BATEY, Interpretation 20, 223: "His mystery was
the affirmation of God's saving power over man-
kind, resulting from the apocalyptic conviction
that God controls human destiny"; SCHLIER, Röm
341: "Das ist eine neue Interpretation jüdischer
Erwartung".

37) Cf. auch U. MÜLLER, aaO 228f, der auf den wechseln-
den "Sitz im Leben" aufmerksam macht.

172   erfolgreiche christliche Mission in den Augen der Gemeinde entkleidet. Das Gefälle drohte sich dadurch umzukehren:
Das verstockte Israel schien nun nur noch dienende Funktion
zu haben, nur noch Mittel zu sein zur Rettung der Völkerwelt.

Demgegenüber rekurriert Pls auf die alte Zionstradition,
die er natürlich durch seine Rechtfertigungstheologie
konturiert. Er erneuert so diese Verheißung und aktualisiert sie im Kontrast zur gegenwärtig gegenläufigen
Erfahrung.

Die These, daß Pls diese Tradition "in ihr Gegenteil
verkehrt"[38], stimmt für V.25-27 gerade nicht. Die Umkehrung der Tradition ist vielmehr vorpln - und im Blick
auf 1Thess vielleicht frühpln[39]. In Röm 11,25-27 insi-
stiert Pls aber gerade auf den dieser Tradition innewohnenden Heilsaussagen für Israel, die unter dem Druck
gegenläufiger Erfahrungen und der damit verknüpften
Rollenvertauschung zwischen Israel und den Völkern verloren zu gehen drohen. Die Umkehrung der Tradition trägt
in V.25-27 nicht den Ton, sondern sie wird als gegeben
vorausgesetzt und dann zugunsten der ursprünglichen Intention der Zionstradition, d. h. zugunsten Israels eingeschränkt.

Man muß also sehr wohl "in dem von Paulus in apostolischer
Autorität verkündeten Mysterium die Erfüllung der alttes-
tamentlich-jüdischen Hoffnung auf die Wallfahrt der Völker
zum Zion und die endzeitliche Verherrlichung Israels"[40]
sehen[41].

Diese Erkenntnis führt zu dem für christliche Exegeten
aufregenden Tatbestand, daß Pls Israel nicht der Kirche
subsummiert oder es in sie integriert, sondern umgekehrt:
er die Kirche in die Verheißungsgeschichte Israels integriert sieht[42]. Seine Intention ist also primär

---

38)   KÄSEMANN, Röm 299; cf. EVB II, 244.
39)   Sie spiegelt sich wie in den ersten beiden Zeilen
       der Prophetie auch in V.11-15 und V.28-32; cf.
       die Kontextanalyse u.S.181ff.
40)   STUHLMACHER, aaO 561.
41)   Gegen ZELLER, aaO 255.
42)   Impulse zu dieser Sicht der Dinge verdanke ich
       BERTOLD KLAPPERT, mündlich; cf. jetzt: KLAPPERT, Traktat.

nicht israelkritisch, sondern kirchenkritisch[43]. Der
kommende Retter ist Jesus Christus als der "Messias
Israels vom Zion her", dem Israel und die Völkerkirche
entgegengehen.

Natürlich ist diese pln Sicht von der Auferweckung des
gekreuzigten Jesus, dem Christus iustificans her ent-
worfen und darum "an dem Zeugnis der Kontinuität der
Gnade Gottes und seines in der Erwählung begonnen Heils-
werkes stärker interessiert... als an geschichtlichen
Kausalabläufen"[44]. Weil es die Gnade des verheißenden
Gottes Israels ist, ist sie für Pls nicht abstrahierbar
von der Verheißungsgeschichte Israels[45]. Wohl zerbricht
das Evangelium kontinuierliche Geschichtskonstruktionen,
nicht aber die Verheißungsgeschichte Israels. Im Gegenteil! In der Retrospektive gibt es sich als Teil eben
dieser konkreten und unverwechselbaren Verheißungsgeschichte zu erkennen. Und dann bleibt in der Tat für
Christen nichts "anderes als eine letzte Dankbarkeit,
als eine unkündbare Solidarität... im Verhältnis der
Kirche zu Israel"[46].

3. Τὸ πλήρωμα τῶν ἐθνῶν als numerus iustorum

Indem wir die Limitierung der Zeit unabgegoltener Verheißung als konstitutives Element der oben analysierten
Tradition erkannt haben, dürfte sich von daher die Annahme nahelegen, daß diese Limitierung auch in Röm 11,25
mit Hilfe des Motivs vom numerus iustorum zum Ausdruck
gebracht wird.

a) D. ZELLER hat diese Möglichkeit aufgrund seiner
Beobachtungen und Überlegungen ernsthaft erwogen, dann

---

43) Cf. EICHHOLZ, Theologie 290; RICHARDSON, Israel
     130: "the thought is distinctly Israel-centric".

44) STUHLMACHER aaO 569f.

45) Die Frage A. SCHLATTERs (im Anschluß an die Beob-
     achtung, daß Pls in V.26 ἐκ statt ἕνεκεν Σιών schreibt)
     "Wollte Paulus sagen, daß Christus seine Gemein-
     schaft mit Israel nie verleugne, sondern auch in
     seiner himmlischen Herrlichkeit mit ihm verbunden
     sei und zu Zion gehöre?", kann man nur mit einem
     uneingeschränkten Ja beantworten.

46) EICHHOLZ, aaO 198.

aber verworfen. Seine Gegenargumente aber sind durchaus
zu entkräften.

Zum einen geht ZELLER nämlich von der irrigen Vorstellung
aus, als ob beim Motiv des numerus iustorum "das Moment
der tatsächlichen Fülle... verloren" ginge[1] und nur "an
eine Auswahl von Individuen" gedacht sei[2]. Das aber stimmt
weder für die oben angeführten Stellen[3], noch für die, in
denen der numerus iustorum ohne Determinationsfunktion eine
Rolle spielt[4]. Der numerus ist zwar nicht einfach identisch mit der Totalität des Vorgegebenen und Faktischen
- er dient darum nicht einer Apokatastasis-Lehre -, er
bezeichnet aber an allen Stellen die eschatologische Fülle,
hat also inkludierenden Charakter[5] und dabei sehr wohl
"das Schicksal großer Gruppen"[6] im Blick[7]. Zum anderen
soll εἰσέρχεσθαι nach ZELLER "das Hinzukommen zu einem
Grundbestand... beschreiben" und dieser Grundbestand sei
"die jetzt schon reiche Ernte der gläubigen Heiden, die
durch das πλήρωμα voll gemacht wird"[8]. Philologisch
läßt sich diese Exegese kaum halten. Das, was D. ZELLER
beschreibt, würde wohl (im Blick auf Kol 1,24) im Griechischen eher heißen: ἄχρι οὗ τὰ ὑστερήματα τῶν ἐθνῶν ἀναπληρωθῇ.
Und selbst dann wäre die Vorstellung vom eschat. Maß
gebraucht.

b) Auffällig ist allerdings <u>die singuläre Formulierung</u>
τὸ πλήρωμα τῶν ἐθνῶν , die auch zum Anlaß für die
Bestreitung des Maßmotivs geworden ist[9].

---

1) AaO 254.

2) Ebd.

3) S.o.S.109ff.

4) S.u.S.193ff.

5) Lk 14,23f ist die einzige Ausnahme; s. dazu u.S.191.

6) ZELLER ebd.

7) Der inkludierende Charakter des numerus wird,
ohne daß damit die Totalität gemeint ist, besonders deutlich in dem multi in 4Esr 4,34 (s.o.S.
111). Die 144 000 Versiegelten der Apk sind die
"Gesamtheit des Gottesvolkes" (s.u.S.197f).

8) AaO 256.

9) Cf. MUNCK, Christus 100; Paulus 39f.

Der Exegese von J. MUNCK[10] und D. ZELLER[11] entspräche
eine Aussage, die etwa so lauten würde: ἄχρι οὗ πάντα τὰ
ἔθνη εἰσέλθη . In dieser Formulierung hätte der Text
einige nt. Parallelen.

Πάντα τὰ ἔθνη [12] bezeichnet 8mal im NT das neutrale
oder feindliche Gegenüber zum Gottesvolk: Mt 6,32 par.
Lk 12,30; Mt 24,9; Lk 21,24; Apg 14,16; Apk 12,5; 14,8;
18,3.23. An den übrigen Stellen hat πάντα τὰ ἔθνη
positive Bedeutung. 6mal sind sie Adressaten der missi-
onarischen Sendung: Mk 13,10 par Mt 24,14; Mt 28,19;
Lk 24,47; Röm 1,5; 16,26; 2Tim 4,17. 5mal wird die LXX
zitiert, jeweils mit einem Satz aus der Tradition von
der eschat. Völkerwallfahrt zum Zion, innerhalb deren
die Wendung fest verwurzelt ist[13] oder einer anderen
Tradition, die der Völkerwelt Partizipation am Heil
Israels verheißt: Mk 11,17; Apg 15,17; Röm 15,11;
Gal 3,8; Apk 15,4. In Mt 25,32 schließlich wird die
Tradition der Völkerwallfahrt ohne wörtliches Zitat
aufgenommen[14] .

Die zuletzt genannten zwölf positiven πάντα τὰ ἔθνη -
Sätze kommen am ehesten als Verstehenshilfen für die
Exegese von Röm 11,25 in Frage. Sie haben ihren festen
Ort sowohl in den Missionsaussagen, wie in der Tradi-
tion der Völkerwallfahrt. Sie stellen geradezu einen
Angelpunkt zwischen beiden dar und sind möglicherweise
ein Hinweis auf die Zusammengehörigkeit von Mission
und Völkerwallfahrt im Urchristentum.

Der Aussage des Pls in Röm 11,25 kommt am nächsten ein
(wohl kaum auf Jesus selbst zurückgehendes[15]) Logion aus
der synoptischen Tradition:[16]

> "Und zuerst muß das Evangelium verkündigt werden an
> alle Völker." (Mk 13,10)
> "Und dieses Evangelium vom Reich wird verkündigt
> werden im ganzen Erdkreis allen Völkern zum Zeugnis,
> und dann wird das Ende kommen." (Mt 24,14)

---

10) Christus 100; Paulus 40f;

11) AaO 256-258.

12) K. L. SCHMIDT, ThWNT II, 366-369, separiert nicht
die πάντα τὰ ἔθνη -Stellen und kommt darum zu
einem weniger durchsichtigen Befund.

13) Cf. z. B. Jes 2,3; 56,7; Jer 3,17; Hag 2,7; Sach
14,16; Ps 86,9.

14) JEREMIAS, Verheißung 54f.

15) JEREMIAS, NtTh I, 134f.

16) Cf. CULLMANN, Vorträge 327-329.353.356; MUNCK,
Christus 100f; Paulus 41; STUHLMACHER, aaO 565f;

KÄSEMANN, Röm 300.

Wie in Röm 11,25f ist hier die Missionierung der umfassen-
den Zahl der Völker Determinationsfaktor für das Ende[17].
Darauf weist in Mk 13,10 das πρῶτον δεῖ und in Mt 24,14
καὶ τότε ἥξει τὸ τέλος.

Πάντα τὰ ἔθνη ist hier wie im AT nicht im Sinne numeri-
scher Vollständigkeit gesagt, sondern unter Verwendung des
semitischen Repräsentanzdenkens (pars pro toto) meint es
die Gesamtheit der Völkerrepräsentanten. Πάντα τὰ ἔθνη
heißt nicht "alle Menschen aller Völker", sondern "Vertreter aller Völker"[18]. Andererseits schließt die πάντα -
Formulierung aus, daß es bei den Vertretern aller Völker
um eine exklusive Schar geht.
Sachlich also meint τὸ πλήρωμα τῶν ἐθνῶν nichts anderes
als πάντα τὰ ἔθνη[19]. Die Formulierung setzt demgegenüber

17)   Als gravierender Unterschied zu Röm 11,25f fällt
      auf, daß in Mk 13,10/Mt 24,14 nicht von der Erlö-
      sung Israels die Rede ist. STUHLMACHER hält "des-
      halb die paulinischen Äußerungen traditionsgeschicht-
      lich für älter als Mk 13,10" (aaO 566), meint also,
      dieser Gedanke sei im Laufe der Traditionsgeschichte
      verblaßt oder verschwunden. Das aber scheint mir
      fraglich. Ist die Überzeugung, daß die Bevorzugung
      der Völkerwelt vor Israel endgültig ist, die Hei-
      denmission Israel also definitiv überholt hat, vor-
      pln (und vielleicht frühpln) und markiert diese
      Überzeugung die Position der Gesprächspartner in
      Röm 11, die sich mit der in Mk 13,10 enthaltenen
      Tradition bestens deckt, dann ist sie traditions-
      geschichtlich älter als Röm 11,25f (so auch CULL-
      MANN, aaO 328). Im übrigen ist zu fragen, ob "von
      dieser Erlösung Israels... die synoptische Apoka-
      lypse Mk 13 und vor allem der für den Vers 10 ver-
      antwortliche Markusevangelist nicht mehr in der
      Deutlichkeit, die wir bei Paulus... finden" (STUHL-
      MACHER ebd) sprechen. B. KLAPPERT weist darauf hin,
      daß mit der Heimholung der Diaspora durch den Men-
      schensohn (V.27) die Erlösung "ganz Israels" sehr
      wohl in Mk 13 verheißen ist. Wie Mk 13,10 Röm 11,25b ent-
      spricht, so Mk 13,27 Röm 11,26f (Traktat 102f).

18)   Darauf weist J. MUNCK selber hin (Christus 101);
      cf. JEREMIAS, Beobachtungen 197. Das wird auch
      in der Zahl 144 000 für die Gesamtheit des Gottes-
      volkes deutlich: jeder der zwölf Stämme ist re-
      präsentiert; s.u.S.198.

19)   Cf. DELLING, ThWNT VI, 300; F. W. MAIER, Israel
      142. - Πλῆθος ἐθνῶν, mit dem die LXX zutreffend
      den im AT singulären Ausdruck מְלֹא־הַגּוֹיִם
      in Gen 48,19 übersetzt, heißt hingegen "Vielzahl"
      und nicht "Vollzahl", meint also etwas anderes als
      τὸ πλήρωμα τῶν ἐθνῶν . Mit Hinweis darauf, daß es
      in Gen 48 auch um Rollenvertauschung (nämlich Ver-
      tauschung der natürlichen Vorrechte unter den

gleichwohl einen anderen Akzent. Angesichts dessen, daß
die Mission Determinationsfaktor für das Ende ist, ist
ja damit Menschen die Möglichkeit gegeben, durch missionarische Tätigkeit am Kommen des Endes mitzuwirken[20]. Die
Formulierung τὸ πλήρωμα τῶν ἐθνῶν , die sachlich nichts
anderes meint als πάντα τὰ ἔθνη , hält demgegenüber aber
betont fest, daß die Größe der Schar der Völkerrepräsentanten weder unbestimmt, noch einfach mit den empirischen
Gegebenheiten identisch ist, sondern eine souveräne Setzung
Gottes darstellt[21]. Damit ist gesichert, daß der Zeitpunkt
des Endes trotz menschlicher Mitwirkung ganz Gottes Sache
ist.

Der Termin ist einerseits menschlicher Einsicht total
verschlossen[22]. So wird dem Gedanken gewehrt, als ob
das Kommen des Endes ganz in die Hand des Missionars
gelegt sei. Gott ist der Souverän. Er hat das Maß gesetzt; seine Größe ist sein Geheimnis. Dieses Maß ist
die Klammer, der Rahmen, innerhalb dessen sich missio-
narisches Tun vollzieht als Mitwirkung an der Komplettierung des Maßes.

Andererseits wird dem Gedanken gewehrt, als ob der Termin des Endes ganz unbestimmt sei , gleichsam auf dem
St. Nimmerleinstag liege. So wird securitas verhindert,
die sich mit dem Gedanken nähren könnte, der Herr könne
nicht kommen, solange es noch unbekehrte Menschen gäbe.

c) J. MUNCK bestreitet das Motiv vom numerus iustorum
in Röm 11,25 auch deshalb, weil hier zwar von πλήρωμα,
nicht aber von ἀριθμός die Rede ist[23]. Nun haben wir
oben schon gesehen[24], daß die Forderung, bei Verwendung
des Motivs müsse ἀριθμός stehen, irrig ist - so irrig wie
die Forderung, es müsse bei Verwendung des Motivs vom
eschat. Maß μέτρον stehen. ἄχρι οὗ ὁ ἀριθμὸς τῶν ἐθνῶν πληρωθῇ
ist als Formulierung aufgrund der Parallelen also

Josephsöhnen) geht, möchte P. LAPIDE Röm 11,25f
mit Hilfe von Gen 48,19 deuten (so mündlich) -
aus den genannten Gründen schwerlich zu Recht.
20) S. dazu u.S.187f.
21) Cf. F. W. MAIER, aaO 142.
22) Cf. F. W. MAIER ebd; MUSSNER, aaO 245.
23) Christus 100; Paulus 40.
24) S.o.S.9. 14 u.ö.

178 gar nicht zu erwarten. Wohl aber könnte der Nominalausdruck wie in Apk 6,11 verbal ersetzt sein, etwa so: ἄχρι οὖ
τὰ ἔθνη ἐν Σιὼν πληρωθῇ. Damit aber wäre das gleiche
Phänomen gegeben wie in Gal 4,4[25]. Pls bevorzugt den
Nominalausdruck πλήρωμα statt der grundsätzlich auch
möglichen Verbalkonstruktion mit πληροῦσθαι.

d) Schließlich ist ungewöhnlich und ohne Parallelen, daß
das Numerus-Motiv auf die Völkerrepräsentanten übertragen
ist. Aber diese Auffälligkeit wird sofort relativiert,
wenn man in Rechnung stellt, daß das Motiv in allen Belegen[26] im Hinblick auf die Heilsempfänger gebraucht
ist - was auch für Röm 11,25 gilt[27], und andererseits
innerhalb dieser Tradition auch andere Modifikationen
um der aktuellen Zuspitzung willen vorgenommen sind.
Wie in Apk 6,11 die Heilsempfänger als Märtyrer spezifiziert sind, so in Röm 11 vom Kontext her als Heilsempfänger aus der Völkerwelt.

4. Πᾶς Ἰσραήλ als numerus iustorum

Die Bedeutung von πᾶς Ἰσραήλ ergibt sich eindeutig
aus der Zweckangabe des Mysterions. Soll es "die Heidenchristen zur Bescheidenheit rufen"[28], folgt daraus notwendig, daß diese hybriderweise die Rettung von πᾶς Ἰσραήλ
bestritten. Was sie konzedierten, war allenfalls die
Rettung des λεῖμμα ,des kleinen Teils Israels, der sich
zu Jesus Christus bekehrt hatte, also der Judenchristen.
Demgegenüber betont Pls die Rettung ganz Israels, also
auch die der Mehrheit Israels, die sich weigert, den
Messias Jesus anzuerkennen. Πᾶς ist dabei nicht als nu-
merisch vollständig (gar im Sinne einer Apokatastasis-
Lehre) zu verstehen, sondern als emphatischer Gegenbegriff zu λεῖμμα[29].

---

25) S.o.S.62ff.
26) Zu äHen 47,4; 4Esr 4,33-37; Apk 6,9-11 s.o.;
     u.S.193ff werden weitere Belege gegeben.
27) Das impliziert das εἰσέλθῃ , das als Ankunft
     auf dem Zion den Heilsempfang beschreibt.
28) JEREMIAS, aaO 195; s.o.S.168 A.22.
29) Cf. das gleiche Phänomen in Sanh. 10,1 (BILLER-
     BECK III, 293; JEREMIAS, aaO 199f).

benutzt, und zwar auf Israel beschränkt. Es meint die von
Gott bestimmte Anzahl der Heilsempfänger aus dem jüdischen Volk[30]. Dabei ist das exklusive Mißverständnis
durch πᾶς eindeutig ausgeschlossen. Und da Ἰσραήλ
Ehrentitel des eschatologischen Gottesvolkes ist, zu
dem nicht automatisch alle Angehörigen des jüdischen
Volkes gehören (cf. Röm 9,6), ist andererseits auch
das biologisch-numerische Mißverständnis ausgeschlossen[31].

Völlig verfehlt aber wäre es, aus letzterem den Schluß
zu ziehen, πᾶς Ἰσραήλ sei in Analogie zu ὁ Ἰσραήλ τοῦ
θεοῦ in Gal 6,16 als "das neue Gottesvolk aus Juden
und Heiden" zu verstehen. Diese Deutung der Reforma-
toren[32], die auch in unserem Jahrhundert gelegentlich
vertreten wurde[33], hat kürzlich wieder J. JEREMIAS erneuert. Er möchte dabei πᾶς Ἰσραήλ als so etwas wie
"die Summe aus einer dreigliedrigen Addition"[34] auf-
fassen, wobei die ersten beiden Glieder der Addition
den ersten beiden Gliedern der Prophetie entsprechen, das
dritte Glied zu ergänzen ist[35].
Dem stehen folgende Schwierigkeiten entgegen:

---

30) "'Ganz Israel' sind genauso wie 'die Vollzahl der
    Heiden'nicht alle einzelnen, sondern die Ganzheit;
    wenn ganz Israel gerettet ist, dann kann es noch
    einzelne gleichgültige, ungläubige Juden geben,
    aber keine Synagoge mehr, die das Evangelium um
    ihrer Schrift und Tradition willen ablehnt"
    (GOPPELT, Israel 185; cf. Judentum 119; MICHEL,
    Röm 281 A.3.

31) Cf. GUTBROD, ThWNT III, 390 A.133; SCHRENK, Weis-
    sagung 35; MUNCK, Christus 102; DINKLER, aaO 90;
    HAHN, Mission 91 A.1; LUZ, aaO 291f; KÄSEMANN,
    Röm 300.

32) Cf. MICHEL, Röm 281 A.2; zur altkirchlichen Aus-
    legung cf. ITURBE, Israel.

33) K. BARTH, Röm 401; MUNCK, Christus 99; GLOMBITZA,
    Sorge 316; CULLMANN, Heil 143; GÜTTGEMANNS, Heils-
    geschichte 49.

34) Formulierung in Anlehnung an MUSSNER, aaO 243; cf.
    auch F. W. MAIER, aaO 140.

35) "'Ganz Israel' umfaßt 1) den nicht verstockten Rest
    gemäß der Gnadenwahl (11,5), die 7 000 (11,4), 2)
    die von Gott festgesetzte Zahl der Heiden und 3)
    das von der Verstockung befreite Israel"
    (Beobachtungen 200; cf. 206).

1. Das dritte (bei dieser Deutung entscheidende) Glied steht nicht im Text.

2. Das erste Glied steht ebenfalls nicht im Text, sondern muß via negationis erschlossen werden: Nicht von der Rettung, sondern von der Verstockung eines Teils Israels ist im ersten Glied die Rede.

3. Die Völkerwallfahrt zum Zion, aus der heraus auch JEREMIAS mit Recht das $\varepsilon\dot{\iota}\sigma\acute{\varepsilon}\lambda\vartheta\eta$ deutet[36], wird so ungewollt zu einer "Völkerwallfahrt zur Kirche"[37].

4. Die kunstvolle Verknüpfung der drei Glieder der Prophetie, auf die JEREMIAS z. T. selber aufmerksam macht[38] und die auf die Implikatstruktur der Aussagen hinweist, bleibt zugunsten einer additiven Summierung unberücksichtigt.

5. Eine verschiedene Bedeutung von Israel im ersten und dritten Glied ist ganz undenkbar[39].

6) Schließlich erheben sich vom Kontext her schwer-

---

36) AaO 197f.

37) V.16-24 exegesiert JEREMIAS hingegen anders: "Israel... bleibt doch das Verheißungsvolk des Endes; die Heiden sind die wilden Ölzweige, die... in den Ölbaum, der Israel heißt, eingepflanzt worden sind" (aaO 215). Auf die parallele Aussageintention von V.16-24 und V.25-27 weist mit Recht RICHARDSON, Israel 192f.

38) Prospektiver Konjunktiv bei $\overset{\prime}{\alpha}\chi\rho\iota\ o\overline{\tilde{\upsilon}}$, aaO 196.

39) Das gilt auch nach JEREMIAS' Antwort auf KÜMMELs Einwand (aaO 210; cf. 200 A.35). a) Der Hinweis auf V.28 klärt nichts, da hier das Wort Israel nicht vorkommt und das Verständnis von V.28 sich nach der jeweiligen Deutung von V.25f richtet. Daß auch in V.28b von Israel (und nicht der Kirche aus Juden und Heiden) die Rede ist, zeigt doch der diesen Versteil begründende V.29 und vor allem die in V.28 einsetzende Gegenüberstellung von Heidenchristen (2. pers. pl.) und Israel (3. pers. pl.). So muß man ja doch auch die Interpretation dieser Verse durch JEREMIAS selbst (aaO 202f) verstehen, bei der er das Volk Israel den Heidenchristen gegenübergestellt sieht. b) Der Hinweis auf 9,6b zieht als Argument schon deshalb nicht, weil hier eine explizite Unterscheidung bei gleichem Terminus vorliegt, während in 11,25f eine solche Unterscheidung nach JEREMIAS' Exegese stillschweigend vorgenommen wäre. Im übrigen bleibt zu fragen, ob Pls nicht in 9,6b nur eine innerisraelitische Unterscheidung macht: nicht alle Israeliten sind die Kinder der Verheißung. Daß zu den Kindern der Verheißung auch Heiden dazukommen, ist zwar richtig, steht aber doch in 9,1-13 gar nicht zur Debatte.

JEREMIAS eigenen Worten gibt Pls mit dem Mysterion
"eine zweite Begründung für seine Gewißheit der Heim-
kehr Israels"[40]. b) Die paränetische Absicht gegenüber heidenchristlicher Hybris wie c) die gesamte
Gedankenführung in Röm 11 verbieten einfach eine solche Deutung[41].

Es bleibt dabei: πᾶς Ἰσραήλ ist emphatischer Gegenbegriff
zu λεῖμμα (V.5) und οἱ λοιποί (V.7), die ja mit dem ersten
Glied des Prophetenspruchs in bewußtem Kontrast zum dritten
in Blick genommen sind (πώρωσις ἀπὸ μέρους...[42]), Korrelat-
begriff ist τὸ πλήρωμα τῶν ἐθνῶν[43].
Darüberhinaus scheint es mir auch identisch zu sein mit
τὸ πλήρωμα αὐτῶν in V.12. Bevor das näher untersucht
wird, möchte ich zunächst den Gedankengang von Röm 11,11-
32 nachzuzeichnen versuchen, um so auch die Stellung des
Mysterions in seinem Kontext zu erhellen.

5. Die Gedankenführung von Röm 11,11-32

Der ganze Abschnitt - außer dem paränetisch-paraboli-
schen Stück V.16-24[1] - wird von der gleichen Aussage-
struktur beherrscht[2]. Die in V.11 rhetorisch gestellte
und sogleich verneinte Frage eröffnet den Gedankengang,
mit dem Pls aufweist, wieso die Verwerfung Israels keine
zeitlich-endgültige, keine irreversible Verwerfung ist.
Daß sie keine numerisch-totale ist, hatte er zuvor in
V.1-10 dargelegt.
Er geht von der von den Adressaten offenbar akzeptierten
Prämisse aus: "Israels Fall ist nicht Selbstzweck"[3], sondern impliziert die Rettung der Völkerwelt. Über diese

---

40) AaO 193.

41) S.u.S.181-185.

42) Cf. MICHEL, Röm 281; B. MAYER, aaO 287; MUSSNER,
    aaO 242f.

43) Cf. MICHEL, ebd; DINKLER, aaO 91.

1) Daß V.17-24 im Unterschied zum Kontext die 2.
   pers. sing. gebraucht, ist stilistisch bedingt.
   Der Abschnitt bereitet die Mitteilung der
   Prophetie vor. Er hat die gleiche paränetische,
   kirchenkritische Tendenz und wie die Prophetie
   eine israel-zentrische Intention.

2) S. die Übersicht auf der nächsten Seite.

3) GOPPELT, Judentum 118.

182

Verwerfung Israels	Rettung der Völker	Rettung Israels
11a ... ἔπταισαν		ἵνα πέσωσιν; μὴ γένοιτο.
b ... τῷ αὐτῶν παραπτώματι	ἡ σωτηρία τοῖς ἔθνεσιν	εἰς τὸ παραζηλῶσαι αὐτούς.
12a ... τὸ παράπτωμα αὐτῶν	πλοῦτος κόσμου	
b ... τὸ ἥττημα αὐτῶν	πλοῦτος ἐθνῶν	
c		πόσῳ μᾶλλον τὸ πλήρωμα αὐτῶν
14		...πως παραζηλώσω μου τὴν σάρκα καὶ σώσω τινὰς ἐξ αὐτῶν
15a ... ἡ ἀποβολὴ αὐτῶν	καταλλαγὴ κόσμου	τίς ἡ πρόσλημψις εἰ μὴ ζωὴ ἐκ νεκρῶν
b		

16-18: "μὴ κατακαυχῶ τῶν κλάδων"

19-22: "μὴ ὑψηλὰ φρόνει, ἀλλὰ φοβοῦ"

23a		Ἐὰν μὴ ἐπιμένωσιν τῇ ἀπιστίᾳ ἐγκεντρισθήσονται,
b		δυνατὸς γάρ ἐστιν ὁ θεὸς πάλιν ἐγκεντρίσαι αὐτούς.
24		a maiore ad minus
25f ...πώρωσις ἀπὸ μέρους τῷ Ἰσραὴλ γέγονεν	ἄχρι οὗ τὸ πλήρωμα τῶν ἐθνῶν εἰσέλθῃ	καὶ οὕτως πᾶς Ἰσραὴλ σωθήσεται
26f		Grund: Schriftverheißung
		"Christus iustificans Israel"
28 κατὰ μὲν τὸ εὐαγγέλιον ἐχθροὶ	δι' ὑμᾶς	κατὰ δὲ τὴν ἐκλογὴν ἀγαπητοὶ διὰ τοὺς πατέρας
29		ἀμεταμέλητα γὰρ τὰ χαρίσματα καὶ ἡ κλῆσις τοῦ θεοῦ
Verwerfung der Völker		
30 ....ὑμεῖς ποτε ἠπειθήσατε τῷ θεῷ	νῦν δὲ ἐλεήθητε	
τῇ τούτων ἀπειθείᾳ		
31 νῦν ἠπείθησαν	τῷ ὑμετέρῳ ἐλέει	ἵνα καὶ αὐτοὶ νῦν ἐλεηθῶσιν
32 συνέκλεισεν γὰρ ὁ θεὸς		
τοὺς πάντας εἰς ἀπείθειαν	ἵνα τοὺς πάντας ἐλεήσῃ	

Aussage, die er mehrfach wiederholt (V.11b.12a.b.15a. 25b.28a.30b.31a), stößt er nun in verschiedenen Anläu- fen hinaus[4], mit denen er jeweils die Hoffnung für das Volk Israel artikuliert[5]. Dabei werden seine Aussagen immer "kühner"[6], bis sie in der Prophetie V.25ff gipfeln:

1. Die sich vollziehende (noch nicht abgeschlossene) Rettung der Völkerwelt impliziert das "Eifersüchtig- Werden" Israels (V.11b). Dem dient die pln Mission (V.13f). Das Ergebnis ist aber nur σώσω τινὰς ἐξ αὐτῶν[7].

2. Pls konstatiert die Rettung ganz Israels aphoristisch am Ende der Qal-wachomer-Schlüsse, ohne zu begründen (V.12c.15b).

3. Pls visiert die Rettung ganz Israels als bedingte Möglichkeit metaphorisch am Ende des Ölbaum-Bildes an (V.23a.b). Diese Aussage begründet er mit dem Schluß a maiore ad minus (V.24)[8].

4. Pls sagt die Rettung ganz Israels prophetisch-asser- torisch an (V.25-27).

Hier nimmt er noch einmal seine Prämisse auf: Die Ver- werfung Israels impliziert (prospektiver Konj.!) die Rettung der Völkerwelt (V.25b). Im Unterschied zu V. 11-15, wo er die Rettung der Völkerwelt der Verwerfung Israels statisch gegenüberstellt, erscheint die Rettung der Völkerwelt aber nun als ein limitierter Prozeß - als ein Prozeß, dem Gott ein Maß gesetzt hat in Gestalt der von ihm festgesetzten Völkerrepräsentanten. In der Limitierungsaussage liegt das Novum gegenüber dem Voran- gehenden und darum die Spitze des Prophetenspruchs[9]. Das Maß steht im Begriff sich zu füllen, ja sein Voll- werden steht unmittelbar bevor (νῦν, V.31).

---

4) Cf. EICHHOLZ, aaO 298.

5) Cf. C. MÜLLER, aaO 43f.

6) Cf. F. W. MAIER, aaO 138f.

7) Cf. 1Kor 9,22.

8) Cf. JEREMIAS, aaO 193f.

9) Cf. F. W. MAIER, aaO 140; ZELLER, aaO 251: "Darin geht das 'Geheimnis' über das bisher von der Zu- kunft Israels Gesagte hinaus, daß es einen Termi- nus ad quem für seine Verstocktheit angibt. Diese Erkenntnis befähigt Pl dann auch, mit Bestimmtheit die künftige Rettung ganz Israels als Tat Gottes anzusagen. Darauf liegt dem Kontext nach der Haupt- akzent".

Eben weil die Rettung der Völkerwelt damit ein zeitlich-
limitierter Prozeß ist und die Verwerfung Israels nur
diesem Ziele dient, ist auch die Verwerfung Israels
zeitlich limitiert. Die Verwerfung Israels hat mit dem
Erreichen der Vollzahl der Völkerrepräsentanten auf dem
Zion ihren Zweck erfüllt und wird darum folgerichtig
aufgehoben: "auf diese Weise wird ganz Israel gerettet" -
das λεῖμμα ist ja schon gerettet (V.1-10).

V.26f gibt mit der Verheißung der Schrift den Rechtsgrund für diese prophetische Verheißung des Pls an: der
kommende ῥυόμενος ἐκ Σιών ist der, der souverän die
Gottlosigkeit von Israel-Jakob[10] wegnimmt und damit
παράπτωμα (V.11f), ἐχϑρός -Sein (V.28) und ἀπείϑεια
(V.30-32) annulliert, der den Bund mit Israel erneuert
und damit ἥττημα (V.12), ἀποβολή (V.15) und πώρωσις
(V.25) aufhebt. Der Parallelismus korrespondiert also
dem oben sichtbar gewordenen von Tat und Ergehen[11].

Diese prophetische Verheißung wird dann ausgelegt[12],
wobei den Christen aus der Völkerwelt (2. pers. pl.)
das Volk Israel (3. pers. pl.) gegenübergestellt wird.
In V.28b.29.31b ist darum wie in V.26a das Volk Israel
gemeint, nicht die Kirche aus Juden und Heiden. Diese
kommt - allenfalls! - in V.32 in Blick.

Das παραζηλῶσαι αὐτοὺς .... σώσω τινὰς ἐξ αὐτῶν
ist also nicht das Gleiche wie πᾶς Ἰσραὴλ σωϑήσεται[13].
Das "Eifersüchtig-Werden" von "einigen aus Israel" ist
eine Frucht der gegenwärtig laufenden Mission der Völker durch Pls. Die Rettung ganz Israels ist ein Ereignis , nachdem die Völkerrepräsentanten vollzählig
auf dem Zion erschienen sind[15], das allerdings natur-
gemäß nicht näher konkretisiert ist[16].

---

10) Cf. RICHARDSON, aaO 129.

11) Cf. die Kombination von ἀσέβεια und ἁμαρτίαι
wie in der Aussage der iustificatio impiorum in Röm 4.

12) Cf. RICHARDSON, aaO 128; gegen SCHRENK, Studien 75.

13) MUSSNER, aaO 251.

15) Cf. GRUNDMANN, Paulus 275.

16) Der Charakterisierung als "Sonderweg" gegenüber
ist darum Vorsicht geboten (cf. ZELLER, aaO 245;
MUSSNER, aaO 251).

Ich kann diesen Tatbestand allerdings im Unterschied
zu PLAG nicht als "Widerspruch" verstehen, weder "innerhalb der Soteriologie", noch "innerhalb der Christologie"
[17], da hier wie da Christus Subjekt der Rettung ist und
allenfalls Unterschiede im Modus der Rettung bestehen,
die sich aber nicht widersprechen müssen[18]. Der Abschnitt Röm 11,11-32 ist also einheitlich und bruchlos.
V.25-27 erweisen sich als ein konstitutives und zentrales
Element innerhalb der pln Gedankenführung.

6. Τὸ πλήρωμα αὐτῶν (V.12) als numerus iustorum

Vom Duktus der Gedankenführung her legt sich die Vermutung nahe, daß auch in der Wendung τὸ πλήρωμα αὐτῶν
in V.12 das eschat. Maß Ausdruck gefunden hat. Das ist
allerdings nicht ganz eindeutig und dementsprechend in
der Forschung umstritten.

πλήρωμα kann hier entweder wie in V.25 quantitativ verstanden werden ("die Vollzahl")[19] oder wie in Röm 13,10
qualitativ (im Sinne von (Gebots-)Erfüllung)[20]. Der
Parallelismus mit ἥττημα hilft hier nicht viel weiter[21],
da dieses Wort außerordentlich selten ist[22] und seine
Bedeutung darum auch nicht eindeutig geklärt werden kann.
Grundsätzlich kann auch ἥττημα quantitativ ("Bruchteil")[23]
oder qualitativ ("Versagen")[24] verstanden werden.

---

17) AaO 10.

18) Cf. zur Kritik an der gewagten Hypothese PLAGs:
     SCHENK, ThLZ 95, 425f; STUHLMACHER, aaO 562ff;
     B. MAYER, aaO 293ff.

19) F. W. MAIER, aaO 120f; SCHLATTER, Röm 322; SCHRENK,
     Weissagung 34; MICHEL, Röm 272; DELLING, ThWNT VI,
     303; KÄSEMANN, Röm 292; ZELLER, aaO 239 A.2:"Aus
     πλήρωμα läßt sich der quantitative Sinn nicht
     wegdeuteln.".

20) BAUER WB 1334; LIETZMANN, Röm 103; PLAG, aaO 42f.

21) Er sollte allerdings auch nicht einfach für irre-
     levant erklärt werden (gegen SCHLIER, Röm 329f).

22) Jes 31,8; 1Kor 6,7. Von daher ist zu fragen, ob
     die Wortwahl nicht vielleicht von vornherein durch
     den πλήρωμα -Gedanken bestimmt war, ἥττημα
     also nur von πλήρωμα her gedeutet werden darf,
     nicht umgekehrt.

23) DELLING ebd.

24) BAUER WB 691: "Niederlage".

Nun scheint die dritte Vokabel, die hierzu im Parallelismus steht, παράπτωμα den Sinn des Satzes eindeutig zu
machen. Trotzdem: so sehr für παράπτωμα einzig ein quali-
tatives Verständnis zutreffend ist, so wenig ist doch
damit schon über die Bedeutung von πλήρωμα entschieden[25].
Denn der syntaktische Parallelismus als solcher ist mehr-
deutig. Es muß kein synonymer, es kann auch ein synthe-
tischer Parallelismus vorliegen, der den Aussagegehalt
bei formal gleicher Satzstruktur erweitert[26].

Dabei könnte die Zweideutigkeit von ἥττημα bewußt gewählt
sein, um so geschickt und kunstvoll der Verknüpfung von
Tun (παράπτωμα und ἥττημα) und Ergehen (ἥττημα und πλήρωμα)
Israels Ausdruck zu geben[27]. Παράπτωμα ("Versagen") knüpft
dann an V.11 an, während ἥττημα diesen Gehalt aufnimmt,
aber ihn zugleich auch erweitert im Hinblick auf das damit
verbundene Geschick ("Bruchteil"), um diesem dann die Möglichkeit der Komplettierung gegenüberzustellen[28].

Diese Annahme wird gestützt durch die Aussage in dem formal gleich strukturierten V.15[29], die ganz eindeutig und
nun ausschließlich am Ergehen Israels (ἀποβολή / πρόσλημψις)
orientiert ist[30].

Und schließlich spricht neben dem Duktus der Gedankenführung auch die Nähe zu V.25f für ein quantitatives Verständnis von τὸ πλήρωμα αὐτῶν in V.12[31]. Daß dem Apostel die
Prophetie auch schon bei der Abfassung von V.11ff bekannt

---

25) Gegen LIETZMANN, Röm 103.

26) Auch bei dieser Deutung bezeichnet "αὐτῶν alle
dreimal dasselbe, also die Gesamtheit des Volkes
Israel" (LIETZMANN, Röm 103), nämlich: ihr Versagen, ihr Bruchteil, ihre Vollzahl.

27) Daß πλήρωμα hier im Sinne des Ergehens Israels
gemeint ist, kann PLAG, aaO 34, schon deshalb
nicht zugeben, weil damit die ganze These seines
Buches fiele.

28) "Durch die Änderung von παράπτωμα zu ἥττημα
bereitet sich der kommende Gegensatz zu πλήρωμα
vor" (MUNCK, Christus 90).

29) Cf. F. W. MAIER, aaO 121; MICHEL, Röm 272;
KÄSEMANN, Röm 292.

30) Cf. ZELLER, aaO 240.

31) Sie ist ja wohl ein gewichtiges Argument, ohne
daß sie "zur Harmonistik verleiten" würde (PLAG,
aaO 34 A.126), setzt allerdings die literarische
Einheitlichkeit von Röm 11 voraus.

war, darf man ja wohl mit einigem Recht annehmen.
Die quantitative Deutung von πλήρωμα in V.12 ist also
die wahrscheinlichere. "Damit wird das Motiv des πᾶς
᾽Ισραήλ von 26 in seiner eschatologischen Modifikation
vorweggenommen"[32), das eschat. Maß also auch hier zum
Ausdruck gebracht.

7. "Theonome Reziprozität" [33)

Spätestens in Röm 11 wird deutlich, daß das Motiv vom
numerus iustorum nicht eo ipso streng theozentrisch
strukturiert ist[34). Hier werden seine anthropozentrischen Aspekte deutlich – und das nicht nur nebenbei wie
in Apk 6,11, sondern emphatisch und zentral.
Wird nämlich die Zahl der Heilsempfänger aus der Völkerwelt durch die pln Mission komplettiert, dann dient diese
missionarische Tätigkeit des Apostels direkt der Parusie
Christi. "Bildet die Nähe der Parusie einen Motor für das
apostolische Reisen, stimuliert seine Predigt ihrerseits
die Parusie"[35). Je mehr Menschen für das Evangelium
gewonnen werden, je eher der Apostel bis ans Ende der
Welt, d. h. für ihn: nach Spanien, kommt, desto eher
sind die Voraussetzungen für die Parusie geschaffen.

"Die apokalyptische Eingliederung der Heidenmission in
den eschatologischen Geschichtsablauf"[36) bei Pls ist
vergleichbar der anthropozentrischen Eschatologie Rabbi
Eliezers b. Hyrkanus u. a.[37). Hing die Ankunft des
Messias für diese Rabbinen entscheidend von der Buße und
dem Maß der Gesetzeserfüllung Israels ab, so für Pls von
den Früchten seiner Mission.
E. KÄSEMANN kann "sich kaum dem Eindruck entziehen, daß
hier ein Besessener einem Fiebertraum nachjagt"[38). Aber

---

32)   KÄSEMANN, Röm 292; cf. HAHN, Mission 91 A.1.

33)   Cf. BOHREN, Predigtlehre 65ff mit Berufung auf
      ANTON A. VAN RULER.

34)   S.o.S.110f.

35)   BOHREN, aaO 233.

36)   STUHLMACHER, Evangelium 253 A. 2.

37)   Cf. BILLERBECK I, 162-165.599f; IV, 992f.

38)   EVB II, 244. "Nirgendwo tritt die Maßlosigkeit
      des apostolischen Sendungsbewußtseins mehr her-

188 das ist m. E. nicht nur "der apokalyptische Traum eines
Mannes..., der in einem Jahrzehnt zu bewirken suchte, was
zwei Jahrtausenden nicht gelang"[39]. Diese in Röm 11 deutlich werdende "Kooperation von Gott und Mensch hinsicht-
lich der Vollendung"[40] hat nämlich sicher mehr als nur
historisch-exegetische Bedeutung.

Beachtet man das oben zur Wahl des Terminus τὸ πλήρωμα
τῶν ἐθνῶν statt πάντα τὰ ἔθνη Ausgeführte[41], wird
deutlich, daß diese Kooperation nur unter der Klammer
und im Rahmen der herrscherlichen, souveränen Setzung
Gottes zu verstehen ist, nur "dialektisch und als Paradox...
(als) eine Widerspruchseinheit"[42]. "Theonome Reziprozität" ist für diesen Sachverhalt sicher die angemessene
Umschreibung[43]. Freilich laufen diese dem Text erwach-
senden Impulse wider den Strom gegenwärtig gängiger theologischer Theorie und Praxis. Umso mehr sollte sich uns
dieser exegetische Sachverhalt imponieren[44].

---

aus, und nirgendwo erweist sich schärfer Apoka-
lyptik als treibendes Element der paulinischen
Theologie und Praxis... Er selber ist... nichts
anderes als Vorläufer der Parusie... so hat der
Apostel sich als Vollstrecker des gottgewollten
Ausganges der Heilsgeschichte betrachtet."
KÄSEMANN, Röm 294); cf. HENGEL, NTS 18, 20-22.

39) KÄSEMANN, Röm 294.

40) BOHREN, aaO 232.

41) S.o.S.177.

42) BOHREN, aaO 233.

43) Ebd.

44) Cf. die Konsequenzen, die BOHREN für die Predigtlehre daraus zieht: "In dieser Sicht gewinnt das
gern diskutierte Problem der Parusieverzögerung
einen überraschend neuen Aspekt. Möglicherweise
ist es nicht so, daß wir der Parusieverzögerung
wegen die Parusie nicht predigen können, wohl
aber so, daß es unserer Predigt wegen nicht zur
Parusie kommen kann!" (aaO 233).

==

Wie die mensura temporum[1] so hat auch das Motiv vom numerus
clausus in den Gleichnissen Jesu Ausdruck gefunden.

1. Wurde im Gleichnis vom Unkraut unter dem Weizen (Mt 13,24-30)
- wie in Mk 4,26-29 - das Motiv vom eschat. Maß durch den
Vorgang von Saat und Ernte metaphorisch zum Ausdruck gebracht,
so in dem strukturverwandten Gleichnis vom Fischfang (Mt 13,47f)
durch die Größe des ausgeworfenen Schleppnetzes[2]. Ὅτε ἐπληρώϑη
(V.48) entspricht dem ἕως τοῦ ϑερισμοῦ in Mt 13,30 und dem ὅταν δὲ παραδοῖ ὁ καρπός in Mk 4,29. So wie die Zeit zwischen Saat und Ernte nicht
beliebig ist, sondern vielmehr durch den Auswurf der Saat terminiert ist, so ist auch die Zeit zwischen Sammlung und Scheidung nicht beliebig, sondern durch den Auswurf des begrenzten
Schleppnetzes genau bemessen. Das Maß der Zeit ist determiniert
durch das Maß des Raumes, in dem sich die später zu Scheidenden
jetzt sammeln. Wie das Ende des Reifungsprozesses der Saat
durch die Aussaat gesetzt ist, so das Ende des Fischfangs durch
die Größe des Schleppnetzes.

Von hier aus bestätigt sich noch einmal unsere oben geäußerte
Vermutung[3], daß zwischen der Größe des Raumes, der Zahl der
sich darin Versammelnden und dem Termin des Endes ein Kausalnexus besteht: locus finitus facit numerum clausum facit finem
temporis.

2. Daß das Wachsen der Kirche bis zum Endgericht metaphorisch
durch die Füllung eines begrenzten Raumes beschrieben wird,
ist charakteristisch für das MtEv. Das gleiche Motiv findet
sich auch im Gleichnis vom Hochzeitsmahl (Mt 22,1-14)[4]. In
der Deutung des Mt wird mit dem Gleichnis vom Hochzeitskleid
(V.11-13) das Endgericht ins Spiel gebracht. Unmittelbar vorher steht der Satz: καὶ ἐπλήσϑη ὁ νυμφὼν ἀνακειμένων Daß der
Hochzeitssaal bis auf den letzten Platz mit Gästen besetzt ist,
ist die Voraussetzung für die Ankunft des Königs, der dann die
Prüfung der Gäste vornimmt.

---

1) S.o.S.74ff.
2) JEREMIAS, Gleichnisse 224.
3) S.o.S.145ff.
4) "Das ὅτε ἐπληρώϑη klang ihm als Zeichen für das Ende
    der Zeiten wie 22,10 das ἐπλήσϑη ὁ νυμφὼν ἀνακειμένων "
    (JÜLICHER II,566).

In beiden Gleichnissen ist das Endgericht also terminiert durch die Zahl der Christen, die ihrerseits vorab determiniert ist durch den Raum, in dem sie sich zum Endgericht sammeln.

Dabei ist das Motiv insofern modifiziert gegenüber den übrigen Belegen, als der numerus clausus hier nicht die Zahl der Heilsempfänger darstellt, sondern vielmehr die Zahl der Christen, aus denen die Schar der Heilsempfänger durch das zukünftige Gericht Gottes erst noch ermittelt wird. Diese Modifikation ist typisch für die mt Theologie, nach der "die 'Kirche' nicht schon Sammlung der Auserwählten und ewig Geborgenen, sondern ein corpus mixtum ist, das der Scheidung zwischen Guten und Bösen im Endgericht erst entgegengeht"[5].

Ist im NT und im Judentum der numerus clausus sonst immer[6] der numerus iustorum ac electorum, so nicht im MtEv. Das läßt den Schluß zu, daß Mt das Motiv vom numerus clausus übernommen und bewußt zugunsten seines theologischen Anliegens transformiert hat.

Daß Mt das Gleichnis mit dem Logion "Viele sind berufen, wenige sind auserwählt" (V.14) abschließt, unterstreicht das. Πολλοί ist wie "multi" in 4Esr 4,34 inkludierend (und zugleich differenzierend) gemeint[7]. Im Sinne des Mt sind die πολλοὶ κλητοί die umfassende Vielzahl der Gäste, die den Saal gefüllt haben, also der numerus clausus der "Kirchenmitglieder".

3. Das Numerus-Motiv hat nicht erst Mt in die beiden Gleichnisse eingebracht. Für Mt 22,10 ist das durch die lk Parallele (Lk 14,16-24) erwiesen. Das Motiv, daß der begrenzte Raum, in dem das Fest stattfindet, mit Gästen gefüllt wird, begegnet auch hier (V.23b). Da der griechische Text zwischen Lk und Mt (bis auf den Artikel ὁ) keinerlei Gemeinsamkeiten aufweist, wird es sich um Überlieferungsvarianten handeln, das Motiv also schon im mündlichen Stadium der Überlieferungsgeschichte zum Gleichnisbestand gehört haben.

---

5) BORNKAMM, Enderwartung 17.
6) Zum numerus omnium hominum s.u.S.214ff; das Motiv ist traditionsgeschichtlich anders abzuleiten.
7) S.o.S.111.

Nun wird auch hier gerade an diesem Motiv das typisch lk
Profil des Gleichnisses sichtbar. Während der Satz ἵνα γεμισθῇ μου
ὁ οἶκος eine Sachparallele im Mt-Text hat, sind der ganze
übrige V.23 und V.22 ohne Parallele bei Mt (und im ThEv).
Die zweite Einladung an die Ungeladenen (die an die Land-
streicher im Unterschied zu der an die Stadtstreicher in
V.21) ist eine spätere Erweiterung des Gleichnisses durch
die Gemeinde[8]. Sie will die zweite Einladung allegorisch
auf die Heidenmission deuten. "Es ist die Kirche in der
Missionssituation, die das Gleichnis als Missionsbefehl
deutet"[9].
Das Motiv dient also in der lk Fassung dazu, den Auftrag
zur Heidenmission zu unterstreichen. "Das Maß (hier: ὁ οἶκος)
ist noch nicht voll (cf. V.22: ἔτι τόπος ἐστίν). Füllt es
durch missionarische Tätigkeit!"

Die Nähe zu Röm 11,25 liegt auf der Hand[10]. Im Unterschied
dazu ist aber hier als numerus clausus die Gesamtheit von
Judenchristen und Heidenchristen im Blick, die als solche
für die Tradenten des Gleichnisses die Gesamtheit der Heilsempfänger ausmacht. Israel - im Gleichnis die Zuerstgeladenen -
geht endgültig verloren, weil es sich dem Evangelium verschließt. So spricht es V.24 emphatisch aus. Das Gleichnis
in seinem lk Profil repräsentiert also eine Position in der
Israelfrage, wie sie Pls in 1Thess 2,16 und die römischen
Heidenchristen vertreten.
Durch V.24 gewinnt das Numerus-Motiv - einzig im NT! -
exkludierenden Charakter.

4. Die Strukturverwandschaft des Gleichnisses vom Fischnetz
zum Gleichnis vom Unkraut unter dem Weizen[11] legt die Ver-

---

8) JEREMIAS, aaO 61.

9) Ebd, 62.

10) Das absolut gebrauchte εἰσέρχεσθαι erinnert ebenfalls an
Röm 11,25. Das scheint auf den ersten Blick die Exegese
ZELLERs zu unterstützen, nach der das εἰσέρχεσθαι ja
fast wie ein "Kircheneintritt" zu deuten ist (aaO 256f).
Das Wort ist in Lk 14,23 aber sicher vom Bildmaterial
des Gleichnisses her bedingt und darum durch εἰς τὸν οἶκον
zu ergänzen. Dabei ist durchaus denkbar, daß das Wort
später zum Terminus technicus für Kircheneintritt wird;
cf. auch εἰσπορεύεσθαι in Lk 8,16; 11,33 (JEREMIAS, aaO 63).

11) Cf. JEREMIAS, Gleichnisse 221-224; DAHL, Parables 150f;
JÜNGEL, Paulus 145-148; WEDER, Gleichnisse 144.

mutung nahe, daß wie dort das Motiv vom eschat. Maß auch
<u>schon im Munde Jesu</u> Bestandteil des Gleichnisses vom Fisch-
netz und (unter Beachtung des Kohärenz-Kriteriums) auch des
Gleichnisses vom großen Festmahl ist. Die Füllung des begrenzten Raumes stellt also nicht ein unbedeutendes Erzähl-
motiv dar, das erst in einer unsachgemäßen, weil willkür-
lichen Allegorese zum Maßmotiv würde.

Die Füllung des begrenzten Raumes bringt von Anfang an das
Motiv vom eschat. Maß zum Ausdruck. Es unterstreicht nämlich
die Unumkehrbarkeit des Kausalnexus von Sammlung und Scheidung, von Gericht und Heil[12], liegt also in beiden Geschichten
in der Perspektive ihrer Pointe. Es sichert so "dem Heil ein
unaufholbares 'Voraus' vor dem Gericht"[13]. Der Gedanke, daß
das Heil durch das Maß begrenzt ist, tritt zurück zugunsten
der Aussage, daß der Vorgang der Sammlung die Scheidung determiniert. Das Heil determiniert das Gericht und weist es in
seine Schranken.

---

12) S.o.S.90.
13) JÜNGEL, aaO 148; cf. WEDER, aaO 144f; gegen KÜMMEL,
     Verheißung 130.

-.

Für die Vorstellung einer genau abgegrenzten und bemessenen Zahl der Heilsempfänger gibt es, obwohl das gelegentlich bestritten wird[1], in antik-jüdischer und urchristlicher Literatur noch weitere Belege. An den folgenden Stellen wird jedoch nur deutlich, daß Gott die
Schar im voraus zahlenmäßig abgegrenzt hat, ohne daß
die Funktion dieser Zahl als Determinationsfaktor für
den Endtermin eine Rolle spielte.

A. Numerus iustorum in sBar
============================

Diese Tradition ist zunächst in sBar anzutreffen. Der
Gedanke, daß der Endtermin vom Vollwerden des numerus
iustorum abhängt, wird hier im Gegensatz zum 4Esr nicht
ausgeführt[2]. Wohl wird aber damit gerechnet, daß am
Ende eine von Gott bestimmte Anzahl Seelen der Gerechten sich in den Kammern befindet, die zu deren Aufbe-
wahrung vorgesehen sind[3]:

> Und es wird dann zu jener Zeit geschehen, daß jene
> Kammern geöffnet werden, in denen die bestimmte Zahl
> der Seelen der Gerechten aufbewahrt ist. (30,2)

Und noch eine weitere Stelle zeigt, daß die Vorstellung
eines numerus clausus für die Heilsgemeinde in sBar vorausgesetzt ist:

> Denn wärst du (Gott) den Menschen nicht gnädig, so
> könnten die, die unter deiner Rechten sind, sie
> nicht erreichen (die Gedanken deines Geistes) -
> die ausgenommen, die für die genannte Zahl berufen
> werden können. (75,6).

B. Numerus iustorum in 1Clem
=============================

Einen numerus clausus der Heilsempfänger kennt auch der
1Clem. Er rechnet damit, daß derjenige, der die Gebote
befolgt, "eingeordnet und eingerechnet sein wird in die
Zahl derer, die durch Jesus Christus gerettet werden"
($\epsilon \dot{\iota}\varsigma$ $\tau\grave{o}\nu$ $\dot{\alpha}\rho\iota\vartheta\mu\grave{o}\nu$ $\tau\tilde{\omega}\nu$ $\sigma\omega\zeta o\mu\acute{\epsilon}\nu\omega\nu$, 58,2). Statt des $\dot{\alpha}\rho\iota\vartheta\mu\acute{o}\varsigma$
$\tau\tilde{\omega}\nu$ $\sigma\omega\zeta o\mu\acute{\epsilon}\nu\omega\nu$ kann er auch von einem $\dot{\alpha}\rho\iota\vartheta\mu\acute{o}\varsigma$ $\tau\tilde{\omega}\nu$ $\dot{\epsilon}\kappa\lambda\epsilon\kappa\tau\tilde{\omega}\nu$
sprechen:

---

1) MUNCK, Christus 100.

2) Zum Motiv vom numerus omnium hominum (23,3-5) s.u.S.214ff.

3) Übersetzung nach KLIJN-BUNTE, in: JSHRZ V, 103ff.

"... auf daß durch Barmherzigkeit und Gewissen-
haftigkeit die Zahl seiner Auserwählten gerettet
würde" (2,4)

"Der Schöpfer des Alls möge die abgezählte Zahl
seiner Auserwählten auf der ganzen Welt unver-
sehrt erhalten" (59,2).

Schließlich wird auch der ἀριθμός τῶν ὑπομενόνων damit
identisch sein, von dem es in 35,4 heißt:

"Kämpfen wir daher, um in der Zahl derer erfunden
zu werden, die ausharren, auf daß wir der verheißenen Gaben teilhaftig werden!"

BAUER bestreitet, daß ἀριθμός in 2,4; 59,2 präzise zu verstehen ist und will es stattdessen lieber mit "Menge"
übersetzen[4]. Dafür könnte man sich neben 29,2 auch auf
6,1 berufen, wo πλῆθος ἐκλεκτῶν statt ἀριθμός ἐκλεκτῶν
gesagt ist. Aber nicht nur die Formulierungen in 35,4;
58,2, auf die BAUER selber hinweist, legen es nahe,
ἀριθμός auch an den anderen Stellen prägnant zu verstehen, sondern vor allem das Epitheton κατηριθμημένος
in 59,2 erweist eindeutig diesen Sinn von ἀριθμός im
1Clem[5].

Die Vorstellung eines numerus clausus für die Heilsempf-
fänger, die im 1Clem ἐκλεκτοί , σωζόμενοι und ὑπομενόντες
genannt sind, ist damit auch für diese Schrift des 1. Jh.
erwiesen[6]. Eine Abhängigkeit von den pln Aussagen in Röm
11 ist wohl kaum anzunehmen. Mit größerer Wahrscheinlich-
keit ist aus dem Textbefund auf eine allgemeine Verbreitung des Motivs im Urchristentum zu schließen[7].

Ohne als Determinationsfaktor für das Ende in Erscheinung
zu treten, begegnet die Vorstellung vom numerus clausus
für die Heilsgemeinde auch sonst, und zwar als die Schar
der im voraus V e r s i e g e l t e n und als die
g e m e s s e n e Schar. Beide Traditionen haben auch
im NT, und zwar in der Apk, ihren Niederschlag gefunden.

---

4) WB s.v., 210f.

5) So auch die Übersetzung BAUERs Sp. 826 im Gegensatz zu Sp. 211.

6) Ca. 96 p. Chr. n.; cf. FISCHER, Apostolische
Väter I, 20; VIELHAUER, Geschichte 540.

7) Cf. zur Funktion des Motivs im 1Clem: KNOCH,
Eschatologie 179-185.

1. 4Esr 6,5

Die Schar der Versiegelten findet sich 4Esr 6,5. In
einer Reihe von Aussagen, die allesamt Gottes vorzeit-
liches Tun hymnisch beschreiben, steht der Satz:

> "ehe... die, die Schätze des Glaubens sammeln,
> versiegelt wurden".

Die Schar der Heilsgemeinde, die hier im Gegenüber zu
den "Sündern" als "die, die Schätze des Glaubens sammeln"
– für 4Esr nicht ungewöhnlich[1] – umschrieben ist[2], wird
vorab versiegelt und durch diesen Akt von den übrigen
Menschen abgegrenzt. So stellt sie eine festumrissene
Größe dar. Daß 4Esr diesem Gedanken dann eine ganz zentrale Stellung innerhalb seiner theologischen Konzeption gibt,
haben wir oben gesehen[3]. Über Zweck und Ziel der Versiegelung ist in 4Esr nichts zu erkennen. Der Vf. nimmt offensichtlich eine (auch den Lesern) bekannte Tradition auf.

2. Die 144 000 Konsignierten der Apk
a) Apk 7,1-8

Im Anschluß an die sechste Siegelvision, die das Kommen
des großen Zornestages ansagt und mit der Frage endet:
"Wer kann standhalten?", wird die Reihe der Siegelvisionen
unterbrochen und diese Frage offenbar beantwortet. Bevor
das große Unheil die Welt trifft, werden die Knechte
Gottes mit einem Siegel auf ihren Stirnen versehen.

1. Danach sah ich vier Engel an den vier Ecken der Erde
stehen und vier Winde der Erde festhalten, damit kein
Wind auf die Erde bläst noch auf das Meer noch auf irgend
einen Baum.
2. Und ich sah einen anderen Engel vom Aufgang der Sonne
heraufkommen und das Siegel des lebendigen Gottes halten.
Und er rief mit lauter Stimme den vier Engeln, denen es
gegeben war, die Erde und das Meer zu schädigen, und sprach:
3. Schädigt nicht die Erde, noch das Meer, noch die Bäume,
bis daß wir die Knechte unseres Gottes auf den Stirnen mit
einem Siegel bezeichnet haben.
4. Und ich hörte die Zahl der Versiegelten: 144 000 Versiegelte, aus jedem Stamm der Israeliten:
5. aus dem Stamm Juda 12 000 Versiegelte, aus dem Stamm
Ruben 12 000, aus dem Stamm Gad 12 000,

---

1) Cf. 7,77.83; 8.33.36.39; auch sBar 14,12 (44,14;
   50,15).

2) Cf. KOCH, Schatz 57.

3) S.o.S.109ff.

6. aus dem Stamm Asser 12 000, aus dem Stamm Naphthali
12 000, aus dem Stamm Manasse 12 000,
7. aus dem Stamm Simeon 12 000, aus dem Stamm Levi
12 000, aus dem Stamm Issaschar 12 000,
8. aus dem Stamm Sebulon 12 000, aus dem Stamm Joseph
12 000, aus dem Stamm Benjamin 12 000 Versiegelte.
9. Danach sah ich, und siehe eine große Menge, die niemand zählen konnte, aus jedem Volk und Stamm und Nation
und Sprache, sie standen vor dem Thron und vor dem Lamm,
weiße Gewänder umgelegt und Palmzweige in ihren Händen...

Die Szene knüpft deutlich an Ez 9,1ff an. Auch hier schon
dient die Kennzeichnung einer bestimmten ausgegrenzten
Anzahl von Menschen der Bewahrung vor dem Unheil. Das
Zeichen auf der Stirn weist darauf hin, daß sein Träger
Gottes Eigentum, also sein δοῦλος ist. Und damit steht
er unter Gottes besonderem Schutz[4]. Die Versiegelung
verhindert, daß die Versiegelten geschädigt werden
(ἀδικῆσαι 7,2f; 9,4[5]). Sie bewirkt, daß sie "am großen
Tag des Zorns bestehen" können (6,17).

Das heißt, daß sie vor den kommenden gewaltigen Vernich-
tungen, die wie die ägyptischen Plagen über die ganze
Menschheit kommen, bewahrt bleiben. Die Versiegelung
bedeutet also "Beschirmung gegen die Gottesgerichte über
die Erdbewohner[6]". Der Kontext wie die aufgenommene
Tradition (Ez 9,1ff; Ex 12.13; PsSal 15,4-6) lassen daran keinen Zweifel[7]. Der Überwinder, der das Siegel
trägt, ist ein "Entronnener".

Der Gedanke, daß das "Festhalten am Zeugnis Jesu" auch
zur Hinrichtung führen könnte, liegt im Rahmen der Tradition von der Konsignation zunächst ganz außerhalb des

---

4) KRAFT deutet, wieder von altkirchlichen Voraussetzungen her konstruiert, die Konsignation als
Taufersatz für Judenchristen. Nur bekehrte Heiden
seien in der Gemeinde der Apk mit Wasser getauft
worden (Apk 126). Phantastisch!

5) V. 9,4b οἵτινες οὐκ ἔχουσιν τὴν σφραγῖδα τοῦ θεοῦ ἐπὶ τῶν μετώπων
ist ein deutlich erkennbarer Zusatz zur ursprüng-
lichen Trompetenvision auf das Stichwort ἀδικήσουσιν
hin. Er verklammert so diese Visionsreihe mit dem
Stück 7,1-8. Doch ist diese Verklammerung ungelenk:
Die Konsignation soll nach 7,1-8 vor der schädigen-
den Wirkung der vier Winde bewahren, (WELLHAUSEN,
Analyse 12, meint irrtümlich: vor der Wirkung der
Windstille) hier aber geht die Schädigung von den
Heuschrecken aus; die vier Winde hingegen werden
überhaupt nicht mehr erwähnt.

6) BRUN, ThStKr 102, 221.

7) Ebd.

Blickfeldes. Die Not, vor der das Siegel schützt, hat
nur die Form kosmischer Katastrophen, nicht die einer
Religionsverfolgung. Erst im zweiten Teil der Apk wird
die Siegeltradition mit der Erfahrung der Martyrien kon-
frontiert und so modifiziert[8].
Dadurch, daß wie in 4Esr 6,5 nur eine bestimmte Gruppe
von Menschen das Siegel empfängt, wird deutlich, daß
diesem Akt ein Akt der Auswahl vorangegangen ist, der
nun durch die Versiegelung der Erwählten bestätigt
wird.
Das Motiv der Konsignation gehört zur Tradition von der
Sammlung des Heiligen Restes. Schon Ez 9 partizipiert
an dieser Tradition[9], und in PsSal 15,4-6 werden mit
Hilfe des Zeichens Gottes die "Frommen" aus den "Gottlosen" in Israel ausgesondert. In Ex 12 hingegen wird
die Gesamtheit des Volkes Israel von den Ägyptern ge-
schieden, also das Gottesvolk insgesamt von seiner Umwelt abgehoben. Angesichts der Schilderung der kommenden Not in Anlehnung an die Erzählung von den Plagen
über Ägypten in Ex 7-10 wird die Konsignation in Apk
7,4-8 in dieser Hinsicht wie in Ex 12.13 zu verstehen
sein - also nicht als Aussonderung einer ecclesiola ex
ecclesia.
Die Scheidung findet nicht innerhalb der Gottesgemeinde
statt[10], sondern zwischen ihr und denen, die nicht
δοῦλοι τοῦ θεοῦ sind und darum den kommenden Plagen
schutzlos preisgegeben sind. Denn οἱ δοῦλοι τοῦ θεοῦ ist
wie an den meisten Stellen der Apk eine Bezeichnung für
"die Christen schlechthin"[11]. Die Konsignierten stellen
also die Vollzahl der Knechte Gottes dar; das Gottesvolk
ist im voraus "in seiner Ganzheit als Gott zugehörig"[12]
gekennzeichnet. Und damit ist die Größe der Schar, also
die Zahl der Versiegelten, genau festgelegt.

---

8) S.u.S.203f; LOHSE, Apk 43, harmonisiert zu früh
    mit 14,1-5 und bestreitet diese Schutzfunktion -
    gegen den Kontext: 6,17; 7,2f; 9,4 und gegen die
    Tradition.

9) ZIMMERLI, Ez I 228.

10) LOHMEYER, Apk 67, behauptet - ohne Begründung - es
    sei "die Bewahrung der zu Märtyrern bestimmten
    Gläubigen".

11) Cf. SATAKE, Gemeindeordnung 96; 86-97; HUSS, Gemein-
    de 134f.

Die definitive Abgrenzung der Schar der Konsignierten
findet in der Apk noch einen zusätzlichen Ausdruck dadurch,
daß ihre Zahl genannt wird: 144 000. Daß es sich hierbei
nicht um eine auszählbare, reale Zahl handelt, sondern um
eine symbolische, ist heute allgemein anerkannt[13]. Diese
Zahl bringt ebenfalls zum Ausdruck, daß die Versiegelten
das gesamte Gottesvolk umfassen. Dabei ist die semitische
Vorstellung der Repräsentanz vorauszusetzen[14]; betont
wird herausgestellt, daß jeder der zwölf Stämme des Gottesvolkes in gleicher Weise repräsentiert ist[15]. Die Multi-
plikation der zwölf mit sich selbst und ihre Vertausend-
fachung bringen die Fülle zum Ausdruck. Wenn man so will,
stellen die 144 000 $\tau\grave{o}$ $\pi\lambda\acute{\eta}\rho\omega\mu\alpha$ $\tau\widetilde{\omega}\nu$ $\delta o\upsilon\lambda\widetilde{\omega}\nu$ $\tau o\widetilde{\upsilon}$ $\vartheta\varepsilon o\widetilde{\upsilon}$
dar. Die wahre Größe der Zahl der Heilsempfänger wird
also hier nicht offenbart. Sie bleibt Gottes Geheimnis.
Daß der Vf. der Apk hier eine jüdische[16] Tradition
aufgenommen hat, steht außer Frage. Ob er selber dabei
angesichts der Zusammensetzung der Schar aus den zwölf
Stämmen Israels nur an Judenchristen gedacht hat oder
die Auffüllung des eschatologischen Gottesvolkes durch
die Heidenchristen im Auge hat, diese Frage wird in der
neueren Forschung durchaus kontrovers entschieden[17].
Die Frage ist jedoch müßig, da sie für den Vf. der Apk
keine Rolle spielt.
Die Heidenvölker ($\tau\grave{\alpha}$ $\check{\varepsilon}\vartheta\nu\eta$) erscheinen in der Apk überhaupt nicht als Glieder der gegenwärtigen christlichen
Gemeinde. Sie haben nur zweierlei Funktion. 1. Überwie-
gend negativ: $\tau\grave{\alpha}$ $\check{\varepsilon}\vartheta\nu\eta$ sind die, aus denen das Gottesvolk

---

12) FITZER, ThWNT 7, 951; cf. LOHSE, ThWNT IX, 458;
    JÖRNS, Evangelium 77.

13) LOHMEYER, Apk 69; RENGSTORF, ThWNT II,324;
    LOHSE, Apk 46; ThWNT IX, 458; HUSS aaO 142;
    KRAFT, Apk 126; BÖCHER, Apk 56-63.

14) MUNCK, Christus 101;

15) Zum Fehlen des Stammes Dan und seine Ersetzung
    durch Manasse - neben Joseph, nicht neben Ephraim -
    cf. BOUSSET, Apk 282, LOHSE, Apk 46; HUSS, aaO
    142-144; KRAFT, Apk 127.

16) Es finden sich keine spezifisch christlichen Ele-
    mente. Aufgenommen ist die Tradition der eschat.
    Restitution des Zwölf-Stämme-Volkes; cf. dazu
    BOUSSET, Antichrist 61.65.143; VOLZ 347; JEREMIAS,
    Verheißung 18.

17) Cf. HUSS, aaO 146-149; BÖCHER, Apk 56-63.

herausgehoben und demgegenüber es abgehoben ist[18].

2. Nur an fünf Stellen positiv: τὰ ἔθνη sind die, die herzukommen und sich bekehren[19] - aber an allen fünf Stellen erst im Eschaton. Die Aussagen dieser fünf Stellen fußen auf der Tradition von der Völkerwallfahrt zum Zion[20], die ja bekanntlich in der ältesten judenchristlichen Gemeinde den Aufbruch zur Heidenmission verhindert hat[21]. Daß der Vf. der Apk z. B. in 14,6f diese alte Tradition aufgenommen hat, ist längst erkannt[22]. Daß er sie und die darin implizierte missionsfeindliche Haltung bewußt hinter sich gelassen hat, wird an keiner Stelle der Apk erkennbar. Heidenmission und Reflexionen über die Zusammensetzung des Gottesvolkes aus Juden und Heidenchristen sind für die Apk kein Thema.

Der Seher sieht die christliche Gemeinde innerhalb der Verheißungsgeschichte Israels. Die Verheißung der eschatologischen Restitution des Zwölf-Stämme-Volkes wird hier aufgenommen und neu interpretiert[23].

b) Apk 7,9-17

Der folgende Abschnitt (V.9-17)[24] zeigt das gleiche Gottesvolk wieder in seiner Fülle - nun aber (in einer für diese Literatur charakteristischen Weise) unter anderem Aspekt. Während die Konsignation der Heilsempfänger vor der letzten

---

18) 5,9; 16,19; τὰ ἔθνη sind damit das Herrschaftsfeld Gottes (15,3), des Messias (12,5; 19,15) und seiner Gemeinde (2,26); vor allem sind sie den bösen Mächten und Machthabern unterworfen (13,7; 14,8; 17,15; 18,3.23; 20,3.8) und stellen so schließlich die Kräfte dar, die gegen das Gottesvolk agieren (11,2. 9.18). Sieht man mit KRAFT, Apk 150f, 10,11 als Einleitung zu 11,1f, gehört auch diese Stelle in die letzte Gruppe. Andernfalls wäre die Bedeutung der Heiden als Adressaten der Prophetie des Johannes singulär für die Apk.

19) 7,9; 14,6; 15,4; 21,24.26.

20) Cf. JEREMIAS, aaO 48-53.

21) Cf. KÄSEMANN, EVB II,87; HAHN, Mission 43-48; HENGEL, NTS 18,30.

22) JEREMIAS, aaO 19f.59; HAHN, aaO 47; STUHLMACHER, Evangelium 210-218.

23) Cf. BOUSSET, Apk 283f; SCHLATTER, Erläuterungen 205; LOHSE, Apk 46; GOLLINGER, Kirche 65.

24) Zur Diskussion des Verhältnisses beider Abschnitte zueinander cf. HUSS, aaO 146-149.

endzeitlichen großen Not stattfindet, beschreibt der Abschnitt 7,9-17 den himmlischen Siegeszug der Gemeinde nach
der überwundenen Not, ist also proleptische Schau des
Eschatons[25]. Der Hinweis auf die Internationalität und
Universalität der Schar (V.9) unterstreicht, daß es jetzt
um die eschatologische Perspektive geht: im Eschaton kommen nach Auffassung der Apk die Heidenvölker dazu[26].
Auffällig ist die antithetische Gegenüberstellung von
ἤκουσα τὸν ἀριθμόν (V.4) und ὄχλος πολὺς ὃν ἀριθμῆσαι αὐτὸν οὐδεὶς ἐδύνατο
(V.9), die die meisten Exegeten zu dem Urteil geführt
hat, daß die beiden Mengen "nicht identisch sind"[27].
In Wahrheit aber werden nicht zwei Mengen antithetisch
gegenübergestellt[28], sondern die Aspekte sind antithetisch. Die Zahl 144 000 ist eine Setzung Gottes, die auf
die Fülle und die Begrenzung des Gottesvolkes hinweist
und als solche nicht ausgezählt werden kann. Genau das
bringt die Wendung in V.9 aus anderer Perspektive zum
Ausdruck: Aus der Sicht der Menschen ist die Zahl der
Heilsempfänger unzählbar[29]. V.4 bietet den theozentri-
schen Aspekt, V.9 den anthropozentrischen Aspekt - von ein
und derselben Sache. Wer hier Widersprüche aufdeckt oder
harmonisiert, wird dem aspektivischen Denken dieser Literatur nicht gerecht und vergewaltigt die Texte mit ihnen
fremden Kategorien[30].
Diese Exegese wird durch eine weitere Beobachtung ge-

---

25) WELLHAUSEN, Analyse 12; LOHSE, Apk 47; HUSS, aaO 145;
     JÖRNS, aaO 77; GOLLINGER, aaO 66; KRAFT, Apk 128.

26) Aber die Aufteilung und Betonung: in V.1-8 Juden-
     christen, in V.9-17 Juden- und Heidenchristen (so
     SCHRENK, Weissagung 56) trägt eine dem Text fremde
     Fragestellung ein. S.o.S.198f und SCHLATTER, Er-
     läuterungen 207.

27) BOUSSET, Apk 287.

28) Z. B. BOUSSET: "Durch die Betonung ihrer Unzählbar-
     keit soll jedenfalls die bestimmte Angabe von
     144 000, die der Apok. ja übernahm, übertrumpft
     werden." (Apk 284).

29) "Die von Gott Gezählten sind zugleich unzählbar
     und die Zahl 144 000, die im Blick auf Israel
     gewählt ist, umschließt eine Menge, die für das
     menschliche Auge unermeßlich ist", SCHLATTER,
     aaO, zitiert bei RENGSTORF, aaO 324 A.23;
     LOHSE, Apk 47; GOLLINGER, aaO 66.

30) Cf. KOCH, HZ 193,7 ; FRANKFORT, Logik 17ff.

stützt und abgesichert. Wie in 7,1-8 die Verheißung der
Restitution des Zwölf-Stämme-Volkes an Israel aktualisiert
ist, so ist auch in 7,9 eine Verheißung für Israel aufgenommen. "Die unzählbare Menge" ist nämlich ein häufiges Motiv innerhalb der Mehrungsverheißungen im AT.
Diese Verheißung begegnet verbunden mit dem Motiv der Un-
zählbarkeit zunächst in den Vätergeschichten (Gen 13,16;
15,5; 16,10; 32,13)[31]. Sie wird dann einerseits in salo-
monischer Zeit als erfüllt gepriesen (1Kön 3,8), andererseits in der Heilsverkündigung der Propheten aufgenommen
und für die Zeit jenseits des Gerichts neu angesagt (Hos
2,1; Jer 33,22), wie sie auch in der Bileamsverheißung
auftaucht (Num 23,10). Jahwe verheißt seinem Volk Israel,
"eine Menge zu werden, die man nicht zählen kann."
Zeichenhaft verdeutlich ist das in der Aufforderung an
Abraham: "Zähle die Sterne, wenn du sie zählen kannst...
So wird deine Nachkommenschaft sein." (Gen 15,5)[32].
In Hos 2,1 wird ausdrücklich gesagt, daß "die Zahl der
Kinder Israel" unzählbar sein wird[33].
Angesichts dessen, daß die Wendung in 7,9 einerseits im
urchristlichen Schrifttum singulär ist[34], andererseits
in LXX öfter begegnet, dort aber bis auf Gen 41,49;
2Chr 5,6[35] auf die Mehrungsverheißung beschränkt ist,
darf wohl geschlossen werden, daß der Vf. der Apk bewußt
an diese Verheißung anknüpft, sie aktualisiert und als
im Eschaton erfüllt ansieht[36]. Dabei ist die Mehrungs-

---

31) WESTERMANN, Arten 19ff; Verheißungen 138-143;
    er berücksichtigt allerdings nicht die unten
    angeführten Stellen außerhalb Gen.

32) Ἀρίθμησον τοὺς ἀστέρας, εἰ δυνήσῃ ἐξαριθμῆσαι αὐτούς ... οὕτως
    ἔσται τὸ σπέρμα σου cf. 13,16; πληθύνων πληθυνῶ τὸ
    σπέρμα σου, καὶ οὐκ ἀριθμηθήσεται ἀπὸ τοῦ πλήθους
    (16,10) cf. 32,13; λαὸν πολύν, ὃς οὐκ ἀριθμηθήσεται (καὶ οὐ ψηγισθήσεται
    ἀπὸ τοῦ πλήθους)(3Reg 3,8; der eingeklammerte Passus
    nur bei Origenes, ähnlich Lukian, aufgrund des MT).

33) Καὶ ἦν ὁ ἀριθμὸς τῶν υἱῶν Ἰσραηλ ὡς ἡ ἄμμος
    τῆς θαλάσσης, ἣ οὐκ ἐκμετρηθήσεται οὐδὲ ἐξαριθμηθήσεται
    cf. Jer 33,22, adressiert an die Nachkommen Davids
    (fehlt in LXX).

34) In 1Clem 10,5f werden Gen 13,16; 15,5 zitiert.

35) Hier - wie in den Mehrungsverheißungen - sichtbarer
    Ausdruck des Segens (WESTERMANN, Verheißungen 141):
    Kornfülle in Ägypten unter Josef; Fülle der Opfer-
    tiere bei der Einweihung des Salomonischen Tempels.

36) Während an den oben angeführten Stellen die Unzähl-
    barkeit als Metapher für eschatologische Fülle ge-

verheißung mit der anderen der Völkerwallfahrt zum Zion
verknüpft. Nicht also ist in 7,9 die Schar der Völker der
Schar Israels in 7,4-8 gegenübergestellt, vielmehr geht
es auch in 7,9 um die Schar Israels, die im Eschaton durch
die herzugeströmten Völker erweitert ist.

Die hier (V.9.13) wie in 6,11 erwähnten στολαὶ λευκαί
haben zahlreiche Exegeten dazu verführt, in der in V.9-17
genannten Menge die Märtyrer zu sehen[37]. Aber das Bildmaterial ist etwas anders als in 6,11. Die leuchtenden
Gewänder sind hier nicht durch Investitur verliehen; vielmehr werden die vorhanden Kleider durch das Blut Christi
geweißt[38]. Zwar gilt auch für diese weißen Kleider, daß
sie "Ausdruck der himmlischen δόξα "[39] sind und so den
νικῶντες zukommen , aber nicht alle Überwinder sind Märtyrer[40].

Auch οἱ ἐρχόμενοι ἐκ τῆς θλίψεως τῆς μεγάλης muß nicht Hinweis auf
Märtyrer sein[41]. Die Wendung ist viel weiter gefaßt. Sie
besagt, daß die θλῖψις nun hinter der Gemeinde liegt, sie
überwunden ist. Dabei ist offengelassen, ob diese θλῖψις
die Gestalt von Martyrien oder von anderen Qualen hatte
oder ob - wie einst Israel nach den ägyptischen Plagen -
die Überwinder durch die θλῖψις hindurch gegangen sind als
die Entronnenen und Bewahrten, weil Versiegelten[42]. Diese
letzte Deutung ist jedenfalls die vom Kontext geforderte.

c) Apk 14,1-5

Während in 7,1-8 "der Apokalyptiker... ziemlich mecha-
nisch einer vorliegenden Tradition folgt"[43], wird in

---

braucht ist, begegnet in Sib 5,474f die Zählbarkeit
als Metapher für Dezimierung aufgrund eschatologi-
scher Bedrängnis: εἰδ' οὕτως ὀλιγηπελίη ἔσται κατὰ γαῖαν, ὥστε
νοεῖν ἀνδρῶν τ'ἀριθμὸν μέτρον τε γυναικῶν.

37) BOUSSET, Apk 286; CHARLES, Apk I,210; JEREMIAS,
Golgotha 87 A.1.

38) Zur Vorstellung cf. BOUSSET, Apk 286; LOHSE, Apk
48; GOLLINGER, aaO 67.

39) MICHAELIS, ThWNT IV, 256.

40) S.o.S.157 und u. 203.

41) Mit WELLHAUSEN, Analyse 12, gegen BOUSSET, Apk 286.

42) BRUN, ThStKr 102, 223, cf. JÖRNS, aaO 78f.

43) BOUSSET, Apk 283.

14,1-5 deutlich, wie er diese Tradition verändert und
neu gedeutet hat. Die 144 000 Konsignierten begegnen
nämlich hier noch einmal. Die Spannungen zu 7,1-8 sind
dabei so groß, daß einige Exegeten sogar behauptet haben,
es handle sich um einen anderen Personenkreis[44]. Wahrscheinlicher aber ist, daß die in 7,1-8 "nur halb ver-
arbeitete Tradition"[45] hier aufgenommen und erweitert
ist. Neben den ganz neuen Elementen[46] fallen als gravierende weitere Unterschiede auf:

1. Die 144 000 fungieren hier als die Gefolgschaft des
   Lammes, sind also eindeutig Christen, während der Vf.
   die Tradition in 7,1-8 ohne ausdrückliche christliche
   Deutung gelassen hat.

2. In die gleiche Richtung weist die Charakterisierung
   des Siegels als "Name des Lammes und seines Vaters"
   (V.1), während die Gestalt des Siegels in 7,1-8 nicht
   näher beschrieben ist.

3. Kündigte die Tradition die vor dem Ende erfolgende
   Konsignation an, erscheinen hier die Versiegelten im
   Endzustand. Denn 14,1-5 ist proleptische Schau[47],
   parallel dem Abschnitt 7,9-17.

4. Bewahrte das Siegel in 7,1-8 (wie im Kontext und in
   der verarbeiteten Tradition) seinen Träger vor schä-
   digender Wirkung böser Mächte, enthob ihn also endzeit-
   licher Bedrängnis (oder zumindest: der Möglichkeit eines
   gewaltsamen Todes), so bewahrt hier das Siegel (geradezu
   umgekehrt!) vor Abfall und Untreue in der endzeitlichen
   Bedrängnis, was oft genug zu gewaltsamem Tod, eben dem
   Martyrium führte.

Hier hat der Vf. also die Tradition der Konsignation, die
in 7,1-8 noch unberührt erscheint, mit der Erfahrung der
Martyrien ausgeglichen und damit die Funktion des Siegels
stillschweigend modifiziert. In statu confessionis führt
die Konsignation notwendig zum gewaltsamen Tod, die Be-

---

44) BOUSSET, aaO 122f. 380.383; SICKENBERGER, Apk 137;
    SCHRENK, Weissagung 73f A.91.

45) BOUSSET, Apk 289.

46) Die Fähigkeit, allein das neue Lied im Himmel zu
    lernen; die Charakterisierung als παρθένοι , Gottes
    Erstlingsgabe, moralisch tadellos.

47) BOUSSET, Apk 383; GOLLINGER, aaO 93; BORNKAMM,
    Komposition 210f.

wahrung davor wäre dagegen eine Folge des Abfalls[48]. Ist
aber kein status confessionis gegeben und hat die θλῖψις
die Gestalt von Plagen anderer Art, führt die Konsignation zur Bewahrung vor gewaltsamem Tod, und der gewaltsame
Tod trifft nur die Nicht-Konsignierten.

Die Inschrift der Namen Gottes und des Lammes auf den Stirnen der Christen (14,1) steht damit nun in bewußtem Kontrast
zum χάραγμα des Tieres auf Hand und Stirn seiner Gefolgs-
leute (13,16f). Den weiteren Erwähnungen dieses χάραγμα
(14,9.11; 16,2; 19,20; 20,4) wird dann abschließend noch
einmal der Hinweis auf das Siegel Gottes kontrastiert
(22,4).

d) Zusammenfassung

Es kann hier nicht darum gehen, die verschiedenen Probleme der angesprochenen Texte (7,1-8; 7,9-17; 14,1-5)
umfassend und befriedigend zu klären. Bei den 144 000
Konsignierten der Apk sind jedenfalls folgende Elemente
eindeutig:

1. Es handelt sich um die Auswahl einer zahlenmäßig fest-
   umrissenen Gruppe aus der gesamten Menschheit (numerus
   clausus).
2. Diese Auswahl ist unabhängig von menschlichem Tun, sie
   geht ihm voraus (numerus electorum).
3. Die Schar der Erwählten sind Heilsempfänger (numerus
   iustorum).
4. Die Bestimmung der Zahl ist nicht identisch mit der
   Prädestination einzelner Menschen (Rahmendetermination).
5. Die Größe der Zahl ist Gottes Geheimnis. Die Zahl
   144 000 ist keine reale Angabe, sondern bezeichnet die
   eschatologische Fülle.

Abschließend sei darauf hingewiesen, daß der Vf. der Apk
auch hier wieder verschiedene Vorstellungen nebeneinander
gebraucht, ohne sie in ihrer logischen Widersprüchlichkeit
miteinander zu verknüpfen oder ihre Widersprüche untereinander auszugleichen.

Um den Kreis derer, die in der "Stunde der Anfechtung"
(3,10) bestehen werden, zu umschreiben, gebraucht er einerseits das Motiv vom numerus clausus. Dem Problem von Prädestination und Perseveranz wird das Motiv insofern gerecht,

---

48)   Cf. 13,15.

als hiermit die Prästabilierung der Zahl, nicht die Prädestination einzelner in dieser Zahl ausgedrückt wird. Die Existenz der Apostaten irritiert nicht, führt vielmehr zu
dem Gedanken, daß diese durch neue "Bekenner" ersetzt
werden, um so allmählich die Zahl zu komplettieren. Die
Zahl ist konstant, die Gruppe der sie ausfüllenden Menschen variabel.

Andererseits gebraucht der Vf. der Apk das Motiv vom
Lebensbuch[49]. Dabei wird die Prädestination einzelner
Menschen konstatiert als Begründung für ihre Perseveranz.
Die Existenz der Apostaten irritiert auch hier nicht, sie
werden verstanden als die, die ihre Prädestination durch
ihren Abfall zunichte gemacht haben. Die Schar der "Prädestinierten und zugleich Perseveranten" ist konstant,
deren Zahl aber variabel.

"Lebensbuch" und "numerus clausus" wollen also je für sich,
ohne als Elemente eines Lehrsystems miteinander harmonisiert zu werden, zum Ausdruck bringen, daß die Existenz
der christlichen Gemeinde begründet ist in Gottes freier
Gnadenwahl und darum weder Verfolgung, noch Martyrien,
noch Apostasien sie zugrunde richten können.

Exkurs: Der numerus in 5Esr

(Numerus signatorum und numerus liberorum Sion in 5Esr)

Im 5. Esrabuch, das in den hier in Rede stehenden Partien
"rein christlich" ist und "ungefähr 200" p. Chr. n.[50] entstanden ist, haben die oben angeführten Texte aus der Apk
zu einer interessanten Nachgeschichte geführt.

> 25) "Gute Amme, nähre deine Kinder, stärke doch ihre
> Füße! 26) Die (Sklaven), welche ich dir gegeben habe
> – keiner von ihnen wird umkommen, denn ich werde sie
> suchen nach deiner Zahl... 38) Erhebt euch und steht
> und seht die Zahl der Versiegelten beim Mahle des
> Herrn. 39) Diejenigen, welche sich vom Schatten der
> Welt abgewandt haben, haben glänzende Gewänder vom
> Herrn empfangen. 40) Empfange, Zion, deine Zahl und
> umschließe deine Weißgekleideten, die das Gesetz des
> Herrn erfüllt haben. 41) Die Zahl deiner Kinder, die
> du erwünschtest, ist voll, erbitte das Reich des
> Herrn, daß dein Volk geheiligt werde, welches berufen
> ist von Anfang an. 42) Ich, Esra, sah auf dem Berge
> Zion eine große Schar, die ich nicht zählen konnte,
> und alle lobten den Herrn mit Gesängen..." (2,25f.
> 38-42)[51]

---

49)   S.o.S.143-145.

50)   DUENSING, in: Hennecke-Schneemelcher II 488; anders
      ZELLER, Juden 254 A.61.

51)   Übersetzung nach DUENSING, aaO 492.

1. Die drei Textabschnitte Apk 7,1-8; 7,9-14; 14,1-5
sind hier miteinander kombiniert: numerus signatorum
(V.38) stammt aus Apk 7,4, der mons Sion (V.40.42)
stammt aus Apk 14,1; die candidi (V.40) entstammen
Apk 7,9.13 und schließlich stammt aus 7,9 auch die
Wendung turbam magnam, quam numerare non potui (V.42).
5Esr sieht also die in allen drei Abschnitten der Apk
vorkommenden Gruppen als identisch an.

2. Die Motive aus der Apk sind mit ähnlichen aus der
übrigen urchristlichen Literatur verbunden: Lk 14,23;
Mt 22,10 kommen dadurch ins Spiel, daß die signati
identifiziert sind mit denen, die zum Herrenmahl geladen
sind (V.38). Und die Wendung qui legem domini compleverunt
könnte Reflex auf 1Clem 58,2 sein.

3. Durch die Identifikation des numerus signatorum mit
dem numerus liberorum Sion ist unbezweifelbar, daß 5Esr
die Versiegelten als die gesamte Schar der Heilsempfänger
deutet und diese in Kontinuität mit Israel sieht.

4. Anders als in der Apk wird der numerus signatorum zum
Determinationsfaktor für den Endtermin: Durch die Komplet-
tierung der zuvor festgelegten Zahl der Zionkinder ist der
Weg frei für die Ankunft des imperium Domini: Filiorum
tuorum, quos optabas, plenus est numerus: Roga imperium
Domini...

D. Die gemessene Schar in Apk 11,1f

> Und mir wurde ein Rohr gegeben gleich einem Szepter
> mit den Worten: "Auf und miß den Tempel Gottes und
> den Altar und die, die in ihm anbeten. Und den äu-
> ßeren Vorhof des Tempels laß aus und miß ihn nicht,
> denn er wurde den (Heiden)völkern gegeben. Und die
> Heilige Stadt werden sie 42 Monate niedertreten."

J. WELLHAUSEN[1] hat die Hypothese aufgestellt, Apk 11,1f
stelle ein versprengtes zelotisches Flugblatt aus der letzten Phase des Jüdischen Krieges dar: ein prophetisches
Orakel als Durchhalteparole für bedrängte Kämpfer im ein-
geschlossenen Tempelinnenhof. Wie immer man das Recht
dieser Hypothese beurteilen mag, eine überzeugende Erklä-

---

1)   WELLHAUSEN, Literatur 221-223; Analyse 15.

rung, welche Bedeutung dieses Fragment im jetzigen Kontext
der Apk hat, ist er schuldig geblieben.

W. BOUSSET, der dieser Hypothese folgt[2], stellt sich zwar
dieser Frage mit der verlegenen Antwort, "der Apok. letzter
Hand" habe hierin "eine Weissagung von der Zerstörung Jerusalems gesehen", "also rückwärtsblickend ein bereits er-
fülltes Vatizinium seiner Meinung nach" hier eingebracht[3].
Aber das überzeugt schon deshalb nicht, weil dieses vaticinium ja dann für Vf. und Leser durch die zurückliegende
totale Zerstörung des Tempels als ein Zeichen unerfüllter
und darum falscher Prophetie erwiesen wäre[4]. Es bleibt
dann nur, nachträglich den "Tempel" metaphorisch als christliche Gemeinde zu verstehen[5]. Dann aber fragt es sich, ob
die Vorgeschichte dieses Textes nicht anders erhellt werden
kann als mit Hilfe einer so vagen Hypothese.

KRAFT sieht unseren Abschnitt in engem Zusammenhang mit dem
vorangehenden (10,8ff) und möchte dabei berücksichtigt wissen, "daß sowohl die Szene mit dem Essen des Buches, wie
die mit dem Messen des Tempels beide aus Hesekiel stammen"[6].
Wichtiger noch ist ein anderer Umstand, der beide Szenen
miteinander verbindet. Es sind nämlich die beiden einzigen
Stellen innerhalb der Apk, an denen der Seher "aufgefor-
dert wird, selbst symbolische Handlungen vorzunehmen"[7].
Wie das Verspeisen der Buchrolle so will auch das Messen
des Tempels darum von vorneherein nicht zeitgeschichtlich
gedeutet, sondern als prophetische Zeichenhandlung verstanden werden. Eine über den Literalsinn hinausgehende

---

2)   Apk 325.

3)   Apk 330; cf. 17.

4)   CHARLES wendet gegen BOUSSET ein, daß im Orakel
     auch nicht von der Zerstörung Jerusalems, sondern
     nur vom Niedertreten der Stadt die Rede ist (Apk I,
     275 A.1).

5)   So CHARLES, Apk I, 274 und LOHSE, Apk 58.

6)   Apk 151. Daß darum an einen Hesekiel redivivus "als
     Empfänger des Auftrages gedacht ist" (ebd), ist aller-
     dings phantastische Konstruktion, zumal es sich in
     Ez 40ff um eine reine Vision ohne Beteiligung des
     Propheten handelt. Zu den übrigen Differenzen gegen-
     über Ez 40ff s.u.

7)   KETTER, Tempelmessung 93; cf. auch HAUGG, Zeugen 5.
     Für 11,1f betonen das auch HADORN, der allerdings
     meint, daß dieses Stück "das einzige ist, das eine
     symbolische Handlung des Propheten enthält" (Apk 117),
     und LOHSE, Apk 58.

Deutung tut diesen beiden Texten darum nicht Gewalt an,
sondern entspricht ihrer eigenen Intention[8].

Schlüssel zum Verständnis des Textes ist die Bedeutung
des Wortes μετρεῖν . Verschiedene at. und nachat. Texte
sind zur Interpretation herangezogen worden[9], dabei ist
aber nicht immer genügend beachtet worden, daß μετρεῖν/TΤη
und die den Meßvorgang sonst beschreibenden Wendungen
sehr verschiedene Bedeutungen haben.

Exkurs: "Messen im eigentlichen Sinn" in AT und NT

DEISSNER[10] und BAUER[11] unterscheiden von "zumessen
jmdm. etw." nur "ausmessen" in eigentlicher und übertra-
gener Bedeutung.[12] Auch KÖHLER , BAUMGARTNER[13] und GESE-
NIUS[14] differenzieren "messen in eigentlicher Bedeutung"
nicht näher. Eine Untersuchung der einschlägigen Stellen
zeigt aber, daß das, was in der Regel damit umschrieben
wird, zwei ganz verschiedene Akte sind.
Erstens handelt es sich um einen k o g n i t i v -
r e z e p t i v e n   Akt, der die unbekannte Größe einer
vorhandenen Abmessung feststellt - z. B. in Ex 16,18 durch
ein Hohlmaß, in Dtn 21,2 durch ein Längenmaß. Messen heißt
hier: "ein Maß erkennen".
Zweitens handelt es sich um einen p r a g m a t i s c h -
k r e a t i v e n   Akt, der eine Abmessung nach einer
bekannten Größe vornimmt - z. B. in Ruth 3,15 durch ein
Hohlmaß, in Num 35,5 durch ein Längenmaß. Messen heißt
hier: "ein Maß setzen".

Die in 2Sam 8,2 beschriebene Messung ist ein Beispiel
für eine Messung als pragmatisch-kreativer Akt, obwohl
die Gesamtmenge der Kriegsgefangenen eine vorgegebene
Größe ist. Die Ziehung der Scheidelinie aber zwischen den
todgeweihten Kriegsgefangenen und denen, deren Leben bewahrt werden soll, entspricht der Setzung eines neuen
Maßes: Die Gesamtmenge wird in zwei Teilmengen eingeteilt.

Einen pragmatisch-kreativen Akt stellt auch die Vermessung
eines Gebietes oder eines Gebäudes dar, wenn dabei nicht die
Größen der gegebenen Abmessungen festgestellt werden, sondern
diese in neue Abmessungen zerlegt werden. Eine solche Ver-

---

8)   Cf. HAUGG, aaO 6.

9)   a) Ez 40ff: LOHMEYER, Apk 90f; LOHSE, Apk 58; KRAFT,
         Apk 152; DEISSNER, ThWNT IV, 637f; GOLLINGER,
         Kirche 69f.
      b) Sach 2,6: SCHRENK, Weissagung 43.
      c) 2Sam 8,2: CHARLES, Apk I, 274f; KETTER, aaO 95.
      d) Dan 8,13f: HAUGG, aaO 6.
      e) äHen 61,1-5: CHARLES, Apk I, 275f; LOHMEYER,
         Apk 90f.

10)   ThWNT IV, 635f.

11)   WB s.v., 1018.

12)   KBL 495.

13)   KBL[3] 519.

14)   GB 398f.

messung bezeichnet als pars pro toto im Hinblick auf die
bereits vorhandenen Abmessungen "Zerstörung" (so z. B. 2Kön
21,13; Jes 34,11; Am 7,7-9.17; Mi 2,4; Klgl 2,8) im Hinblick auf die neuen "Aufbau" (so z. B. Jer 31,39; Sach 1,16).

In der großen Vision Ezechiels von neuem Tempel und Land
(Ez 40-48), auf die ca. 2/3 aller Belege von מדד im AT
entfallen, ist messen immer als kognitiv-rezeptiver Akt
verstanden, obwohl es wie in Jer 31,39; Sach 1,16 um den
zukünftigen Bau des Tempels und Jerusalems geht. Gemessen
werden die visionär geschauten, also in diesem Modus vorgegebenen Abmessungen. Ihre schon abgesteckte Größe wird
festgestellt[15]. In genauer Aufnahme dieser Tradition und
ihres Sprachgebrauchs ist die Vermessung des neuen Jerusalems in Apk 21,15-17 zu verstehen. Auch hier werden die
visionär vorgegebenen Maße bekannt gemacht[16].
Ein kognitiv-rezeptiver Akt ist auch die Messung in Sach
2,6, da das Ziel des Meßaktes ausdrücklich genannt ist:
"Jerusalem auszumessen, um zu sehen, wie breit und wie
lang es ist". Da nach dem Zusammenhang Jerusalem aber
noch nicht wieder aufgebaut ist, kann es sich nur um eine
visionäre Schau des neuen Jerusalems handeln. Diese ist
zwar nicht berichtet, wohl wird hiermit aber an Ez 40ff
angeknüpft, die dort geschilderte Vision also stillschweigend vorausgesetzt.
Der Fortgang der Vision steht allerdings dazu in Spannung,
V.7-9 sehen nämlich den Meßakt nicht als kognitiven, sondern als pragmatischen Akt an, und zwar verstehen sie den
Meßakt als einen Akt der Begrenzung, der die eschatologische Bevölkerungsfülle hindert[17].
Umstritten ist die Deutung von Jes 40,12[18]. Je nach dem,
ob man die Frage mit "niemand" oder mit "Jahwe" beantwortet sehen will, ob man im Messen der Welt eine Umschreibung für ein Adynaton oder für das schöpferische Tun Jahwes sieht, ist der Meßakt verschieden verstanden. Geht es
um die Beschreibung eines Adynaton, ist das Messen der
Welt als kognitiv-rezeptiver Akt verstanden: Die Maße der
Welt sind unerkennbar. Wird Jahwes Schöpferwerk damit umschrieben, ist das Messen der Welt Jahwes pragmatisch-
kreativer Akt: Er allein hat die Maße der Welt bestimmt[19].
Ob dieser Satz die zweite Bedeutung auch bei Dtrjes hat,
ist für uns hier von geringerem Interesse. Sicher ist -
wie wir gesehen haben[20] - daß der Satz in späterer Zeit -
wie die eindeutigen Aussagen in Hi 28,25; 38,5 - als Umschreibung für Jahwes Schöpferhandeln verstanden wurde.
An dieser Stelle muß daran erinnert werden, daß in diesem
schöpferischen, hoheitlichen Sinne auch der Meßakt in äHen
61,5 verstanden werden muß[21].

---

15) EBACH hingegen behauptet: die Maße wurden hier" als
    Ergebnis eines durch den Begleitengel vorgenommenen
    Maßvorganges mitgeteilt... Die Dimensionen entstehen
    geradezu erst durch die Aktion ihrer Messung!"
    (Kritik 17, cf. 28f).

16) So auch AntB 19,10.

17) C. JEREMIAS, Nachtgesichte 164-176.

18) S.o.S.42f.

19) Cf. dazu ELLIGER, Dtrjes 47-50.

20) S.o.S.43.

21) S.o.S.149-151.

Dadurch, daß die Aufforderung μὴ αὐτὴν μετρήσῃς mit ἔκβαλε ἔξωθεν parallelisiert ist und damit die Unterlassung der Messung des äußeren Vorhofs mit der Preisgabe an die Heidenvölker identisch ist, zielt die Messung von Tempel, Altar und Betern also darauf, deren Preisgabe an die Heidenvölker zu verhindern[22].

Damit ist die Messung eindeutig ein pragmatisch-kreativer Akt. Das wird auch daran deutlich, daß hier anders als in Ez 40 und Apk 21,15 nicht von κάλαμος μέτρου(ου)die Rede ist, sondern der Seher ein κάλαμος ὅμοιος ῥάβδῳ erhält, also nicht so sehr an ein Meßinstrument gedacht ist, als vielmehr an ein Szepter, ein Hoheitszeichen (cf. 2,27; 12,5; 19,15)[23]. Der Seher hat nicht Maße abzulesen und festzustellen - wie in 21,15, sondern ein Maß, eine Grenze zu setzen.

Diese Grenze hat, anders als in Sach 2,5-9, wo sie in erster Linie negativ als Beschränkung der eschatologischen Fülle verstanden ist, Schutzfunktion. Zugleich beschränkt sie diesen Schutz auf einen bestimmten Bereich, grenzt also aus[24]. Das verbindet die Messung mit der in 2Sam 8,2, unterscheidet sich davon aber dadurch, daß dort auch die dem Tod Preisgegebenen gemessen werden[25]. In 2Sam 8,2 geht es um die Neuaufteilung einer abgegrenzten Menge. Hier um die Ausgrenzung aus einer unbegrenzten, ungemessenen Masse[26].

Damit erhält der Meßakt selber die Qualität eines göttlichen Schöpfungswerkes. So wie Jahwe die Welt aus dem Chaos gehoben hat, indem er ihr Maß und Grenze setzte, so soll der Prophet in der Endzeit einem bestimmten Bereich Maß und Grenze setzen und so vor dem Unheil bewahren. Die wirklich stimmigen Parallelen zu diesem Meßakt sind mithin Jes 40,12; Hi 28,25; 38,5; äHen 61,5.

Die Kommentatoren sind sich darin einig, daß es in 11,1f im jetzigen Kontext (soweit sie auf dieses Problem ein-

---

22)   Cf. HAUGG, aaO 6.10.

23)   Cf. KRAFT, Apk 152.

24)   KETTER, aaO 95.

25)   Gegen KETTER, aaO 95f.

26)   CHARLES, Apk I, 275f, sieht den Unterschied darin, daß es im AT nur um physische Bewahrung gehe, hier aber um seelische.

gehen) allein um die eschatologische Rettung der προσκυνοῦντες geht[27]. Ναός und θυσιαστήριον sollen spiritualisiert als "christliche Gemeinde" verstanden werden. Das bringt jedoch die Schwierigkeit mit sich, daß dann sowohl οἱ προσκυνοῦντες wie Ναός und θυσιαστήριον Metaphern für die Gemeinde sein müssen[28].

Nun ist die Formulierung οἱ προσκυνοῦντες keineswegs eine geläufige Wendung für "die urchristlichen Gläubigen" in der Apk, wie C. MÜLLER behauptet[29]. Der Sprachgebrauch von προσκυνεῖν in der Apk zeigt aber, daß diese Formulierung hier wohl betont gewählt ist.

Zunächst machen zwei Stellen deutlich, daß die Proskynese allein als Huldigung für Gott legitim ist. Sie kommt nicht einmal Engeln zu: 19,10 = 22,8f[30]. Als term. techn. für den wahren Gottesdienst wird es (außer in 11,1) nur in eschat. Zusammenhängen gebraucht. Die Völker werden im Eschaton die Proskynese verrichten (3,9[31]; 14,7; 15,4), wie es im Himmel jetzt schon die Engel (7,11) und die vierundzwanzig Presbyter (4,10; 5,14; 19,4) tun[32]. An allen übrigen Stellen (außer 11,1) ist προσκυνεῖν malo sensu gebraucht. Es ist term. techn. für Götzendienst und Idolatrie im allgemeinen (9,20) und im Kaiserkult im Besonderen (13,4a.b.8.12.15). An fünf weiteren Stellen im Anschluß an Kap. 13 ist es geradezu formelhafte Umschreibung für die Gruppe derer, die der Verlockung des Kaiserkultes erlegen sind: 14,9.11; 16,2; 19,20, oder negativ formuliert: die Gruppe derer, die ihr widerstanden haben: 20,4.

An allen fünf Stellen steht jeweils parallel zu der Erwähnung der Proskynese vor dem Tier oder seinem Bild die der Versiegelung durch das Tier. Daß das χάραγμα des Tieres

---

27) HORST, Proskynein 255-257; LOHMEYER, Apk 88f; BRUN, ThStKr 102,223; LOHSE, Apk 58; KETTER, aaO 96; KRAFT, Apk 152. "Es ist nämlich zu beachten, daß der Ausdruck... gar nicht an den Raum denkt, sondern nur an die durch den Raum charakterisierte Gemeinde... Dann sind... alle räumlichen Begriffe, die im Zusammenhang der Messung erwähnt werden..., auf die Menschen zu beziehen." (RISSI, ThZ 13,246).

28) GOLLINGER, Kirche 70, begründet ihre Behauptung, daß "Tempel, Altar und Beter ein gemeinsames Symbol" seien, leider nicht.

29) Gerechtigkeit 42.

30) Zum formalen Widerspruch zu 3,9 cf. GREEVEN, ThWNT VI, 766 A.66.

31) GREEVEN ebd.

32) "Die Proskynese bedarf einer vor Augen stehenden Majestät, vor der sich der Anbetende beugt" (GREEVEN, aaO 766). Eine solche Majestät ist nach der Himmelfahrt Jesu den Christen erst im Eschaton gegeben.

212 Gegenbild zur ϭφϼαϒίϳ Gottes ist, haben wir oben gesehen[33].
Daraus kann gefolgert werden: Wie sich die Versiegelung des
Tieres und die Versiegelung Gottes antithetisch entsprechen,
so ist die Erwähnung der Proskynese in 11,1 bewußtes Gegenbild zu der Proskynese vor dem Tier.
Das ἐν αὐτῷ ist dann emphatisch gebraucht und bezieht
sich gleicherweise auf ναός und ϑυϭιαϭτήριον [34]. Dann
müssen aber ναός und ϑυϭιαϭτήριον nicht mehr spirituell
auf die Gemeinde gedeutet werden[35]. Beides dient vielmehr
dazu, die Proskynese im Jerusalemer Tempel als die auf
Erden einzig legitime zu erweisen, als die Proskynese vor
dem einzigen Gott, dem Gott Israels[36]. Die diese Proskynese verrichten, werden somit denen gegenüber gestellt,
die die Proskynese vor dem Tier verrichten. Diese Gruppe
wird nun, bevor sie in den πειραϭμός geführt wird, nicht
nur versiegelt, sondern auch gemessen. Sie stellt so einen
numerus clausus dar, der durch Gottes schöpferisches Tun
dem Verderben enthoben ist.
Von diesen Erkenntnissen aus muß nun noch einmal die Frage
nach der Vorgeschichte des Textes gestellt werden.
Verschiedentlich ist darauf hingewiesen worden, daß der
Text προϭκυνεῖν ἐν (ναῷ καὶ ϑυϭιαϭτηρίῳ), beim Wort genommen,
nur von der Bewahrung der Priester spreche[37]. Das aber
könne "ja nicht gemeint sein"[38]. - Und wenn nun genau
das gemeint wäre? So sinnlos, wie behauptet, wäre der
Text nicht. Er stünde dann nämlich innerhalb der Tradition,
die die Sammlung und Bewahrung eines "Heiligen Restes"[39],
einer heiligen "priesterlichen Schar" inmitten des sich
den Heiden assimilierenden Volkes Israel erwartete[40]. Die

---

33) S.o.S.204.

34) Anders READER, Stadt 248f; A.39, S.341f.

35) SCHÜSSLER FIORENZA, Prophet 407 A.290. Die Deutung
     von ϑυϭιαϭτήριον auf die Gemeinde ist ohnehin schwie-
     rig.

36) Cf. Joh 4,20.

37) BOUSSET, Apk 316; KRAFT, Apk 152.

38) Kraft ebd.

39) Cf. JEREMIAS, Gedanke 121-129.

40) "Die Pharisäer wollen das priesterliche Gottesvolk
     darstellen... den Restgedanken realisieren, die
     heilige priesterliche Gottesgemeinde konkretisie-
     ren" (ebd 123).

προσκυνοῦντες sind dann als die kultusfrommen Juden verstanden, die ecclesiola in ecclesia, die bewahrt bleibt, während
die Masse des Gottesvolkes dem Verderben preisgegeben ist.
Dem Propheten, mit dem hoheitlichen Akt der Ausmessung
beauftragt, kommt es zu, die Scheidung zu vollziehen.
Sein Dienst bewirkt diese Scheidung mit.
Für den christlichen Vf. der Apk sind die wahren προσκυνοῦντες
natürlich die Christen, die auch sonst in der Apk betont
die Bezeichnung ἱερεῖς τοῦ θεοῦ erhalten (1,6; 5,10;
20,6). Die christliche Gemeinde wird so wie in 7,1-8 in
Kontinuität zum Volk Israel gesehen[41]. Ναός und θυσιαστήριον
werden zwar im Zuge dieser Interpretation zu Metaphern,
nicht aber zu Metaphern für die Gemeinde, was ja eine
Dublette zu προσκυνοῦντες wäre. Sie sind vielmehr im
Sinne dessen zu verstehen, was SCHRENK "die Tempelchri-
stologie der johanneischen Schriften"[42] genannt hat.
Außer auf Apk 21,22 und Joh 2,19 mag man dazu auch auf
Ignatius verweisen, für den nicht nur ναός , sondern auch
θυσιαστήριον christologische Bezeichnungen werden (Ign
Magn 7,2; IgnTrall 7,2; IgnPhld 4).
Damit steht die christliche Gemeinde einmal - wie in der
aufgenommenen Tradition - im Gegensatz zu dem übrigen Teil
des Gottesvolkes, der die Proskynese vor Christus verwei-
gert, zu dem Israel, das den Herrn kreuzigt und sich der
zu ihm gesandten Propheten verschließt (V.3-13) und dessen
Schicksal hier - mit einer drastischen Formulierung
SCHRENKs - "hineingeknetet ist in die antichristliche
Welt"[43].Und zugleich steht sie im Kontrast zu Heiden und
Apostaten, die zwar die Proskynese verrichten - aber nicht
vor Christus, sondern vor dem Tier.

---

41) MICHEL, ThWNT IV, 892f, vermutet, "daß eine palä-
    stinensische Strömung des Urchristentums an der
    Existenz des Tempels festhalten wollte und diese
    Erwartung auch in einer apokalyptischen Weissagung
    zum Ausdruck brachte."
42) Weissagung 44.
43) Ebd 42.

Vom Motiv des numerus iustorum clausus zu unterscheiden
ist - was freilich nicht immer beachtet worden ist[1] -
die vorherbestimmte Zahl aller Menschen.

A. sBar 23,3-5
==============

In nt. Zeit ist diese Vorstellung eindeutig nur in sBar
belegt. Dort heißt es in einer Gottesrede (23,3-5):

> 3) Denn wie ich die Menschen nicht vergessen habe,
> die sind und die vergangen sind, so gedenke ich
> (auch) derer, die noch kommen werden.
> 4) Denn als Adam sündigte und der Tod verhängt wur-
> de, über alle, die noch geboren werden sollten, da
> wurde die Menge derer, die noch entstehen sollten,
> abgezählt. Und für jene Zahl wurde ein Ort bereitet,
> wo die Lebenden wohnen und wo die Toten aufbewahrt
> werden sollten.
> 5) Solange also, wie die vorhergesagte Zahl (noch)
> nicht voll ist, kommt die Schöpfung (weiterhin) ins
> Leben[2]: Denn mein Geist schafft Leben, und die Un-
> terwelt nimmt die Toten auf[3].

Damit ist deutlich, daß auch hier die Vorstellung vom
eschat. Maß vorliegt. Mit der urzeitlichen Bestimmung
der Anzahl aller Menschen durch Gott[4] ist ein Maß für
die Weltzeit gesetzt, das durch ständige Geburten stetig
gefüllt wird. Das Ende der Zeit kommt erst, wenn das durch
den numerus praedictus gesetzte Maß voll ist.
Daß es sich hierbei nicht "um die reale Präexistenz der
Seelen, die im Laufe der Zeit inkorporiert werden sollen"[5],

---

1) SJÖBERG, ThWNT VI, 378; KÄSEMANN, Röm 300;

2) Die Übersetzung folgt hier der Textkonjektur
   GRESSMANNs (VIOLET II, 346 A   ); zum Problem
   cf. HARNISCH, Verhängnis 312 A. 2.

3) Die Übersetzung folgt KLIJN-BUNTE, in: JSHRZ V,
   142 und HARNISCH, aaO 312.

4) Cf. die passiva divina in V.4.

5) BILLERBECK II, 341; BILLERBECK bestreitet mit Recht,
   daß 4Esr und sBar der Lehre von der Präexistenz der
   Seelen folgen. Wohl ist diese Vorstellung für das
   hellenistische Judentum der gleichen Zeit durch das
   sog. slavische Henochbuch belegt. Dort heißt es:
   "Setze dich (Henoch), schreibe auf alle Seelen der
   Menschen, so viel ihrer noch geboren, und ihre vor
   der Welt bereitete(n) Orte. Denn alle Seelen sind
   bereitet vor der Bildung der Erde" (slHen 23,5
   (Rez. A); Übersetzung von BONWETSCH 22; cf. auch
   slHen 58,5),   anders GUNKEL, in: Kautzsch AP II,

handelt, ist klar. Zu bestreiten ist aber auch, daß hier
"die ideelle Präexistenz der gesamten Menschheit im Welt-
plan Gottes"[6] vorausgesetzt ist. Präexistent gedacht ist
lediglich die Zahl aller Menschen, nicht die Menschen
selber, in welcher Existenzform auch immer. Auch hier
geht es wieder nur um die Prädisposition eines Rahmens,
nicht die Prädestination seines Inhalts.

1. Die Setzung des Maßes ist auch hier Gottes souveräner
Akt. Der Mensch weiß zwar um diesen Akt, aber er kennt
nicht das Maß. Die festgesetzte Zahl selber ist seiner
Einsicht entzogen. Damit sind alle Spekulationen über den
Endtermin unmöglich gemacht[7].

2. Die Setzung des Maßes ist auch hier ein irreversibler
Akt Gottes. Das dient dem Verfasser dazu, deutlich zu
machen, daß Gott allen menschlichen Wünschen und Gebeten
zum Trotz das Ende gar nicht früher herbeiführen kann.
Gott ist an seine Setzung gebunden. Er ist ein Gefangener
seines eigenen Beschlusses. Daß "Gott sich ein für alle-
mal an sein Dekret gebunden und sein Handeln auf den Plan
abgestellt hat"[8], das wird aber im Zusammenhang mit dem
Theorem vom praedictus numerus omnium hominum nicht nur
konstatiert, sondern geradezu plastisch deutlich gemacht
und erst so für die Argumentation wirklich stringent.
Der Bericht von der Setzung des Maßes (V.4a) und seiner
möglichen Füllung (V.5a) wird unterbrochen durch den auf-
schlußreichen Satz: "Und für jene Zahl wurde ein Ort bereitet, wo die Lebenden wohnen und wo die Toten aufbewahrt
werden sollten" (V.4b). Die Schaffung dieses Ortes steht
also in Korrespondenz zur Bestimmung der Zahl aller Menschen. Nach dem Zusammenhang ist der Ort, der die Toten
aufnimmt, das Totenreich, ein begrenzter Raum[9]. Und
damit ist die einmal festgelegte Größe dieses Raumes ein
weiterer Determinationsfaktor. Und erst dieser Determina-

---

358 d; Meyer, Anthropologie 55; cf. zum Problem
auch VOLZ 140.253; JEREMIAS, ThLZ 65,240; SJÖBERG,
ThWNT VI, 378; HARNISCH, aaO 125 A.2.

6) BILLERBECK ebd; MEYER, aaO 48 A.1.

7) Cf. HARNISCH, aaO 313.

8) AaO 313

9) Cf. 4Esr 4,41.

216 tionsfaktor macht wirklich einleuchtend, daß die bestimmte
Zahl unveränderbar ist[10].

So ist dann auch die Fortsetzung zu verstehen: "Denn mein
Geist schafft Leben, und die Unterwelt nimmt die Toten
auf." Solange Platz in der Unterwelt ist, ist die bestimmte
Zahl nicht erreicht und solange die Zahl nicht erfüllt ist,
ist auch die Unterwelt noch nicht voll.

3. Ob dem Menschen Einflußmöglichkeiten auf das Kommen
des Endes im Rahmen dieser Vorstellung eingeräumt sind,
ist zu fragen. Daß "der Versuch einer Einflußnahme sei-
tens des Menschen von vornherein zum Scheitern verurteilt
ist"[11], mag im Rahmen der Gesamtkonzeption des sBar ein
berechtigtes Urteil sein, es folgt aber gerade nicht
zwingend aus diesem Theorem als solchem. Im Gegenteil!
Da die Füllung des Maßes durch stetige Geburten vollzogen wird, liegen genau hier die Möglichkeiten menschlicher
Mitwirkung: Je mehr Kinder in die Welt gesetzt werden,
desto eher kommt das Ende! Auf dieser Basis könnte es
also zu einem eschatologisch motivierten Zeugungs- und
Gebäreifer kommen: Kinder zeugen und gebären, um das
Kommen des Endes zu beschleunigen[12].

Freilich, für sBar liegen solche Reflexionen völlig fern.
Er hat nicht einmal gesehen, daß sein Theorem in dieser
Weise gegen seine eigene Argumentation gewendet werden
könnte. Denn für ihn ist Zeugung und Geburt Werk des
Gottesgeistes (cf. 23,5b), und nicht menschlichen Wollens.
Wohl aber haben spätere Generationen mit Hilfe dieses
Theorems genau in diese Richtung weitergedacht.

---

10) Daß kein Ort für die präexistenten Seelen genannt
    wird, zeigt noch einmal, daß diese Vorstellung ganz
    außerhalb des Gesichtskreises von sBar liegt. Mit
    der Erschaffung der präexistenten Seelen hätte sich
    ja ein wesentlich überzeugenderer Faktor angeboten,
    um die Unveränderbarkeit des Maßes einleuchtend zu
    machen. Aber diese Vorstellung konnte eben erst
    später aufgenommen werden (s.u.).

11) HARNISCH, aaO 313.

12) "In der beginnenden Neuzeit veranlaßte der vermeint-
    liche Messias Sabbatai Zwi seine Anhänger aus diesem
    Grunde, schon ihre Kinder zum ehelichen Verkehr zu
    bewegen" (SCHUBERT, Religion 66). Ähnliches wird heu-
    te noch von den Mormonen berichtet; cf. E. SCHICK,
    ThZ 1,274; STROBEL, Untersuchungen 41 A.3.

Davon gibt eine Baraitha in Nidda 13[b] samt ihrer
amoräischen Erklärung Kunde:

>"Die Proselyten u. die mit kleinen Mädchen Scher-
>zenden halten den Messias zurück... was ist es um
>die mit kleinen Mädchen Scherzenden?... (Es) handelt
>... sich um solche, die eine Unmündige (die noch
>nicht 12 Jahre alt ist) heiraten, mit der sie keine
>Kinder zeugen können; denn R. Jose (= R. Asi, um
>300) hat gesagt: Der Sohn Davids (Messias) kommt
>nicht eher, als bis alle Seelen, die inkorporiert
>werden sollen... zu Ende (tatsächlich inkorporiert)
>sind."[13]

Das kommentiert P. BILLERBECK zutreffend so: "Indem also
die Männer, die Unmündige heiraten, keine Kinder erzeugen,
verzögern sie die Inkorporierung der Seelen und damit die
Ankunft des Messias" [14]. Das gleiche Theorem, das sBar
dazu diente, die völlige Entzogenheit des Endtermins
(sowohl im Hinblick auf menschliche Mitwirkung als auch
im Hinblick auf menschliche Berechnungen) zu erweisen,
nahmen andere auf, um menschliche Einwirkungsmöglichkeiten
auf das Kommen des Endes zu behaupten - sei es, um sein
Kommen zu beschleunigen, sei es, um seine Verzögerung zu
verhindern.

Im Ausspruch des R. Asi ist die Präexistenz der Seelen vorausgesetzt. Damit ist die Irreversibilität des Maßes vor-
stellungsmäßig gesichert: durch die vorzeitlich abgeschlossene Erschaffung der Seelen ist ihre Zahl gegeben und damit
das Maß irreversibel gesetzt[15].

---

13)   BILLERBECK I, 600f; PARALLELSTELLEN: J[e]b 62[a]; 63[b];
      AZ 5[a]; Kalla rabb. 2; cf. KLAUSNER, Vorstellungen
      37f; Idea 430f.

14)   Ebd 601; gesichert ist dieses Verständnis durch
      eine andere Version der Baraitha aus dem außerka-
      nonischen Traktat Kalla rabb. Kap 2: "Proselyten
      und die, die ihren Samen unnütz ausfließen lassen,
      verzögern die Ankunft des Messias." (KLAUSNER, Vor-
      stellungen 37; Idea 430).

15)   Das entspricht auch der Anschauung Raschis
      ("...die Seelen, die ich geschaffen habe, halten
      die Erlösung zurück, nämlich insofern, als sie
      erst sämtlich in menschliche Körper übergehen
      müssen, bevor die messianische Zeit anbrechen
      kann.") und der Tosaphisten ("Denn der Messias
      zögert mit seinem Kommen wegen der Seelen, die
      ich geschaffen habe, d. h. weil sie vor dem Er-
      scheinen des Messias erst inkorporiert sein
      müssen"); cf. BILLERBECK, II 347.

Strittig ist aber, wie der Passus חנשמות שבאוף כל übersetzt werden muß. Neben der oben zitierten Übersetzung
läßt P. BILLERBECK auch folgende gelten: "... als bis alle
Seelen im אוף zu Ende sind"[16] und merkt dazu an: "Unter
אוף... versteht man den Raum, in welchem die präexistenten Seelen bis zu ihrer Inkorporierung aufbewahrt werden"
[17]. Damit ist auch hier die Irreversibilität des Maßes
durch die Größe eines konkreten Raumes, nämlich hier des
אוף, zusätzlich gesichert.

Ein vergleichbarer Ausspruch ist unter den Amoräern in
Palästina bekannt. Er wird R. Tanchum b. Chijja (um 300)
zugeschrieben:

> "Nimmer kommt der König, der Messias, eher, als
> bis alle Seelen... erschaffen sind, die im Gedanken
> (Gottes) aufgestiegen sind, um (dereinst) erschaf-
> fen zu werden; u. das sind die Seelen, die im Buche
> Adams genannt sind" (GnR 24 (16^a))[18].

Wird die vorzeitliche Fixierung der Anzahl der Seelen
in den Vorstellungen der babylonischen Amoräer durch
die real im אוף präexistierenden Seelen gewährleistet,
so in denen der palästinischen durch die Aufzeichnung
im Buche Adams[19].

Wie das Theorem vom numerus iustorum so ist auch das vom
numerus omnium hominum mit der Vorstellung eines himmlischen Buches verbunden. Die rabbinische Exegese geht
davon aus, daß alle Lebenden bei Jahwe schriftlich
fixiert sind, was ja bereits im AT mehrfach zum Ausdruck
gebracht ist (Ex 32,32f; 1Sam 25,29; Ps 139,16; 87,6)[20].
Sie kombiniert die prädestinatianischen Aussagen in
Ps 139,16 und Pred 6,10 mit Gen 5,1 und deutet so den
dort genannten סֵפֶר תּוֹלְדֹת אָדָם als "ein nach

---

16)   II, 346.

17)   Ebd A. 1; cf. KLAUSNER, Vorstellungen, 38 A.1;
       Idea 431 A.20; SCHUBERT, Religion 65f.

18)   BILLERBECK II, 347; Parallelstellen: LvR 15
       (115^c); MidrQoh 1,6 (7^a).

19)   "Die palästinische u. die babylonische Tradition
       stimmen in der Hauptsache überein; die Verschie-
       denheit liegt darin, daß jene eine ideelle u. diese
       eine reale Präexistenz der Seelen annimmt".
       BILLERBECK II, 347. Das Urteil stimmt hier, nicht
       aber für sBar, bei dem BILLERBECK ähnlich diffe-
       renziert; s.o.S.215.

20)   S.o.S.132ff.

Generationen geordnetes Verzeichnis aller Nachkommen
Adams u. ihrer Schicksale"[21], sieht darin also den numerus omnium hominum vorzeitlich verzeichnet.
So sichert auch hier sowohl die Vorstellung einer vorzeitlich abgeschlossenen schriftlichen Fixierung im Himmel wie
die Vorstellung der vorzeitlich abgemessen geschaffenen
Aufenthaltsräume die Irreversibilität des numerus clausus.

C. Ohne Determinationsfunktion

Wie beim Motiv vom numerus iustorum[22] so wird auch das
Motiv vom numerus omnium hominum gebraucht, ohne daß auf
seine Funktion als Determinationsfaktor abgehoben wird.
In 4Esr 5,36f wird der Seher auf die Grenzen seiner
menschlichen Möglichkeiten verwiesen mit einer Reihe
ironischer Aufforderungen, zu tun, was nur Gott vermag[23].
Innerhalb dieser Reihe von Gottesprädikationen heißt es
dann:

"So nenne mir die Zahl der Zukünftigen!"...!"[24]

An drei Stellen ist im AntB in diesem Sinne vom numerus
die Rede.

"(Am Rosch Haschana[25]) werde ich für euch fest-
stellen die Zahl der Gestorbenen und Geborenen"
(13,6), sagt Gott zu Mose[25].
Über die Rotte Korah heißt es: "...ihr Leben wird
weggenommen werden von der Zahl aller Menschen"
(16,3)[27].

---

21) BILLERBECK II, 173; Belege: ebd 173f.

22) S.o.S.193ff.

23) Daß es nicht Umschreibungen für Adynata sind, zeigt
eindeutig 5,38: "... wer könnte sich auf dergleichen
verstehen außer denen, die nicht unter Menschen wohnen?" Es sind also Tätigkeiten, die allein Gottes
Macht vorbehalten sind; cf. Jes 40,12; 2Makk 9,8.

24) "Numera mihi qui necdum venerunt". Der Text ist
allerdings unsicher; die armenische Version hat:
"Dic mihi numerum natorum", während die äthiopische den Text so bietet: "Zähle mir die Tage, die
noch nicht gekommen sind". (cf. VIOLET I, 72f).

25) Cf. zum Zusammenhang der Vorstellung von den himm-
lischen Büchern mit dem Neujahrsfest: SCHLATTER,
AT 97 mit Verweis auf b. Rosch 32ᵇ; Tanch א 13;
KOEP, Buch 26f; 35.

26) "In initium annorum ostendibus vobis agnoscam
numerum mortuorum et natorum".

27) "Et auferetur vita eorum de numero omnium hominum".

Und nach der Greueltat des Micha sagt Gott: "Und
es werden sich die Sterbenden vermehren über die
Zahl derer hinaus, die geboren werden" (44,8)[28].

Das setzt auch die Aussage Gottes voraus:

"Es werden aber ihre Jahre (das Maß menschlicher
Lebenszeit) 120 betragen, womit ich die Maße der
Weltzeit festgelegt habe (3,2).

Denn das Maß der Weltzeit ist nur dann durch das Maß
der menschlichen Lebenszeit determiniert, wenn die Zahl
aller Menschen prästabiliert ist[29].

In der äthPetrApk 3 heißt es:

"Und er (Gott) zeigte mir die Seelen von allen
(Menschen)..."[30].

D. Vorgeschichte
=================

Fragt man nach den Wurzeln der Vorstellung vom praedictus numerus omnium hominum, helfen zunächst die Stellen
innerhalb des sBar weiter, bei denen Anklänge an die
Aussagen in 23,3-5 unverkennbar sind. Am nächsten kommt
ihnen 48,6:

"Du (Herr) bestimmst die Zahl, die vergeht und
fortbestehen wird, und bereitest eine Wohnung
für die, die sein werden."

Aber auch Sätze, die Gott nur ein Vorherwissen statt
einer Vorherbestimmung der Zahl aller Menschen zuschrei-
ben, gehören in diesen Vorstellungskomplex:

"...du (Herr) weißt die Anzahl derer, die aus ihm
(Adam) geboren sind..." (48,46);

"...du kennst die Zahl der Menschen" (21,10).

Gemeinsam ist allen drei Sätzen die Gattung: es sind
Gebetsaussagen, hymnologische Sätze. Sie dienen dazu,
Gott, den Schöpfer, und seine Allmacht zu preisen. So
stehen sie in einer Reihe mit anderen ähnlichen Aussagen,
die zum Ausdruck bringen, daß der Schöpfer seiner Schöpfung ein Maß gesetzt hat, über das er verfügt:

"O Herr, du rufst dem Kommen der Zeiten... Du ver-
fügst über den Lauf der Perioden... Du allein kennst
die Dauer der Geschlechter... Du gibst die Menge des
Feuers an und wägst die Leichtigkeit des Windes..."
(48,2ff).

---

28)   "Et multiplicabuntur morientes supra numerum nascen-
      tium".

29)   S.o.S.40f.

30)   HENNECKE- SCHNEEMELCHER II, 473.

Solche hymnologischen Sätze finden sich auch innerhalb
anderer Texte, auch in älterer Literatur; ja, solche
Traditionen lassen sich bis ins AT hinein zurückverfol-
gen.

Daß Gott seine Geschöpfe gezählt hat, wird hymnologisch
zum Ausdruck gebracht entweder im Du-Stil oder in Form
rhetorischer Fragen. Gott hat die Sterne gezählt
(Jes 40,26; Ps 147,4; äHen 93,14; AntB 21,2), die geradezu sprichwörtlich als unzählbar gelten (cf. Gen 15,5;
Jer 33,22), die Sandkörner, die ebenfalls oft unzählbar
genannt werden (Gen 32,13; Jer 33,22; Hos 2,1), und
Regentropfen (Sir 1,2), die Wolken (Hiob 38,37), die
Schritte eines Menschen (Hi 14,16; 31,4); im Hinblick
auf die ganze Schöpfung kann gesagt werden: "Du hast
alles nach Maß und Zahl und Gewicht geordnet" (Weish 11,20;
cf. Jes 40,12). In diesem Rahmen wird an einer Stelle
auch von der Zahl der Menschen gesprochen

"... Und du teilst es all ihren Sprößlingen zu
nach der Zahl der fortwährenden Geschlechter
(למספר דורות עולם, 1QH 1,18)

Schon in der älteren Literatur läßt sich beobachten,
wie solche hymnologischen Sätze theoretisiert[31] und
zum Gegenstand abstrakt-theologischen Lehrens und Ler-
nens über Gott gemacht werden:

"Der Herr selbst hat sie geschaffen, und er sah
sie und zählte sie her... (Sir 1,9; cf auch Hi
28,25f; äHen 43,2; 60,11f).

Daß Gott die Zahl seiner Geschöpfe kennt und bestimmt
hat, wird also zunächst in hymnologischer Form ausgesagt,
um damit Gottes Allmacht zu preisen. In dieser Form begegnen solche Sätze bezogen auf die Zahl aller Menschen
auch im sBar.

---

31) TestNaph 2,2ff ist ein beredtes Beispiel dafür,
wie ein ehemals hymnologischer Satz verselbstän-
digt worden ist und dann eine neue Funktion bekommen hat. Hier nämlich wird der Satz "Denn nach
Gewicht und Maß und Regel ist alle Schöpfung des
Höchsten" (2,3) zur Begründung eines ethischen
Imperativs "So laßt nun, meine Kinder, alle eure
Werke in Ordnung... geschehen und vollbringt
nichts Ungeordnetes... noch außer seiner Zeit!"
(2,9).

Die gleichen Aussagen werden aber auch in Affirmativ-
sätze gebracht, um Gottes Allmacht lehrmäßig zu verdeutlichen oder um andere theologische Reflexionen daran an-
zuschließen. Es liegt darum nahe, anzunehmen, daß mutatis
mutandis sBar ähnlich verfahren ist. Wahrscheinlich ist
die auch dort vorkommende hymnologische Tradition aus
didaktischen Gründen zu dem Theorem vom numerus praedictus omnium hominum fixiert worden, wie es in sBar 23,3-5
zum ersten Mal deutlich faßbar wird[32].

32)   Cf. auch LICHTENBERGER 187-189.

1. Grundvoraussetzung für die Vorstellung vom eschat.
   Maß ist die Überzeugung, daß alles in der Welt sein
   Maß hat. Mag es diese Anschauung - aus allgemeiner
   Natur und Welterfahrung stammend - auch bei anderen
   Völkern geben[1], im jüdischen Bereich ist sie durch
   den unverrückbar feststehenden Grundsatz bestimmt,
   daß Jahwe der Schöpfer und Regierer der Welt und all
   ihrer Ordnungen ist. Ist Jahwe der Herr des Univer-
   sums, dann hat er selbstverständlich auch die Ordnungen und Maße darin festgesetzt[2].

   Daraus folgt, daß der Akt der Maßsetzung von allem in-
   nerweltlichen Geschehen unabhängig ist[3]. Er ist freies,
   schöpferisches Handeln Gottes. Diese transzendente
   Maßsetzung ist aber nicht im Sinne einer Metaphysik
   zu verstehen. Sie ist vielmehr Tat des verheißenden,
   sich den Menschen zuwendenden Gottes. Die Maßsetzung
   ist zu verstehen im Sinne einer Verheißungstranszen-
   denz.

2. Aus dieser transzendenten Maßsetzung folgt, daß der
   Mensch von sich aus dieses Maß nicht kennt. Nicht nur
   im NT, sondern auch in den jüdischen Texten ist an diesem Grundsatz festgehalten: Kein Mensch kennt die von
   Gott gesetzten Maße[4]. Die Größe des eschat. Maßes ist
   unbekannt. Das eschat. Maß ist theonom.

   Dieser Tatbestand erklärt, daß die Aussage vom eschat.
   Maß keineswegs die vom plötzlichen Ende ausschließt.
   Beide Aussagen sind nämlich von verschiedenen Stand-
   punkten aus gemacht. Aussagen über das eschat. Maß
   sind vom Standpunkt Gottes aus gemacht - sie erscheinen darum immer wieder in expliziten Verheißungen Jahwes -, während die Aussagen über das plötzliche Kommen
   des Endes vom Standpunkt menschlicher Erfahrung aus
   gemacht sind. Für die Zeit bis zum Ende ist ein Maß
   gesetzt, dessen Augenblick der Erfüllung für den
   Menschen überraschend kommt, da er die Größe des Maßes
   nicht kennt.

---

1) Cf. DELLING, ThWNT VI, 293, 27ff.
2) Cf. VOLZ, 138f.
3) Cf. STROBEL, Kerygma 85-88.
4) Cf. BILLERBECK II, 588f.

Die Theonomie der Maßsetzung ist sogar die Voraussetzung für alle gelegentlich doch einsetzende <u>Terminberechnung.</u> Diese hebt nämlich die Theonomie nicht auf, sondern relativiert sie nur. Denn erstens ist diese Terminberechnung einigen wenigen dazu Privilegierten vorbehalten und zweitens geschieht sie in den dieser Literatur eigenen geheimnisvollen Verschlüsselungen. Beides weist auf die Theonomie der Setzung des eschat. Maßes.

3. Gelegentlich wird das Motiv vom eschat. Maß als <u>Geschichtsdeterminismus</u> deklariert[5]. Dieser Terminus aber ist der Sache höchst unangemessen und durchaus mißverständlich.

Erstens ist die Maßsetzung ein freier Akt des verheißenden Gottes. Wohl gibt es im Zuge der Überlieferungsgeschichte gelegentlich Tendenzen in die Richtung einer quasi-deterministischen Geschichtsauffassung. Von ihrem Ursprung und Wesen her ist die Maßsetzung aber so viel und so wenig determinierend wie Gottes Schöpfungswort in der übrigen Bibel.

Zweitens, wenn schon im Zusammenhang mit dem Maßmotiv von Determination geredet wird, dann sachgemäß nur von Rahmendetermination. "Determiniert könnte man höchstens das Ende der Geschichte nennen"[6]. Wenn schon in diesem Zusammenhang von einem Plan geredet wird, dann legitimerweise nur von einem "Rahmenplan". Gott hat einen Rahmen gesteckt, innerhalb dessen er menschlicher Geschichte Freiheit gegeben hat.

4. Diesem Sachverhalt entspricht, daß das Motiv vom eschat. Maß im NT sowohl <u>theonom</u> wie <u>anthroponom</u> verwendet werden kann. Gerade das eschat. Maß hält fest, daß Gott seine Verheißung als der freie Herr an die Verheißungsempfänger gebunden hat. Die Erfüllung kommt keineswegs wie ein Verhängnis über die Menschen. Vielmehr hat Gott seine Verheißung an menschliches Tun gebunden, mit diesem Tun konditioniert, ohne damit sein Herrsein preiszugeben. Am deutlichsten kommt diese Dialektik in den

---

5) S.o.S. 3 A.4.
6) REESE, Geschichte 62.

Ausführungen des Pls in Röm 11 zum Ausdruck, sie stehen
aber auch hinter den Aussagen über das Leidens- und
Sündenmaß. Solche "theonome Reziprozität" ist für
systematisch-theologische und praktisch-theologische
Arbeit weiterzudenken.

5. Im spezifisch nt. Gebrauch des Maßmotivs spiegelt
sich das Grundproblem christlicher Eschatologie.
Einerseits wird die Erfüllung des Maßes für die Zukunft erwartet, das Maß also in der Prospektive gesehen, andererseits die vollzogene Erfüllung des
Maßes proklamiert, das Maß also in der Retrospektive
gesehen. Die <u>Zerdehnung nt. Eschatologie</u> wird so un-
übersehbar.

Dabei signalisieren die retrospektiven Aussagen die
fundamentale Aporie einer christologisch modifizier-
ten Eschatologie. Das wird in paradoxen Formulierungen
so gut wie in sprachlichen Neuschöpfungen deutlich.
Von hier aus kann das Problem von <u>Eschatologie und
Geschichte</u>, exegetisch neu fundiert, bedacht werden.
Es kann systematisch-theologisch bedacht werden, daß
nach dem nt. Zeugnis die Zeit grundsätzlich durch das
Christusgeschehen qualifiziert gedacht ist. Dabei kann
gefragt werden, ob Christus als die Fülle der Zeit
oder ihre Mitte oder ihr Ende oder ihr Herr zu sehen
ist.

Im Anschluß an den hier dargestellten exegetischen
Befund sind einige Längsschnitte durch das NT lehrreich.
Ergiebig ist sicher, die besondere Funktion des Motivs
vom eschat. Maß bei Jesus, bei Pls, in der Apk, bei
Mt und bei Lk zu untersuchen. Weitere exegetischen
Impulse für das Verständnis von Geschichte wird sicher
jeder dieser Untersuchungsgänge vermitteln.

6. Schließlich ist von den in dieser Arbeit dargebotenen
traditionsgeschichtlichen Analysen her das <u>Problem der
Apokalyptik</u> aufzugreifen. Einerseits hat sich gezeigt,
daß man gut daran tut, statt eines pauschalierenden
Redens von "der Apokalyptik" sauber zu differenzieren.

Die verschiedenen Funktionen des eschat. Maßes in den
verschiedenen Schriften signalisieren, daß in etwa
folgende Gattungen zu unterscheiden sind[7].

a) Parakletische Texte aus akuten Notsituationen mit
drängender Naherwartung. Das eschat. Maß bekräftigt
hier ergangene Verheißung und macht sie stark gegen
gegenläufige Erfahrungen. Zu diesen Texten gehören
z. B. Dan, Tierapokalypse, äHen 47 (ursprüngliche
Fassung), Apk, Mk 13par, Röm 11.

b) Enzyklopädisch-didaktische Texte aus "ruhigen"
Zeiten, die Gelegenheit zu weitläufiger theologischer
Reflexion geben. Das eschat. Maß wird hier zu einem
eschat. Lehrtopos neben anderen, gelegentlich zu kos-
mologischer Spekulation ausgeweitet. Zu diesen Texten
gehören z. B. weite Teile des äHen, Jub, vielleicht
auch die Tradition hinter Mt 1,17.

c) Apologetische Texte aus Zeiten blühender Skepsis.
Die Naherwartung wird nur als Lehrgegenstand weiter-
gegeben. Das eschat. Maß hat hier die Funktion, solche
Apologie traditioneller Eschatologie doktrinär zu stützen. Zu diesen Texten gehört z. B. 4Esr, sBar, 2Petr.

Neben solcher inneren Differenzierung kann aufgrund der
hier vorgelegten Analysen auch noch einmal die Frage
nach den Ursprüngen der Apokalyptik aufgeworfen werden.
Insgesamt bestätigt die Tradition vom eschat. Maß, die
ja Transformation prophetischer Überlieferung darstellt
und in späterer Zeit sapientiale Einflüsse zeigt, das
Urteil P. v. d. OSTEN-SACKENs: "Die Apokalyptik ist
ein legitimes, wenn auch spätes und eigenartiges Kind
der Prophetie, das sich, obschon bereits in jungen
Jahren nicht ohne Gelehrsamkeit, erst mit zunehmendem
Alter der Weisheit geöffnet hat"[8].

Schließlich kann die Arbeit verlängert werden um eine
Untersuchung, die die Verwendung des Motivs in gnosti-
schen Texten aufspürt, um von dort her das Phänomen
Apokalyptik einzugrenzen und mögliche Zusammenhänge und
Übergänge zwischen Apokalyptik und Gnosis zu entdecken.

---

7) Diese Sicht der Dinge verdanke ich weitgehend Dr.
   ULRICH KELLERMANN, Wuppertal (mündlich).

8) Apokalyptik 63.

A B K Ü R Z U N G E N

Bl-Debr-R	Blass - Debrunner - Rehkopf, Grammatik s. Literaturverzeichnis
eschat.	eschatologisch
frühpln	frühpaulinisch
nachat.	nachalttestamentlich
pln	paulinisch
Pls	Paulus
vorpln	vorpaulinisch

Darüberhinaus orientieren sich die Abkürzungen, falls sie

sich nicht von selbst verstehen, am Abkürzungsverzeichnis

in:

Die Religion in Geschichte und Gegenwart. Handwörterbuch
für Theologie und Religionswissenschaft, in Gemeinschaft
mit anderen herausgegeben von Kurt Galling, Band I - VI und
Registerband, Tübingen [3]1957-1965.

und an: S. Schwertner, Internationales Abkürzungsverzeichnis
für Theologie und Grenzgebiete (IATG), Berlin/New York 1974.

Davon abweichend sind folgende Abkürzungen gebraucht:

AntB	Pseudo-Philo, Liber Antiquitatum Biblicarum
CD	Damaskusschrift
sBar	syrische Baruchapokalypse
äHen	äthiopisches Henochbuch

L I T E R A T U R V E R Z E I C H N I S

Die Abschnitte I und II sind sachlich, der Abschnitt III ist
alphabetisch geordnet.

I. Quellen

Biblia Hebraica, ed. Rudolf Kittel, Stuttgart [12]1961.

Septuaginta, ed. Alfred Rahlfs, Stuttgart [7]1962.

Septuaginta, Vetus Testamentum graecum auctoritate societatis Litterarum Gottingensis editum, Göttingen 1926ff.

Novum Testamentum Graece, ed. Kurt Aland et Erwin Nestle, Stuttgart [25]1963.

Novum Testamentum Graece, ed. Constantin von Tischendorf (Editio
octava critica maior) Vol. I - III, Leipzig 1869-1896.

Synopsis quattuor Evangeliorum, ed. Kurt Aland, Stuttgart [2]1965.

Origenis hexaplorum quae supersunt, sive veterum interpretum Graeco-
rum in totum Vetus Testamentum fragmenta, ed. Fridericus
Field, Oxonii 1875.

Die Heilige Schrift des Alten und Neuen Testaments. Zürcher Bibel,
Zürich o.J.

Die Apostolischen Väter, hg.v.Josef Fischer, Bd. 1, Darmstadt [4]1964.

Die Apostolischen Väter I, hg.v. Karl Bihlmeyer u. Wilhelm Schneemelcher, [2]1956.

Der Hirt des Hermas, hg.v.M.Whittaker (GCS 48), Leipzig [2]1967.

Zwei neue Evangelien-Fragmente, hg. u. erkl.v. Henry Barclay Swete
(KlT 31), Bonn 1908.

Neutestamentliche Apokryphen in deutscher Übersetzung, hg.v. Edgar
Hennecke und Wilhelm Schneemelcher, Bd. 1 Tübingen [3]1959;
Bd. 2 Tübingen [3]1964.

Die Texte aus Qumran. Hebräisch und deutsch. Mit masoretischer Punkta-
tion, Übersetzung, Einführung und Anmerkungen, hg.v. Eduard
Lohse, Darmstadt 1964.

Die Apokryphen und Pseudepigraphen des Alten Testaments, übers. u.
hg.v. Ernst Kautzsch, Tübingen 1900 (= Darmstadt 1962) 2 Bd.

The Apocrypha and Pseudepigrapha of the Old Testament in English
with Introductions and Critical and Explanatory Notes to the
Several Books, ed. in Conjunction with Many Scholars by Robert
Henry Charles, Vol. I - II, Oxford 1913.

Altjüdisches Schrifttum außerhalb der Bibel, übers. u. erläutert
v. Paul Riessler, Augsburg 1928 (= Darmstadt 1966).

Jüdische Schriften aus hellenistisch-römischer Zeit, hg.v. Werner
Georg Kümmel u.a., Bd. I - V, Gütersloh 1973ff (Lieferungen).

Libri Apocryphi Veteris Testamenti Graece, ed. Otto Fridolinus
Fritzsche, Leipzig 1871.

Messias Judaeorum libris eorum paulo ante et paulo post Christum
natum conscriptis illustratus, ed. Adolf Hilgenfeld, Lipsiae
1869.

Löfgren, Oscar:
Die äthiopische Übersetzung des Propheten Daniel nach verschiedenen
    Handschriften zum ersten Male herausgegeben und mit Einleitung
    und Kommentar versehen (Diss. phil. Upsala), Paris 1927.

The Books of Henoch. Aramaic Fragments of Qumrân Cave 4, ed.
    Józef T. Milik and Matthew Black, Oxford 1976.

Liber Henoch Aethiopice, ed. August Dillmann, Leipzig 1851.

Das Buch Henoch, Äthiopischer Text mit Einleitung und Commentar
    (TU 22,1), hg.v. Johannes Flemming, Leipzig 1902.

The Ethiopic Version of the Book of Henoch (Anecdota Oxoniensia,
    Semitic Series XI), ed. Robert Henry Charles, Oxford 1906.

Das Buch Henoch, übers. und erklärt v. August Dillmann, Leipzig
    1853.

Das Buch Henoch, hg.v. Johannes Flemming u. L. Radermacher (GCS 5),
    Leipzig 1901.

Apocalypsis Henochi Graece, ed. Matthew Black - Fragmenta Pseudepi-
    graphorum quae supersunt graeca collegit et ordinavit Albert-
    Marie Denis (PVTG 3), Leiden 1970.

Testamenta XII Patriarcharum, ed. Marinus de Jonge (PVTG 1), Leiden
    1970.

Testamentum Iobi, ed. S.P. Brock - Apocalypsis Baruchi Graece, ed.
    J.-C. Picard (PVTG 2), Leiden 1967.

Die Weisheit des Jesus Sirach, hg.v. Rudolf Smend, Berlin 1906.

Die Oracula Sibyllina, hg.v. Johannes Geffcken (GCS 8), Leipzig
    1902 (= 1967).

Aristea ad Philocratem epistula, ed. Paulus Wendland (Bibliotheca
    Teubneriana) Leipzig 1900.

Die Himmelfahrt des Mose, hg.v. Carl Clemen (KlT 10), Bonn 1904.

Vita Adae et Evae, ed. W.Meyer, in: AAM philos.-philol. Classe
    14,3, München 1878, 185-250.

Die Bücher der Geheimnisse Henochs. Das sogenannte slavische
    Henochbuch (TU 44,2), hg.v. G.Nathanael Bonwetsch, Leipzig
    1922.

Das vierte Buch Esra, hg.v. Gustav Volkmar (Handbuch der Einleitung
    in die Apokryphen 2), Tübingen 1863.

The Fourth Book of Ezra (TSt 3,2), ed. Robert L. Bensly, Cambridge
    1895 (= Nendeln/Liechtenstein 1967).

Die Esra-Apokalypse (IV.Esra). Erster Teil: Die Überlieferung, hg.
    v. Bruno Violet (GCS 18), Leipzig 1910.

Die Apokalypsen des Esra und Baruch in deutscher Gestalt, hg.v.
    Bruno Violet mit Textvorschlägen für Esra und Baruch von
    Hugo Gressmann (GCS 32), Leipzig 1924.

Pseudo Philo's Liber Antiquitatum Biblicarum, ed. Guido Kisch
    (MS 1o), Notre Dame/ Indiana 1949.

Apocalypses apocryphae Mosis, Esdrae, Pauli, Ioannis, item Mariae
    dormitio, additis evangeliorum et actuum apocryphorum supple-
    mentis, ed. Constantin von Tischendorf, Lipsiae 1866.

Philonis Alexandrini opera quae supersunt, ed. Leopoldus Cohn et
    Paulus Wendland, I - VII, Berlin 1896-1915 (= 1962).

Flavii Iosephi opera, ed. Benedictus Niese, Vol. I-VII, Berlin 1887
    bis 1894 (= 1962/3).

KOEHLER, LUDWIG - BAUMGARTNER, WALTER: Hebräisches und aramäisches
    Lexikon zum Alten Testament, Leiden 1953;

    3.Aufl. neu bearb.v. Walter Baumgartner, Leiden 1967, 1974
    (= KBL³).

GESENIUS, WILHELM: Hebräisches und aramäisches Handwörterbuch über
    das Alte Testament, Leipzig ²¹⁷1921.

LIDDELL, HENRY GEORGE - SCOTT, ROBERT: A Greek-English Lexicon,
    revised and augumented thoughout by Henry Stuart Jones and
    Poderick McKenzie, Oxford ⁹1940 (= 1961).

BAUER, WALTER: Griechisch-deutsches Wörterbuch zu den Schriften des
    Neuen Testaments und der übrigen urchristlichen Literatur,
    Berlin ⁵1958 (= 1963).

TRENCH, RICHARD CHENEVIX: Synonyma des Neuen Testaments, ausgewählt
    und übers. v. Heinrich Werner, Tübingen 1907.

DILLMANN, AUGUST: Lexicon Linguae Aethiopicae 1865 (= Osnabrück 1970).

LISOWSKY, GERHARD - ROST, LEONHARD: Konkordanz zum hebräischen
    Alten Testament, Stuttgart ²1966.

MANDELKERN, SOLOMON: Veteris Testamenti Concordantiae Hebraicae
    atque Chaldaicae, Berlin ²1925.

HATCH, EDWIN - REDPATH, HENRY ADENEY: A Concordance to the Septua-
    gint And the Other Greek Versions of the Old Testament
    (Including Apocryphal Books), Oxford 1897 (=Graz 1954).

MOULTON, WILLIAM FIDDIAN - GEDEN, ALFRED SHENINGTON: A Concordance
    to the Greek Testament, Edinburgh ⁴1963.

ALAND, KURT: Vollständige Konkordanz zum griechischen Neuen Testa-
    ment unter Zugrundelegung aller modernen kritischen Textaus-
    gaben und des Textus receptus, in Verbindung m.a. neu zusam-
    mengestellt (Arbeiten zur neutestamentlichen Textforschung
    IV,1), Berlin/ New York 1975ff (Lieferungen).

KUHN, KARL GEORG: Konkordanz zu den Qumrantexten, Göttingen 1960.

GESENIUS, WILHELM - KAUTZSCH, EMIL: Hebräische Grammatik, Leipzig
    ²⁸1909 (= Hildesheim 1962).

KÖNIG EDUARD: Syntax der hebräischen Sprache, Leipzig 1897.

BLASS, FRIEDRICH - DEBRUNNER, ALBERT - REHKOPF, FRIEDRICH: Grammatik
    des neutestamentlichen Griechisch (Göttinger Theologische
    Lehrbücher), Göttingen ¹⁴1976.

BURCHARD, CHRISTOPH: Bibliographie zu den Handschriften vom Toten
    Meer (BZAW 89), Berlin 1959.

DELLING, GERHARD: Bibliographie zur jüdisch-hellenistischen und
    intertestamentarischen Literatur 1900-1970 (TU 106), Berlin
    ²1975.

AMBROZIC, ALOYSIUS M.: The Hidden Kingdom. A Redaction-
    Critical Study of the References to the Kingdom of
    God in Mark's Gospel (CBQ MS 2), Washington 1972.

BAECK, LEO: Der Glaube des Paulus, in: ders., Paulus,
    die Pharisäer und das Neue Testament, Frankfurt
    1961, 7-37; wieder abgedruckt in und zitiert nach:
    Karl Heinrich Rengstorf (hg.), Das Paulusbild in
    der neueren deutschen Forschung (Wege der Forschung
    24), Darmstadt 1964, 565-590.

BARR, JAMES: Biblical Words for Time (Studies in Biblical
    Theology) London 1962.

BARTH, GERHARD: Das Gesetzesverständnis des Evangelisten
    Matthäus, in: Günther Bornkamm u. a., Überlieferung
    und Auslegung im Matthäusevangelium (WMANT 1),
    Neukirchen-Vluyn [4]1965, 54-154.

BARTH, KARL: Der Römerbrief. 6. Abdruck der neuen Bearbei-
    tung, München 1933.

-    Die Lehre von der Schöpfung, KD III/2, Zürich 1948.

BARTH, MARKUS: Das Volk Gottes. Juden und Christen in der
    Botschaft des Paulus, in: ders. u. a., (hg.), Paulus-
    Apostat oder Apostel? Jüdische und christliche Ant-
    worten, Regensburg 1977, 45-134.

BATEY, RICHARD: "So All Israel Will Be Saved". An Inter-
    pretation of Romans 11: 25-32, in: Interpretation 20,
    1966, 218-228.

BAUER, WALTER: Rechtgläubigkeit und Ketzerei im ältesten
    Christentum, mit einem Nachtrag hg. v. Georg Strecker
    (BHTh 10), Tübingen [2]1964.

BAUMGARTEN, JÖRG: Paulus und die Apokalyptik. Die Auslegung
    apokalyptischer Überlieferungen in den echten Paulus-
    briefen (WMANT 44), Neukirchen-Vluyn 1975.

BAUMGARTNER, WALTER: Art. Danielbuch, in: RGG II [3]1958, 26-31.

-    Ein Vierteljahrhundert Danielforschung in: ThR NF 11,
    1939, 59-83, 125-144, 201-228.

BECKER, JÜRGEN: Der Brief an die Galater, in: Jürgen
    Becker, Hans Conzelmann, Gerhard Friedrich, Die
    Briefe an die Galater, Epheser, Philipper, Kolos-
    ser, Thessalonicher und Philemon (NTD 8), Göttingen
    [14]1976, 1-85.

BEHM, JOHANNES: Art. αἷμα κτλ, in: ThWNT I, 1933, 171-176.

BENTZEN, AAGE: Daniel (HAT 1,19) Tübingen [2]1952.

-    Daniel 6. Ein Versuch zur Vorgeschichte der Märtyrer-
    legende, in: Festschrift Alfred Bertholet zum 80.
    Geburtstag, Tübingen 1950, 58-64.

232   BERTRAM, GEORG – SCHMIDT, KARL LUDWIG: Art.: $\overset{"}{\varepsilon}\vartheta\nu o\varsigma\,\kappa\tau\lambda.$,
        in:ThWNT II, 1935, 362–370.

BETZ, HANS DIETER: Zum Problem des religionsgeschichtlichen
      Verständnisses der Apokalyptik, in: ZThK 63, 1966,
      391–409.

BEYER, HERMANN WOLFGANG – ALTHAUS, PAUL: Der Brief an die
      Galater, in: dies. u.a., Die kleineren Briefe des
      Apostels Paulus (NTD 8), Göttingen [10]1965, 1–55.

BICKERMANN, ELIAS: Der Gott der Makkabäer. Untersuchungen
      über Sinn und Ursprung der makkabäischen Erhebung,
      Berlin 1937.

BIETENHARD, HANS: Die himmlische Welt im Urchristentum und
      Spätjudentum (WUNT 2), Tübingen 1951

BILLERBECK, PAUL: Kommentar zum Neuen Testament aus Tal-
      mud und Midrasch, München, Bd 1 und 4 [4]1965, Bd 2
      und 3 [3]1961, Bd 5 und 6 hg. v. Joachim Jeremias in
      Verb. mit Kurt Adolph [2]1963.

–   Hat die alte Synagoge einen präexistenten Messias
      gekannt?, in: Nathanael. Zeitschrift für die Arbeit
      der evangelischen Kirche an Israel, hg. v. Hermann
      Leberecht Strack, Berlin, Bd. 19, 1903, 97–125 und
      Bd. 21, 1905, 89–150.

BÖCHER, OTTO: Die Johannesapokalypse (Erträge der For-
      schung 41), Darmstadt 1975.

BOHREN, RUDOLF: Predigtlehre (Einführung in die Evange-
      lische Theologie 4), München 1971.

BOMAN, THORLEIF: Das hebräische Denken im Vergleich mit
      dem griechischen, Göttingen 1952.

BORNKAMM, GÜNTHER: Art. $\mu\upsilon\sigma\tau\acute{\eta}\rho\iota o\nu,\mu\upsilon\acute{\varepsilon}\omega$ in: ThWNT IV,
      1942, 809–834.

–   Art. $\pi\rho\varepsilon\acute{\sigma}\beta\upsilon\varsigma\,\kappa\tau\lambda.$, in: ThWNT 6, 1959, 651–683.

–   Enderwartung und Kirche im Matthäusevangelium, in:
      ders. – Gerhard Barth – Heinz Joachim Held, Über-
      lieferung und Auslegung im Matthäusevangelium
      (WMANT 1), Neukirchen [4]1965, 13–47.

–   Jesus von Nazareth, (Urban-Bücher 19), Stuttgart
      [7]1965.

–   Die Komposition der apokalyptischen Visionen in
      der Offenbarung Johannis, in: ZNW 36, (1937),
      132–149; wieder abgedr. in und zitiert nach:
      ders., Studien zu Antike und Urchristentum. Gesam-
      melte Aufsätze II (BEvTh 28), München [2]1963.

BOSCH, DAVID: Die Heidenmission in der Zukunftsschau
      Jesu (AThANT 36), Zürich 1959.

BOUSSET, WILHELM:Der Antichrist in der Überlieferung
      des Judentums, des neuen Testaments und der alten
      Kirche. Ein Beitrag zur Auslegung der Apokalypse.
      Göttingen 1895.

- Zur Dämonologie der späteren Antike, in: ARW 18, Leipzig 1915, 134-172.

- Die Offenbarung Johannis (MeyerK 16) Göttingen [7]1966.

BOUSSET, WILHELM - GRESSMANN, HUGO: Die Religion des Judentums im späthellenistischen Zeitalter (HNT 21) Tübingen [4]1966.

BRANDENBURGER, EGON: Die Verborgenheit Gottes im Weltgeschehen. Das literarische und theologische Problem des 4.Esrabuches (AThANT 68), Zürich 1981.

BROWN, RAYMOND E.: The Semitic Background of the Term "Mystery" in the New Testament (Facet Books, bibl. ser. 21), Philadelphia 1968.

BREKELMANS, C. H. W.: The Saints of the Most High and Their Kingdom, in: OTS 15, 1965, 305-329.

BRUN, LYDER: Übriggebliebene und Märtyrer in der Apokalypse, in: ThStKr 102, Gotha 1930, 215-231.

BULTMANN, RUDOLF: Geschichte und Eschatologie Tübingen 1958.

- Geschichte und Eschatologie im Neuen Testament, in: NTS 1, Cambridge 1954, 5-16 (engl.) Übersetzung in: ders., Glauben und Verstehen 3, Tübingen 1965, 91-106.

- Heilsgeschichte und Geschichte, in: ThLZ 73, Leipzig 1948, 659-666, wiederabgedruckt in und zitiert nach: ders. Exegetica. Aufsätze zur Erforschung des Neuen Testaments, hg. v. Erich Dinkler, Tübingen 1967, 356-368.

- Das Evangelium des Johannes (MeyerK 2), Göttingen [10/18] 1964.

- Die Geschichte der synoptischen Tradition (FRLANT 29), Göttingen [6]1964.

- Jesus (Siebenstern-Taschenbuch 17), München/Hamburg [2]1965.

- Rezension zu Thorleif Boman, Das hebräische Denken im Vergleich mit dem griechischen (1954[2]), in: Gn 27, 1955, 551-558.

- Theologie des Neuen Testaments (Neue Theologische Grundrisse, hg. v. Rudolf Bultmann), Tübingen [6]1968.

BURNS, A. L.: Two Words for "Time" in the New Testament, in: Australian Biblical Review 3, Melbourne 1953, 7-22.

CAPALDI, GERARD I.: In the Fulness of Time, in: SJTh 25 (1972), 197-216.

CHARLES, ROBERT HENRY: Eschatology (Schoken-Paperback) New York 1963.

- The Revelation of St. John, Vol I and II (ICC 18), Edinburgh 1920 (Nachdruck 1956).

234 CHILTON, BRUCE D.: God in Strength, Jesus' Announcment
of the Kingdom (Studien zum Neuen Testament und
seiner Umwelt, hg. v. Albert Fuchs, B/1), Frei-
stadt/Österreich 1979.

CHRIST, HIERONYMUS: Blutvergiessen im Alten Testament.
Der gewaltsame Tod des Menschen untersucht am hebräi-
schen Wort dām (Theologische Dissertationen, hg. v.
Bo Reicke, 12), Basel 1977.

COLPE, CARSTEN: Art. ὁ υἱὸς ϲου ἀνϑρώπου in: ThWNT, VIII,
1969, 403-481.

CONZELMANN, HANS: Die Apostelgeschichte (HNT 7), Tübingen
1963.

- Der Brief an die Epheser, in: Jürgen Becker u.a.,
Die Briefe an die Galater, Epheser, Philipper,
Thessalonicher und an Philemon (NTD 8) Göttingen
14 1976, 86-124.

- Der Brief an die Kolosser, in: ebd, 176-202.

- Art. Eschatologie IV. Im Urchristentum, in: RGG II,
3 1958, 665-672.

- Grundriß der Theologie des Neuen Testaments (Einführung in die Evangelische Theologie 2) München 1967.

- Die Mitte der Zeit. Studien zur Theologie des Lukas
(BHTh 17) Tübingen 5 1964.

CULLMANN, OSCAR: Der eschatologische Charakter des Missions-
auftrags und des apostolischen Selbstbewußtseins bei
Paulus, in: Vorträge und Aufsätze 1925-1962, Tübingen/
Zürich, 1966, 305-336.

- Christus und die Zeit. Die urchristliche Zeit- und
Geschichtsauffassung, Zürich 3 1962.

CULLMANN, OSCAR: Eschatologie und Mission im Neuen Testament, in: Evangelisches Missionsmagazin 85,
Basel 1941, 98-108; wieder abgedruckt in und zitiert
nach: ders., Vorträge und Aufsätze 1925-1962, Tübin-
gen/Zürich 1966, 348-360.

- Heil als Geschichte. Heilsgeschichtliche Existenz
im Neuen Testament, Tübingen 1965.

DAHL, NILS ALSTRUP: The Parables of Growth, in: StTh 5,
Lund 1952, 132-166.

DALMAN, GUSTAF: Arbeit und Sitte in Palästina Bd I-VII,
Gütersloh 1928-1942 (=Hildesheim 1966).

DEICHGRÄBER, REINHARD: Gotteshymnus und Christushymnus
in der frühen Christenheit. Untersuchungen zu Form,
Sprache und Stil der frühchristlichen Hymnen
(StUNT 5), Göttingen 1967.

DEISSNER, KURT: Art.: μέτρον κτλ., in: ThWNT IV 1942,
635-638.

DELCOR, M.: Art.:"מלא voll sein, füllen", in: THAT I,
1971, 897-900.

DELLING, GERHARD - VON RAD, GERHARD: Art.: ἡμέρα,
in: ThWNT II, 1935, 945-956.

DELLING, GERHARD: Art.: καιρός κτλ., in:ThWNT III, 1938,   235
     456-465.

- Art.: πίμπλημι κτλ., in: ThWNT VI, 1959, 127-134.

- Art.: πλήρης κτλ., in: ThWNT VI, 1959, 283-309.

- Art.: τέλος κτλ., in: ThWNT VIII, 1969, 50-88.

- Art.: χρόνος, in: ThWNT IX, 1973, 576-589.

- Art.: ὥρα, in:ThWNT IX, 1973, 675-681.

- Die Weise, von der Zeit zu reden, im Liber Antiqui-
     tatum Biblicarum, in: NovTest 13, 1971, 305-321.

- Zeit und Endzeit. Zwei Vorlesungen zur Theologie
     des Neuen Testaments (BSt 58), Neukirchen-Vluyn 1970.

- Das Zeitverständnis des Neuen Testaments, Gütersloh
     1940.

DEXINGER, FERDINAND: Henochs Zehnwochenapokalypse und
     offene Probleme der Apokalyptikforschung (Studia
     post-biblica 29), Leiden 1977.

DIBELIUS, MARTIN: Der Brief des Jakobus (MeyerK 15), Göt-
     tingen [11]1964.

- Die Briefe des Apostels Paulus an die Thessalonicher
     I II An die Philipper (HNT 3,2), Tübingen 1911.

DIBELIUS, MARTIN - GREEVEN, HEINRICH: An die Kolosser
     Epheser An Philemon (HNT 12), Tübingen [3]1953.

DIETZFELBINGER, CHRISTIAN: Pseudo-Philo, Liber Antiquitatum
     Biblicarum, Diss. theol. (Masch.) Göttingen 1964.

DIHLE, ALBRECHT - LOHSE, EDUARD: Art.: ψυχή C. Judentum,
     in:ThWNT 9, 1973, 630-635.

DINKLER, ERICH: Prädestination bei Paulus. Exegetische
     Bemerkungen zum Römerbrief, in: Festschrift für
     Günther Dehn, hg. v. Wilhelm Schneemelcher, Neu-
     kirchen 1957, 81-102.

DOBSCHÜTZ, EBERHARD VON: Zeit und Raum im Denken des
     Urchristentums, in: JBL 41, 1922, 212-223.

DODD, CHARLES HAROLD: The Epistle of Paul to the Romans
     (Moffat, NTC 6), London 1932.

- The Parables of the Kingdom, London 1936.

DUHM, BERNHARD: Das Buch Jesaja (HK 3,1), Göttingen, [5]1968.

DUPONT, JACQUES: La parabole de la semence qui pousse
     toute seule (Mc 4,26-29), in: RSR 55 (1967), 367-392.

- Encore la parabole de la Semence qui pousse toute
     seule (Mc 4,26-29), in: Jesus und Paulus, Festschrift
     für Werner Georg Kümmel, hg. v. E. Earle Ellis und
     Erich Gräßer, Göttingen 1975, 96-108.

EBACH, JÜRGEN H.: Kritik und Utopie. Untersuchungen zum
     Verhältnis von Volk und Herrscher im Verfassungs-
     entwurf des Ezechiel (Kap. 40-48), Diss. theol.,
     Hamburg 1972.

EICHHOLZ, GEORG: Auslegung der Bergpredigt (BSt 46), Neu-
     kirchen-Vluyn 1965.

236   –   Gleichnisse der Evangelien. Form, Überlieferung, Auslegung, Neukirchen 1971.

–   Die Theologie des Paulus im Umriß, Neukirchen-Vluyn 1972.

EICHRODT, WALTHER: Heilserfahrung und Zeitverständnis im Alten Testament, in: ThZ 12, 1956, 113-125.

EISENBEIS, WALTER: Die Wurzel םֹלשׁ im Alten Testament (BZAW 113), Berlin 1969.

EISSFELDT, OTTO: Der Beutel der Lebendigen. Alttestamentliche Erzählungs- und Dichtungsmotive im Lichte neuer Nuzi-Texte. (AAL, phil.-hist.Kl. 105,6) Berlin 1960.

–   Einleitung in das Alte Testament unter Einschluß der Apokryphen und Pseudepigraphen sowie der apokryphen- und pseudepigraphenartigen Qumran-Schriften-Entstehungsgeschichte des Alten Testaments (Neue Theologische Grundrisse, hg. v. Rudolf Bultmann) Tübingen ³1964.

ELLENA, DOMENICO: Thematische Analyse der Wachstumsgleichnisse,in: LingBibl 23/24, Bonn 1973, 48-62.

ELLIGER, KARL: Deuterojesaja. Bd. 1: Jesaja 40,1-45,7 (BK 11,1), Neukirchen-Vluyn 1978.

ERNST, JOSEF: Pleroma und Pleroma Christi. Geschichte und Deutung eines Begriffs der paulinischen Antilegomena (Biblische Untersuchungen, hg. v. Otto Kuss, 5), Regensburg 1970.

–   Die Briefe an die Philipper, an Philemon, an die Kolosser, an die Epheser (RNT), Regensburg 1974.

EWALD, PAUL: Die Briefe des Paulus an die Epheser, Kolosser und an Philemon (KNT 10), Leipzig ²1910.

FISCHER, KARL MARTIN: Tendenz und Absicht des Epheserbriefes, Berlin/DDR 1973 (=FRLANT 111, Göttingen 1973).

FITZER, GOTTFRIED: Art.: σφραγίς, κτλ., in: ThWNT VII, 1964, 939-954.

FRANKFORT, HENRI u. H.A.: Die Logik des mythischen Denkens, in: dies. u. a., Frühlicht des Geistes (Urban-Bücher 9), Stuttgart 1954, 17-36.

FRAZER, JAMES GEORGE: Folklore in the Old Testament. Studies in Comparative Religion Legend and Law, vol II, London ²1919.

FROST, S. B.: Old Testament Apocalyptic. Its Origin and Growth, London 1952.

FUCHS, ERNST: Christus das Ende der Geschichte, in: EvTh 8, München 1948/9, 447-461, wieder abgedruckt in und zitiert nach: ders., Zur Frage nach dem historischen Jesus. Gesammelte Aufsätze 2, Tübingen 1960, 79-99.

–   Das Zeitverständnis Jesu, in: ders., Zur Frage nach dem historischen Jesus, Tübingen ²1965, 304-376.

FUNKENSTEIN, AMOS: Heilsplan und natürliche Entwicklung.   237
    Formen der Gegenwartsbestimmung im Geschichtsdenken
    des hohen Mittelalters (sammlung dialog 5) München 1965.

GASTER, THEODOR HERZL: Myth, Legend, and Custom in the Old
    Testament. A. comparative study with chapters from
    Sir James G. Frazer's Folklore in the Old Testament,
    London 1969.

GATZ, BODO: Weltalter, Goldene Zeit und sinnverwandte Vor-
    stellungen (Spudasmata 16), Hildesheim 1967.

GEORGI, DIETER: Die Geschichte der Kollekte des Paulus für
    Jerusalem (ThF 38), Hamburg-Bergstedt, 1965.

GERLEMAN, GILLIS: Art.:'דֹם Blut",in: THAT I, 1971, 448-451.

-    Art.:"שׁלם genug haben" in: THAT II, 1976, 919-935.

-    Die Wurzel שׁלם, in: ZAW 85, 1973, 1-14.

GERSTENBERGER, ERHARD S. - SCHRAGE, WOLFGANG: Leiden
    (Kohlhammer Taschenbücher 1004/ Biblische Konfron-
    tationen), Stuttgart/Berlin/Köln/Mainz 1977.

GEWIESS, JOSEF: Die Begriffe πληροῦν und πλήρωμα im Kolosser-
    und Epheserbrief, in: Nikolaus Adler (Hg.), Vom
    Wort des Lebens. Festschrift für Max Meinertz (NTA
    Erg. 1), Münster 1951, 128-141.

GLATZER, NAHUM NORBERT: Untersuchungen zur Geschichtslehre
    der Tannaiten. Ein Beitrag zur Religionsgeschichte
    Berlin 1933.

GLOMBITZA, OTTO: Apostolische Sorge. Welche Sorge treibt
    den Apostel Paulus zu den Sätzen Röm. xi25ff.?, in:
    NovTest 7, 1964/5,312-318.

GNILKA, JOACHIM: Der Epheserbrief (HThK X,2), Freiburg/
    Basel/Wien 1971.

GOLLINGER, HILDEGARD: Kirche in der Bewährung. Eine Ein-
    führung in die Offenbarung des Johannes (Der Christ
    in der Welt. Eine Enzyklopädie, 6. Reihe, Bd 13),
    Aschaffenburg 1973.

GOPPELT, LEONHARD: Christentum und Judentum im ersten und
    zweiten Jahrhundert. Ein Aufriß der Urgeschichte
    der Kirche (BFChTh 2,55), Gütersloh 1954.

-    Israel und die Kirche, heute und bei Paulus, in: LR
    13,1963,429-452; wieder abgedruckt in und zitiert
    nach: ders., Christologie und Ethik. Aufsätze zum
    Neuen Testament, Göttingen 1968, 165-189.

GREEVEN, HEINRICH: Art.: προσκυνέω κτλ., in: ThWNT VI,
    1959, 759-767.

GRUNDMANN, WALTER: Art.: δεῖ, κτλ, in: ThWNT II,1935, 21-25.

-    Das Evangelium nach Matthäus (ThHK 1), Berlin [4]1968.

-    Das Evangelim nach Markus (ThHK 2), Berlin [4]1968.

-    Paulus aus dem Volke Israel, Apostel der Völker,
    in: Nov Test 4, 1960, 267-291.

238   GÜTTGEMANNS, ERHARDT: Heilsgeschichte bei Paulus oder
          Dynamik des Evangeliums? Zur strukturellen Rele-
          vanz von Röm 9–11 für die Theologie des Römerbriefs,
          in: ders., studia linguistica neotestamentica
          (BEvTh 60), München 1971, 34–58.

      –   Der leidende Apostel und sein Herr. Studien zur
          paulinischen Christologie, (FRLANT 90), Göttingen 1966.

      –   Recht und Gnade als göttliche 'Hypostasen' in rabbini-
          scher Haggada, Hab., ev. theol. Bonn 1970.

      GULIN, EELIS GIDEON: Die Freude im N.T., II. Teil: Das
          Johannesevangelium (Annales Academiae Scientiarum
          Fennicae B 37,3), Helsinki 1936.

      GUNKEL, HERMANN: Genesis (HK 1,1), Göttingen ^{6}1964.

      GUNNEWEG, ANTONIUS H.J.: Geschichte Israels bis Bar Kochba
          (ThWiss 2), Stuttgart/Berlin/Köln/Mainz ^{2}1976.

      GUTBROD, WALTER – KUHN, KARL GEORG – VON RAD, GERHARD:
          Art.: Ἰσραήλ κτλ., in: ThWNT III, 1938, 356–394.

      HADORN, WILHELM: Die Offenbarung des Johannes (ThHK 18),
          Leipzig 1928.

      HAHN, FERDINAND: Das Verständnis der Mission im Neuen
          Testament (WMANT 13), Neukirchen-Vluyn ^{2}1965.

      HANHART, ROBERT: Die Heiligen des Höchsten, in: Hebräische
          Wortforschung. Festschrift zum 80. Geburtstag von
          Walter Baumgartner (VTSuppl. 16), Leiden 1967, 90–101.

      –   Rezension von Klaus Koch, Ratlos vor der Apokalyp-
          tik, in: EvTh 31, 1971, 707–708.

      –   Drei Studien zum Judentum (ThEx 140) München 1967.

      HARDER, GÜNTHER: Das Gleichnis von der selbstwachsenden
          Saat Mark. 4,26–29, in: ThViat 1, 1948/9, 51–70.

      –   Jesus und das Gesetz (Matthäus 5,17–20), in: Anti-
          judaismus im Neuen Testament? Exegetische und syste-
          matische Beiträge hg. v. Willehad Paul Eckert u. a.
          (ACJD 2), München 1967, 105–118.

      HARNISCH, WOLFGANG: Verhängnis und Verheißung der Geschichte.
          Untersuchungen zum Zeit- und Geschichtsverständnis im
          4. Buch Esra und in der syr. Baruchapokalypse (FRLANT
          97), Göttingen 1969.

      HAUCK, FRIEDRICH: Art.: κοινός κτλ., in: ThWNT III, 1938,
          789–810.

      HAUGG, DONATUS: Die zwei Zeugen. Eine exegetische Studie
          über Apok. 11,1–13 (NTA 17,1), Münster 1936.

      HAUPT, ERICH: Der Brief an die Epheser, in: Die Gefangen-
          schaftsbriefe v. Erich Haupt (MeyerK 8 und 9),
          Göttingen $^{6.7.}$1902.

      HENGEL, MARTIN: Judentum und Hellenismus. Studien zu
          ihrer Begegnung unter besonderer Berücksichtigung
          Palästinas bis zur Mitte des 2. Jh. v. Chr.
          (WUNT 10) Tübingen ^{2}1973.

      –   Die Ursprünge der christlichen Mission, in: NTS 18,
          1971/2, 15–38.

HERRMANN, SIEGFRIED: Die prophetischen Heilserwartungen im
   Alten Testament. Ursprung und Gestaltwandel (BWANT 85),
   Stuttgart 1965.

HOFIUS, OTFRIED: 'Bis daß er kommt' I Kor XI.26, in: NTS
   14 (1967/8), 439-441.

HORST, JOHANNES: Art.: μακροθυμέω κτλ. , in: ThWNT IV, 1942
   377-390.

- Proskynein. Zur Anbetung im Urchristentum nach ihrer
   religionsgeschichtlichen Eigenart (Neutestamentliche
   Forschungen, hg. v. Otto Schmitz, 3,2), Gütersloh 1932.

HUNZINGER, CLAUS-HUNNO: Art.: συκῆ κτλ, in: ThWNT VII, 1964,
   751-759.

HUSS, WERNER: Die Gemeinde der Apokalypse des Johannes,
   Diss. theol. München 1967.

ITURBE, CAUBET: "Et sic omnis Israel salvus fieret" Rom
   11,26, in: Studiorum Paulinorum Congressus Internationalis Catholicus 1961,I, (Añalecta Biblica 17/18),
   Rom 1963, 329-340.

JACOB, EDMOND: Art.: ψυχή B. Die Anthropologie des Alten
   Testaments, in: ThWNT IX, 1973, 614-629.

JENNI, ERNST: Art.:" אחר danach" in: THAT I, 1971,
   110-118.

- Art.: " יום Tag", in: THAT I, 1971, 707-726.
- Art.: " עולם Ewigkeit", in: THAT II, 1976, 228-243.
- Art.: " עת Zeit", in: THAT II, 1976, 370-385.

JEREMIAS, CHRISTIAN: Die Nachtgesichte des Sacharja. Un-
   tersuchungen zu ihrer Stellung im Zusammenhang der
   Visionsberichte im AT und zu ihrem Bildmaterial
   (FRLANT 117), Göttingen 1977.

JEREMIAS, JOACHIM: Die Abendmahlsworte Jesu, Göttingen
   ³1960.
- Art.: ἄβυσσος,   in: ThWNT I, 1933, 9
- Art.: ᾅδης,   ebd, 146-150
- Art.: γέεννα,   ebd, 655f

JEREMIAS, JOACHIM - ZIMMERLI, WALTHER: Art.: παῖς θεοῦ,
   in: ThWNT V, 1954, 653-713.

JEREMIAS, JOACHIM: Art.: παράδεισος, in: ThWNT V, 1954,
   763-771.

- Art.: πολλοί, in: ThWNT VI, 1959, 536-545.

- Einige vorwiegend sprachliche Beobachtungen zu Röm
   11, 25-36, in: Lorenzo De Lorenzi (Hg.), Die Israel-
   Frage nach Röm 9-11 (Benedictina. Monographische Reihe.
   Biblisch-ökumenische Abteilung, 3), Rom 1977, 193-216
   (incl. Diskussion des Vortrags).

JEREMIAS, JOACHIM: Die Briefe an Timotheus und Titus, in:
   ders. - August Strobel, Die Briefe an Timotheus und
   Titus. Der Brief an die Hebräer (NTD 9), Göttingen
   ¹¹1975, 1-77.

- Erlöser und Erlösung im Spätjudentum und Urchristentum, in: Deutsche Theologie 2, hg. v. E. Pfennigs-
   dorf, Göttingen 1929, 106-119.

240   —   Der Gedanke des "Heiligen Restes" im Spätjudentum
und in der Verkündigung Jesu, in: ZNW 42, Berlin
1949, 184-194; wieder abgedruckt in und zitiert nach:
ders., Abba. Studien zur neutestamentlichen Literatur
und Zeitgeschichte, Göttingen 1966, 121-132.

—   Gleichnisse Jesu, Göttingen ^{2}1952, ^{8}1970 (zitiert ist
immer die 8. Auflage, wenn nicht anders vermerkt).

—   Golgotha (Angelos Bh. 1) Leipzig 1926.

—   Heiligengräber in Jesu Umwelt (Mt. 23,29; Lk. 11,47).
Eine Untersuchung zur Volksreligion der Zeit Jesu,
Göttingen 1958.

—   Jesu Verheißung für die Völker (Franz-Delitzsch-Vorle-
sungen 1953), Stuttgart ^{2}1959.

—   Unbekannte Jesusworte, unter Mitwirkung von Otfried
Hofius, Gütersloh ^{3}1962.

—   Neutestamentliche Theologie. Erster Teil: Die Verkündigung Jesu, Gütersloh ^{2}1973.

—   Rezension von "Rudolf Meyer, Hellenistisches in der
rabbinischen Anthropologie", in: ThLZ 65 (1940), 240f.

JEREMIAS, JÖRG: Die Reue Gottes. Aspekte alttestamentlicher
Gottesvorstellung (BSt 65), Neukirchen-Vluyn 1975.

JÖRNS, KLAUS-PETER: Das hymnische Evangelium. Untersuchungen
zu Aufbau, Funktion und Herkunft der hymnischen Stücke
der Johannesoffenbarung (StNT 5), Gütersloh 1971.

JONES, BRUCE WILLIAM: The Prayer in Daniel IX, in: VT 18,
1968, 488-493.

JÜLICHER, ADOLF: Die Gleichnisreden Jesu, Bd 1 u. 2,
Tübingen ^{2}1910 (=Darmstadt 1976).

JÜNGEL, EBERHARD: Paulus und Jesus. Eine Untersuchung zur
Präzisierung der Frage nach dem Ursprung der Christologie (HUTh 2), Tübingen ^{3}1967.

KÄSEMANN, ERNST: Die Anfänge christlicher Theologie in:
ZThK 57, Tübingen 1960, 162-185, wieder abgedruckt
in und zitiert nach: ders. EVB II, Göttingen 1964
82-104.

—   Gottesgerechtigkeit bei Paulus, in: ZThK 58, Tübingen
1961, 367-378; Wieder abgedruckt in und zitiert nach:
ders. EVB II, Göttingen 1964, 181-193.

—   Paulus und Israel, in: Hans J. Schultz (hg.), Juden,
Christen, Deutsche, Stuttgart 1961, 307-311; wieder
abgedruckt in und zitiert nach: ders., EVB II Göttingen 1964, 194-197.

KÄSEMANN, ERNST: Zum Thema der urchristlichen Apokalyptik,
in: ZThK 59, Tübingen 1962, 257-284, wieder abgedruckt
in und zitiert nach: ders., EVB II, Göttingen 1964,
105-131.

—   Paulus und der Frühkatholizismus, in: ZThK 60,
Tübingen 1963, 75-89; wieder abgedruckt in und zitiert nach: ders., EVB II, Göttingen 1964, 239-252.

- Rechtfertigung und Heilsgeschichte im Römerbrief, in: Paulinische Perspektiven, Tübingen 1969, 108-139.

- Rezension von Jacob Kremer, Was an den Leiden Christi noch mangelt, in: ThLZ 82, Leipzig 1957, 694f.

- An die Römer (HNT 8a), Tübingen 1973.

KAISER, OTTO: Der Prophet Jesaja (Kapitel 1-12) (ATD 17) Göttingen ³1970.

KARNER, KAROLY: Gegenwart und Endgeschichte in der Offenbarung des Johannes, in: ThLZ 93, Leipzig 1968, 641-652.

KELBER, W.: The Kingdom in Mark. An New Place and a New Time, Philadelphia 1974.

KETTER, PETER: Die apokalyptische Tempelmessung in: TThZ 52, 1941, 93-99.

KEULERS, JOSEPH: Die eschatologische Lehre des 4. Esrabuches, BSt 20,2-3, Freiburg 1922.

KITTEL, GERHARD: Art.: ἔσχατος, in: ThWNT II, 1935, 694-695.

- Kol. 1,24, in: ZSTh 18, 1941, 186-191.

KLAPPERT, BERTOLD: Traktat für Israel (Römer 9-11), in: Martin Stöhr (Hg.), Jüdische Existenz und die Erneuerung der christlichen Theologie. Versuch der Bilanz des christlich-jüdischen Dialogs für die Systematische Theologie, München 1982, 58-137.

- Der Verlust und die Wiedergewinnung der israelitischen Kontur der Leidensgeschichte Jesu, in: Hans Hermann Henrix / Martin Stöhr (Hg.), Exodus und Kreuz im ökumenischen Dialog zwischen Juden und Christen (Aachener Beiträge zu Pastoral- und Bildungsfragen, hg.v. Philipp Boonen, Bd.8), Aachen 1978, 107-153.

KLAUCK, HANS-JOSEF: Allegorie und Allegorese in synoptischen Gleichnistexten (NTA NF 13), Münster 1978.

KLAUSNER, JOSEPH: The Messianic Idea in Israel. From Its Beginning to the Completion of the Mishnah, New York 1955.

- Die messianischen Vorstellungen des jüdischen Volkes im Zeitalter der Tannaiten kritisch untersucht und im Rahmen der Zeitgeschichte dargestellt, Berlin 1904.

KNOCH, OTTO: Eigenart und Bedeutung der Eschatologie im theologischen Aufriß des ersten Clemensbriefes. Eine auslegungsgeschichtliche Untersuchung (Theophaneia 17), Bonn 1964.

KOCH, KLAUS: Die Apokalyptik und ihre Zukunftserwartungen, in: Kontexte 3, Stuttgart 1966, 51-58.

- Art.: " תמם vollständig sein" in: THAT II, 1976, 1045-1051.

- Spätisraelitisches Geschichtsdenken am Beispiel des Buches Daniel, in: HZ 193, München 1961, 1-32.

242   –   Ratlos vor der Apokalyptik. Eine Streitschrift über
               ein vernachlässigtes Gebiet der Bibelwissenschaft
               und die schädlichen Auswirkungen auf Theologie und
               Philosophie, Gütersloh 1970.

     –   Der Schatz im Himmel, in: Leben angesichts des Todes,
               Festschrift für Helmut Thielicke, Tübingen 1968, 47–60.

KOEP, LEO: Das himmlische Buch in Antike und Christentum.
               Eine religionsgeschichtliche Untersuchung zur alt-
               christlichen Bildersprache (Theophaneia 8), Bonn 1952.

KRAFT, HEINRICH: Die Offenbarung des Johannes (HNT 16a),
               Tübingen 1974.

KRAUS, HANS–JOACHIM: Psalmen (BK 15,1–2) Neukirchen-Vluyn
     ²1961.

KRAUSS, SAMUEL: Talmudische Archäologie II, Leipzig 1911,
               (= Hildesheim 1966).

KREMER, JACOB: Was an den Leiden Christi noch fehlt. Eine
               interpretationsgeschichtliche und exegetische Unter-
               suchung zu Kol 1,24b (BBB 12), Bonn 1956.

KRETZENBACHER, LEOPOLD: Die Seelenwaage. Zur religiösen
               Idee vom Jenseitsgericht auf der Schicksalswaage
               in Hochreligion und Volksglaube (Buchreihe des Landes-
               museums für Kärnten 4) Klagenfurt 1958.

KÜHLEWEIN, J.: Art.: " סֵפֶר Buch" in: THAT II 1976, 162–173.

KÜMMEL, WERNER GEORG: Die Probleme von Röner 9–11 in der
               gegenwärtigen Forschungslage, in: Lorenzo De Loren-
               zi (Hg.), Die Israelfrage nach Röm 9–11 (Benedictina,
               Monographische Reihe, Bibl.-ökum. Abt. 3), Rom 1977,
               13–56 (incl. Diskussion).

     –   Noch einmal: Das Gleichnis von der selbstwachsenden
               Saat. Bemerkungen zur neuesten Diskussion um die
               Auslegung der Gleichnisse, in: Orientierung an Jesus.
               Zur Theologie der Synoptiker. Für Josef Schmid, hg. v.
               Paul Hoffmann, Freiburg/Basel/Wien 1973, 220–237.

     –   Verheißung und Erfüllung. Untersuchungen zur eschat.
               Verkündigung Jesu (AThANT 6) Zürich ³1956.

KUHN, HEINZ–WOLFGANG: Enderwartung und gegenwärtiges Heil.
               Untersuchungen zu den Gemeindeliedern von Qumran
               (StUNT 4), Göttingen 1966.

     –   Ältere Sammlungen im Markusevangelium (StUNT 8),
               Göttingen 1971.

LICHT, JACOB: Time and Eschatology in Apocalyptic Litera-
               ture and in Qumran, in: JJS 16, London 1965, 177–182.

LICHTENBERGER, HERMANN: Studien zum Menschenbild in Tex-
               ten der Qumrangemeinde (StUNT 15), Göttingen 1980.

LIETZMANN, HANS: Einführung in die Textgeschichte der Pau-
               lusbriefe. An die Römer (HNT 8), Tübingen ⁵1971.

     –   An die Galater (HNT 10), Tübingen ⁴1971.

LINDEMANN, ANDREAS: Die Aufhebung der Zeit. Geschichts-
               verständnis und Eschatolgie im Epheserbrief (StNT
               12), Gütersloh 1975.

LJUNGMAN, HENRIK: Das Gesetz erfüllen. Matth. 5,17ff und 3,15 untersucht (LUA NF 1,50,6) Lund 1954.

LOHMEYER, ERNST: Die Briefe an die Kolosser und an Philemon MeyerK 9,2), Göttingen ^{12}1961.

- Das Evangelium des Markus (MeyerK 1,2), Göttingen ^{16}1963.

- Das Evangelium des Matthäus, hg.v. Werner Schmauch (MeyerK Sonderband), Göttingen ^{3}1962.

- Die Offenbarung des Johannes (HNT 16), Tübingen ^{3}1970.

LOHSE, EDUARD: Art.: χιλιάς, χίλιοι, in: ThWNT IX, 1973, 455–460.

- Die Briefe an die Kolosser und an Philemon (MeyerK 9,2), Göttingen $^{14/1}$1968.

LOHSE, EDUARD: Die Gottesherrschaft in den Gleichnissen Jesu, in: EvTh 18, München 1958, 145–157; wieder abgedruckt in und zitiert nach: ders., Die Einheit des Neuen Testaments. Exegetische Studien zur Theologie des Neuen Testaments, Göttingen ^{2}1976, 49–61.

- Märtyrer und Gottesknecht. Untersuchungen zur urchristlichen Verkündigung vom Sühntod Jesu Christi (FRLANT 64), Göttingen ^{2}1963.

- Die Offenbarung des Johannes (NTD 11) Göttingen 1960.

- Umwelt des Neuen Testaments (NTD Erg.Bd.1), Göttingen 1971.

LUZ, ULRICH: Das Geschichtsverständnis des Paulus (BEvTh 49), München 1968.

MAIER, FRIEDRICH WILHELM: Israel in der Heilsgeschichte nach Röm 9–11 (Biblische Zeitfragen XII, 11/12), München 1929.

MARMORSTEIN, AMOS: I Sam 25,29 in: ZAW 43, 1925, 119–124.

MARSH, JOHN: The Fulness of Time, London 1952.

MARSHALL, I.H.: Martyrdom and the Parousia in the Revelation of John, in: Studia Evangelica IV, 1, ed. by F.L. Cross (TU 102), Berlin 1968, 333–339.

MARXSEN, WILLI: Der Evangelist Markus. Studien zur Redaktionsgeschichte des Evangeliums (FRLANT 67), Göttingen ^{2}1959.

MAYER, BERNHARD: Unter Gottes Heilsratschluß. Prädestinationsaussagen bei Paulus (Forschung zur Bibel 15), Würzburg 1974.

MERKLEIN, HELMUT: Die Gottesherrschaft als Handlungsprinzip. Untersuchungen zur Ethik Jesu (Forschung zur Bibel 34), Würzburg 1978.

MERX, ADALBERT: Das Evangelium Matthaeus nach der syrischen im Sinaikloster gefundenen Palimsesthandschrift erläutert (Die vier kanonischen Evangelien nach ihrem ältesten bekannten Texte 2,1), Berlin 1902.

MESSEL, N.: Die Einheitlichkeit der jüdischen Eschatologie (BZAW 30), Giessen 1915.

244   MEYER, RUDOLF: Art.: Abraham-Testament, in RGG I, [3]1957, 73.

- Art.: Eschatologie III. Im Judentum, in: RGG II, [3]1958, 662-665.

- Hellenistisches in der rabbinischen Anthropologie. Rabbinische Vorstellungen vom Werden des Menschen (BWANT IV, 22), Stuttgart 1937.

MICHAELIS, WILHELM: Art.: λευκὸς, λευκαίνω in: ThWNT IV, 1942, 247-256.

- Art.: πάσχω κτλ., in: ThWNT V, 1954, 903-939.

MICHEL, OTTO: Art.: ναός, in: ThWNT IV, 1942, 884-895.

- Art.: οἶκος κτλ. in: ThWNT V, 1954, 122-161.

- Art.: σφάζω, σφαγή, in: ThWNT VII, 1964, 925-938.

MICHEL, OTTO: Der Brief an die Römer (MeyerK 4), Göttingen [12/3]1963.

- Der Brief an die Hebräer (MeyerK 13), Göttingen [12/6]1966.

- Fragen zu 1 Thessalonicher 2,14-16: Antijüdische Polemik bei Paulus, in: Antijudaismus im Neuen Testament? Exegetische und systematische Beiträge, hg. v. Willehad Paul Eckert u. a. (ACJD 2), München 1967, 50-59.

MOULE, C.F.D.: Fulfilment-Words in the New Testament: Use and Abuse, in: NTS 14 (1967/8), 293-320.

MÜLLER, CHRISTIAN: Gottes Gerechtigkeit und Gottes Volk. Eine Untersuchung zu Römer 9-11, (FRLANT 86), Göttingen 1964.

MÜLLER, ULRICH B.: Messias und Menschensohn in jüdischen Apokalypsen und in der Offenbarung des Johannes (StNT 6) Gütersloh 1972.

- Prophetie und Predigt im Neuen Testament. Formgeschichtliche Untersuchungen zur urchristlichen Prophetie (StNT 10), Gütersloh 1975.

- Zur frühchristlichen Theologiegeschichte. Judenchristentum und Paulinismus in Kleinasien an der Wende vom ersten zum zweiten Jahrhundert n. Chr., Gütersloh 1976.

MUILENBURG, JAMES: The Biblical View of Time, in: HThR 54, 1961, 225-271.

MUNCK, JOHANNES: Christus und Israel. Eine Auslegung von Röm 9-11 (Acta Jutlandica 28,3; Teol. Ser. 7), Aarhus/København 1956.

- Paulus und die Heilsgeschichte (Acta Jutlandica 26,1, Teol. Ser. 6), Aarhus/København 1954.

MUSSNER, FRANZ: Der Galaterbrief (HThK 9), Freiburg/Basel/ Wien [3]1977.

- Zur Geschichtstheologie des Epheserbriefes, in: Studiorum Paulinorum Congressus Internationalis Catholicus 1961, vol. II (AnBibl 17/8, II), Rom 1963, 59-63.

- Gottesherrschaft und Sendung Jesu nach Mk 1,14f. 245
  Zugleich ein Beitrag über die innere Struktur des
  Markusevangeliums, in TThZ 66 (1957), 257-275;
  wieder abgedruckt in und zitiert nach: ders. Praesen-
  tia salutis, Gesammelte Studien zu Fragen und Themen
  des Neuen Testamentes (Kommentare und Beiträge zum Alten und Neuen Testament), Düsseldorf 1967, 81-98.

- Der Jakobusbrief (HThK 13,1) Freiburg/Basel/Wien [3]1975.

- "Ganz Israel wird gerettet werden" (Röm 11,26). Versuch einer Auslegung, in: Kairos 18, Salzburg 1976,
  241-255.

NEUENZEIT, PAUL: "Als die Fülle der Zeit gekommen war..."
  (Gal 4,4), Gedanken zum biblischen Zeitverständnis,
  in: Bibel und Leben, hg. v. Johannes Botterweck u.
  Josef Maria Nielen, 4, Düsseldorf 1963, 223-239.

NISSEN, ANDREAS: Tora und Geschichte im Spätjudentum,
  Zu Thesen D. Rösslers, in: NovTest 9, 1967, 241-277.

NOTH, MARTIN: Das zweite Buch Mose. Exodus (ATD 5),
  Göttingen [3]1965.

- Geschichte Israels, Göttingen [5]1963.

NOTH, MARTIN: Das Geschichtsverständnis der alttestamentlichen Apokalyptik, (Arbeitsgemeinschaft für Forschung des Landes Nordrhein-Westfalen. Geisteswis-
  senschaften, 21) Köln/Opladen 1954, 4-25, abgedruckt
  in und zitiert nach: ders., Gesammelte Studien zum
  Alten Testament (ThB 6), München [3]1966, 248-273.

- Die Heiligen des Höchsten, in: Festskrift til Sigmund
  Mowinckel NTT 56, Oslo 1955, 146-161, abgedruckt in
  und zitiert nach: ders., Gesammelte Studien zum
  Alten Testament (ThB 6), München [3]1966, 274-290.

- Zur Komposition des Buches Daniel, in: ThStKr 98/9,
  2, Gotha 1926, 143-163, wieder abgedruckt in und
  zitiert nach: ders., Gesammelte Studien zum AT II
  (ThB 39), München 1969, 11-28.

OEPKE, ALBRECHT: Art.: νόσος κτλ., in: ThWNT IV, 1942,
  1084-1091.

- Der Brief des Paulus an die Galater (ThHK 9), Berlin
  [3]1973.

- Die Briefe an die Thessalonicher (NTD 8), Göttingen
  [?]1962.

OPPENHEIM, A. LEO: On an Operational Device in Mesopotamian
  Bureaucracy, in: JNES 18, 1959, 121-128.

von der OSTEN-SACKEN, PETER: Die Apokalyptik in ihrem Verhältnis zu Prophetie und Weisheit (ThEx 157),
  München 1969.

- Das paulinische Verständnis des Gesetzes im Spannungs-
  feld von Eschatologie und Geschichte. Erläuterungen
  zum Evangelium als Faktor von theologischem Antijudaismus, in: EvTh 37, 1977, 549-587.

246   PEDERSEN, JOHANNES: Israel. Its Life and Culture, Vol I/II,
        London/Copenhagen 1926.

      PERRIN, NORMAN: Was lehrte Jesus wirklich? Rekonstruktion
        und Deutung (Sammlung Vandenhoek) Göttingen 1972.

      PESCH, RUDOLF: Das Markusevangelium (HThK II), Freiburg/
        Basel/Wien Bad. 1: 1976, Bd. 2: 1977.

      –   Anfang des Evangeliums Jesu Christi. Eine Studie
          zum Prolog des Markusevangeliums (Mk 1,1-15), in:
          Die Zeit Jesu. Festschrift für Heinrich Schlier,
          hg.v. Günther Bornkamm und Karl Rahner, Freiburg/
          Basel/Wien 1970, 108-144.

      –   Naherwartungen. Tradition und Redaktion in Mk 13
          Kommentare und Beiträge zum Alten und Neuen Testament)
          Düsseldorf 1968.

      PETERSON, ERIK: Die Kirche aus Juden und Heiden, in:
        ders., Theologische Traktate, München 1951, 239-292.

      PIDOUX, GEORGES: A propos de la notion biblique du temps,
        in: RThPh 2, Lausanne 1952, 120-125.

      PLAG, CHRISTOPH: Israels Wege zum Heil. Eine Untersuchung
        zu Römer 9 bis 11 (Arbeiten zur Theologie I, 40),
        Stutgart 1969.

      PLÖGER, OTTO: Das Buch Daniel (KAT 18), Gütersloh 1965.

      –   Art.: Henochbücher, in: RGG III, [3]1959, 222-225.

      –   Theokratie und Eschatologie (WMANT 2), Neukirchen-
          Vluyn [3]1968.

      PLÖGER, OTTO: "Siebzig Jahre", in: Festschrift Friedrich
        Baumgärtel zum 70. Geburtstag, hg. v. Leonhard Rost,
        (Erlanger Forschungen A 10), Erlangen 1959, 124-130.

      PORTEOUS, NORMAN W.: Das Danielbuch (ATD 23), Göttingen
        1962.

      PREUSS, HORST DIETRICH: Jahweglaube und Zukunfserwartung
        (BWA (N) T 5,7), Stuttgart 1968.

      QUISPEL, GILLES: Zeit und Geschichte im antiken Christen-
        tum, in: ErJb 20, Zürich 1951, 33-52.

      von RAD, GERHARD: Das erste Buch Mose. Genesis (ATD 2/4),
        Göttingen [7]1964.

      –   "Gerechtigkeit" und "Leben" in der Kultsprache der
          Psalmen, in: Festschrift für Alfred Bertholet,
          Tübingen 1950, 418-437; wieder abgedruckt in und
          zitiert nach: ders., Gesammelte Studien zum Alten
          Testament (ThB 8), München [3]1965, 225-247.

      –   Theologie des Alten Testaments, II: Die Theologie
          der prophetischen Überlieferung Israels, (Einführung
          in die Evangelische Theologie 1) München [4]1965.

      RAEDER, WILLIAM W.: Die Stadt Gottes in der Johannes-
        apokalypse, Diss. theol. (masch.) Göttingen 1971.

      RATSCHOW, CARL HEINZ: Anmerkungen zur theologischen Auf-
        fassung des Zeitproblems, in: ZThK 51, 1954, 360-387.

RAU, ECKARD: Kosmologie, Eschatologie und die Lehrautori-   247
    tät Henochs. Traditions- und formgeschichtliche
    Untersuchungen zum äth. Henochbuch und zu verwandten
    Schriften, Diss. theol. Hamburg 1974.

REESE, GÜNTER: Die Geschichte Israels in der Auffassung des
    frühen Judentums. Eine Untersuchung der Tiervision
    und der Zehnwochenapokalypse des äthiopischen Henoch-
    buches, der Geschichtsdarstellung der Assumptio Mosis
    und der des 4. Esrabuches, ev. theol. Diss. (masch.)
    Heidelberg 1967.

RENGSTORF, KARL HEINRICH: Art.: δώδεκα κτλ., in: ThWNT II,
    1935, 321-328.

RICHARDSON, PETER: Israel in the Apostolic Church,
    (SNTS-Monograph Series 10), Cambridge 1969.

RISSI, MATTHIAS: Das Judenproblem im Lichte der Johannes-
    apokalypse, in: ThZ 13, 1957, 241-259.

RÖSSLER, DIETRICH: Gesetz und Geschichte. Untersuchungen zur
    Theologie der jüdischen Apokalyptik und der pharisäi-
    schen Orthodoxie (WMANT 3) Neukirchen ²1962.

ROSENTHAL, FERDINAND: Vier apokryphische Bücher aus der Zeit
    und Schule R. Akiba's. Assumptio Mosis, Das vierte
    Buch Esra, Die Apokalypse Baruch, Das Buch Tobi,
    Leipzig 1885.

ROST, LEONHARD: Einleitung in die alttestamentlichen Apokry-
    phen und Pseudepigraphen einschließlich der großen
    Qumran-Handschriften, Heidelberg 1971.

ROWLEY, H. H.: Apokalyptik. Ihre Form und Bedeutung zur
    biblischen Zeit. Eine Studie über jüdische und christ-
    liche Apokalypsen vom Buch Daniel bis zur geheimen
    Offenbarung. Aus dem Englischen übersetzt von I. und
    R. Pesch) Einsiedeln/Zürich/Köln ³1965.

RUDOLPH, WILHELM: Jeremia (HAT 1,12), Tübingen ³1968.

RUSSELL, D. S.: The Method and Message of Jewish Apoca-
    lyptic. 200 BC - AD 100 (The Old Testament Libary)
    London 1964.

RUST, ERIC C.: Time and Eternity in Biblical Thought,
    in: ThToday 10, Princeton, J. J., 1953, 327-356.

SASSE, HERMANN: Art.: αἰών, αἰώνιος, in: ThWNT I, 1933, 197-209.

SATAKE, AKIRA: Die Gemeindeordnung in der Johannesapo-
    kalypse (WMANT 21), Neukirchen-Vluyn 1966.

SATTLER, WALTHER: Das Buch mit sieben Siegeln, I. Das
    Gebet der Märtyrer und seine Erhöhrung, in: ZNW
    20, 1921, 231-240.

-    Das Buch mit sieben Siegeln. II. Die Bücher der
    Werke und das Buch des Lebens in: ZNW 21, 1922, 43-53.

SAUER, G.: Art.: " שׁוֹי bestimmen", in: THAT I, 1971,
    742-746.

248   SCHARBERT, JOSEF: ŠLM im Alten Testament, in: Lex tua
            veritas. Festschrift für Hubert Junker, hg. v. H.
            Gross u. Franz Mussner, Trier 1961, 209-229; wieder
            abgedruckt in und zitiert nach: Um das Prinzip der
            Vergeltung in Religion und Recht des Alten Testa-
            ments, hg. v. Klaus Koch, (Wege der Forschung 125),
            Darmstadt 1972, 300-324.

        SCHENK, WOLFGANG: Rezension von "Christoph Plag, Israels
            Wege zum Heil, in: ThLZ 95, 1970, 425f.

        -   Der Passionsbericht nach Markus. Untersuchungen zur
            Überlieferungsgeschichte der Passionstraditionen,
            Berlin/DDR 1974 (=Gütersloh 1974).

        SCHICK, ERICH: Okkultistische Pseudoeschatologie im
            geistigen Austausch zwischen Europa und Amerika,
            in: ThZ 1, 1945, 259-282.

        SCHLATTER, ADOLF: Die Briefe und die Offenbarung des Johan-
            nes (Erläuterungen zum NT 10), Stuttgart o.J. (Nach-
            druck 1965).

        -   Das Alte Testament in der johanneischen Apokalypse
            (BFchTh 16,6), Gütersloh 1912.

        -   Der Evangelist Johannes. Wie er spricht, denkt und
            glaubt. Ein Kommentar zum vierten Evangelium, Stuttgart
            1930.

        -   Gottes Gerechtigkeit. Ein Kommentar zum Römerbrief,
            Stuttgart ⁴1965.

        SCHLIER, HEINRICH: Art.: ϑλίβω κτλ., in: ThWNT III, 1938,
            139-148.

        -   Vom Antichrist. Zum 13. Kapitel der Offenbarung
            Johannis, in: ders., Die Zeit der Kirche. Exegetische
            Aufsätze und Vorträge 1, Freiburg 1956, 16-29.

        -   Die Entscheidung für die Heidenmission in der Ur-
            christenheit, in: ders., Die Zeit der Kirche. Exe-
            getische Aufsätze und Vorträge, Freiburg 1956, 90-107.

        -   Der Brief an die Epheser. Ein Kommentar, Düsseldorf
            ⁴1963.

        SCHLIER, HEINRICH: Der Brief an die Galater (MeyerK 7),
            Göttingen ¹²1962.

        -   Der Römerbrief (HThK 6), Freiburg/Basel/Wien 1977.

        SCHMIDT, KARL LUDWIG: s. BERTRAM, GEORG.

        SCHMITHALS, WALTER: Die Apokalyptik. Einführung und Deu-
            tung (Sammlung Vandenhoek) Göttingen 1973.

        SCHNEIDER, JOHANNES: Art. ἡλικία, in: ThWNT II, 1935,
            943-945.

        SCHNIEWIND, JULIUS: Das Evangelium nach Matthäus (NTD 2)
            Göttingen ¹¹1964.

        SCHRAGE, WOLGANG: Der Jakobusbrief, in: Horst Balz/ders.,
            Die Katholischen Briefe (NTD 10), Göttingen ¹¹/¹1973, ²1980.

        -   Leid, Kreuz und Eschaton. Die Peristasenkataloge als
            Merkmale paulinischer theologia crucis und Eschatolo-
            gie, in EvTh 34, 1974, 141-175.

- Die Stellung zur Welt bei Paulus, Epiktet und in der Apokalyptik. Ein Beitrag zu 1Kor 7,29-31, in: ZThK 61, 1964, 125-154.

SCHREIBER, JOHANNES: Die Markuspassion, Hamburg 1969.

SCHREINER, JOSEF: Alttestamentlich-jüdische Apokalyptik. Eine Einführung (Biblische Handbibliothek 6), München 1969.

SCHRENK, GOTTLOB: Art.: βίβλος, βιβλίον , in: ThWNT I, 1933, 613-620.

- Art.: ἐκλεκτός, in: ThWNT IV, 1942, 186-197.

- Die Geschichtsanschauung des Paulus, in: ders., Studien zu Paulus, (AThANT 26), Zürich 1954, 49-80.

- Der Römerbrief als Missionsdokument, in: ders., Studien zu Paulus (AThANT 26), Zürich, 1954, 81-106.

- Die Weissagung über Israel im Neuen Testament, Zürich 1951.

SCHUBERT, KURT: Die Entwicklung der Auferstehungslehre von der nachexilischen bis zur frührabbinischen Zeit, in: BZ NF 6, 1962, 177-214.

- Die Religion des nachbiblischen Judentums, Wien/ Freiburg 1955.

SCHÜRER, EMIL: Geschichte des jüdischen Volkes im Zeitalter Jesu Christi, Band I-III, Leipzig [4]1909.

SCHÜSSLER FIORENZA, ELISABETH: Priester für Gott. Studien zum Herrschafts- und Priestermotiv in der Apokalypse (NTA NF 7), Münster 1972.

SCHWEIZER, EDUARD: Art.: ψυχή D. Neues Testament, in: ThWNT IX, 1973, 635-657.

- Der Brief an die Kolosser (EKK), Zürich/Einsiedeln/ Köln und Neukirchen-Vluyn 1976.

- Das Evangelium nach Markus (NTD 1), Göttingen [11/1]1967.

- Das Evangelium nach Matthäus (NTD 2), Göttingen [13/1]1973.

SEKINE, MASAO: Erwägungen zur hebräischen Zeitauffassung in: Congress Volume Bonn 1962, (Suppl to VT 9), Leiden 1963, 66-82.

SICKENBERGER, JOSEPH: Erklärung der Johannesapokalypse, Bonn [2]1942.

SJÖBERG, ERIK: Art.: πνεῦμα κτλ., C III. רוח im palästinischen Judentum, in: ThWNT VI 1959, 373-387.

- Der Menschensohn im äthiopischen Henochbuch (Acta reg. societatis humaniorum litterarum Lundensis 41) Lund 1946.

STÄHLIN, GUSTAV: Art.: νῦν (ἄρτι) , in: ThWNT IV, 1942, 1099-1117.

STECK, ODIL HANNES: Israel und das gewaltsame Geschick der Propheten. Untersuchungen zur Überlieferungsgeschichte des deuteronomistischen Geschichtsbildes im Alten Testament, Spätjudentum und Urchristentum (WMANT 23) Neukirchen-Vluyn 1967.

250   STEINMETZ, FRANZ-JOSEF: Protologische Heilszuversicht.
Die Strukturen des soteriologischen und christologischen Denkens im Kolosser- und Epheserbrief (FThS
2), Frankfurt 1969.

– Parusie-Erwartung im Epheserbrief?, Ein Vergleich,
in: Bibl 50 (1969),328-336.

STENDAHL, KRISTER: Jesus und das Reich Gottes, in: JK 30
(1969), 125-133.

STICKER, BERNHARD: Weltzeitalter und astronomische Perioden,
in: Saeculum 4, Freiburg 1953, 241-249.

STIER, FRIDOLIN: Zur Komposition und Literarkritik der
Bilderreden des äthiopischen Henoch (Kap. 37-69)
in: R. Paret (Hg.) Orientalistische Studien Enno
Littmann zu seinem 60. Geburtstag, Leiden 1935
70-88.

STRATHMANN, HERMANN: Art.: μάρτυς κτλ., in: ThWNT IV, 1942,
477-520.

STRECKER, GEORG: Der Weg der Gerechtigkeit. Untersuchungen
zur Theologie des Matthäus (FRLANT 82), Göttingen
1966.

STROBEL, AUGUST: Der Brief an die Hebräer in: Joachim
Jeremias – August Strobel, Die Briefe an Timotheus
und Titus. Der Brief an die Hebräer (NTD 9), Göttingen [11]1975, 79-255.

– Kerygma und Apokalyptik. Ein religionsgeschichtlicher
und theologischer Beitrag zur Christusfrage, Göttingen 1967.

– Untersuchungen zum eschatologischen Verzögerungs-
problem auf Grund der spätjüdisch- urchristlichen
Geschichte von Habakuk 2,2ff (Suppl. to NovTest 2)
Leiden/Köln 1961.

STUHLMACHER, PETER: Das Bekenntnis zur Auferweckung Jesu
von den Toten und die Biblische Theologie, in:
ZThK 70, 1973, 365-403; Wiederabgedruckt in: ders.,
Schriftauslegung auf dem Wege zur biblischen Theologie, Göttingen 1975, 128-166.

– Erwägungen zum Problem von Gegenwart und Zukunft in
der paulinischen Eschatologie, in: ZThK 64, 1967, 423-450.

– Das paulinische Evangelium, I.: Vorgeschichte (FRLANT 95)
Göttingen 1968.

– Gerechtigkeit Gottes bei Paulus (FRLANT 87), Göttingen 1965.

STUHLMACHER, PETER: Zur Interpretation von Römer 11,25-32,
in: Probleme biblischer Theologie. Gerhard von Rad
zum 70. Geburtstag, hg. v. Hans-Walter Wolff, München
1971, 555-570.

STUHLMANN, RAINER: Beobachtungen und Überlegungen zu Markus, IV. 26-29, in: NTS 19, 1972/3, 151-162.

– Bußtag. Lukas 13, (1-5) 6-9, in: hören und fragen.
Eine Predigthilfe, hg. v. Arnold Falkenroth u. Heinz
Joachim Held, Bd. 1, Neukirchen-Vluyn 1978, 403-416.

– 2.Advent. Jakobus 5,7-8, in: ebd, Bd. 2, Neukirchen-
Vluyn 1979, 7-13.

STUIBER, ALFRED: Refrigerium interim. Die Vorstellungen   251
    vom Zwischenzustand und die frühchristliche Grabes-
    kunst (Theophaneia 11), Bonn 1957.

THEISOHN, JOHANNES: Der auserwählte Richter. Untersuchungen
    zum traditionsgeschichtlichen Ort der Menschensohn-
    gestalt der Bilderreden des Äthiopischen Henoch
    (StUNT 12), Göttingen 1975.

TRILLING, WOLFGANG: Das wahre Israel. Studien zur Theolo-
    gie des Matthäusevangeliums (Erfurter Theologische
    Studien, hg. v. Erich Kleineidam u. Heinz Schürmann),
    Leipzig 1962.
  -   Christusverkündigung in den synoptischen Evangelien,
      München 1969.

VIELHAUER, PHILIPP: Apokalypsen und Verwandtes, Einleitung
    in: Hennecke, Edgar - Schneemelcher, Wilhelm, Neu-
    testamentliche Apokryphen in deutscher Übersetzung.
    II. Band: Apostolisches, Apokalypsen und Verwandtes,
    Tübingen ³1964, 407-427.

  -   Apokalyptik des Urchristentums. Einleitung, in:
      Hennecke, Edgar - Schneemelcher, Wilhelm: Neutesta-
      mentliche Apokryphen in deutscher Übersetzung. II.
      Band: Apostolische, Apokalypsen und Verwandtes,
      Tübingen ³1964, 428-454.

  -   Geschichte der urchristlichen Literatur. Einleitung
      in das Neue Testament, die Apokryphen und die Aposto-
      lischen Väter, Berlin/New York 1975.

VÖGTLE, ANTON: Zeit und Zeitüberlegenheit im biblischen
    Verständnis, in: Zeit und Zeitlichkeit. Freiburger
    Dies Universitatis 8, hg. v. Helmut Hönl, Bernhard
    Hassenstein u. a., Freiburg 1961, 99-116.
  -   Die Genealogie Mt 1, 2-16 und die mattäische Kind-
      heitsgeschichte, in: BZ NF 8 (1964), 45-58; 239-262;
      9 (1965), 32-49.

VOLZ, PAUL: Die Eschatologie der jüdischen Gemeinde im neu-
    testamentlichen Zeitalter nach den Quellen der rab-
    binischen, apokalyptischen und apokryphen Literatur
    dargestellt. Zweite Aufl. des Werkes "Jüdische Escha-
    tologie von Daniel bis Akiba", Tübingen 1934
    (Nachdruck: Hildesheim 1966)

WEDER, HANS: Die Gleichnisse Jesu als Metaphern. Traditions-
    und redaktionsgeschichtliche Analysen und Interpre-
    tationen (FRLANT 120), Göttingen 1978.

WEISER, ARTUR: Das Buch Jeremia, (ATD 20/21), Göttingen ⁶1969.

WELLHAUSEN, JULIUS: Analyse der Offenbarung Johannis
    (AGG phil.-hist. Kl. NF 9,4), Berlin 1907 (=Göttingen/
    Wiesbaden 1970).

WELLHAUSEN, JULIUS: Zur apokalyptischen Literatur, in:
    ders., Skizzen und Vorarbeiten VI, Berlin 1899,
    215-249.

WENDLAND, HEINZ-DIETRICH: Geschichtsanschauung und
    Geschichtsbewußtsein im Neuen Testament, Göttingen
    1938.

252   WESTERMANN, CLAUS: Art.: " וֶפֶשׁ Seele" in: THAT II,
1976, 71-96.

- Arten der Erzählung in der Genesis, in: ders.,
Forschung am Alten Testament. Gesammelte Studien
(ThB 24), München 1964, 9-91.

- Das Buch Jesaja, Kapitel 40-66, (ATD 19), Göttingen
1966.

- Genesis. 2.Teilband Gen 12-36 (BKAT I/2), Neukirchen-
Vluyn 1981.

- Struktur und Geschichte der Klage im Alten Testament, in: ZAW 66, Berlin 1954, 44-80; wieder abgedruckt in und zitiert nach: ders., Forschung am
Alten Testament. Gesammelte Studien (ThB 24),
München 1964, 266-305.

- Die Verheißung an die Väter. Studien zur Väterge-
schichte (FRLANT 116), Göttingen 1976.

WICHMANN, W.: Die Leidenstheologie. Eine Form der Leidens-
deutung im Spätjudentum (BWANT IV,2), Stuttgart 1930.

WILCH, JOHN ROBERT: Time and Event, An exegetical Study of
the Use of ʿeth in the Old Testament in Comparison
to other Temporal Expressions in Clarification of
the Concept of Time, Leiden 1969.

WILDBERGER, HANS: Jesaja (BK 10,1), Neukirchen-Vluyn 1972.

WOLFF, CHRISTIAN: Jeremia im Frühjudentum und Urchristentum (TU 118), Berlin 1976.

ZAHN, THEODOR: Der Brief des Paulus an die Römer, (HNT 6)
Leipzig 1910.

- Das Evangelim des Matthäus (KNT 1), Leipzig [2]1905.

ZELLER, DIETER: Juden und Heiden in der Mission des Paulus.
Studien zum Römerbrief (Forschung zur Bibel 1),
Stuttgart 1973.

ZORN, REINHARD: Die Fürbitte im Spätjudentum und im Neuen
Testament (Diss. theol.) Göttingen 1957.

ZIMMERLI, WALTHER: Ezechiel (BK 13, 1 u. 2) Neukirchen-
Vluyn 1969.

- Grundriß der alttestamentlichen Theologie (ThWiss 3),
Stuttgart/Berlin/Köln/Mainz [2]1975.

- Alttestamentliche Prophetie und Apokalyptik auf dem
Wege zur "Rechtfertigung des Gottlosen", in: Rechtfertigung. Festschrift für Ernst Käsemann zum 70.
Geburtstag, hg. v. Johannes Friedrich u. a., Tübin-
gen/Göttingen 1976, 575-592.

31,4:	221.
37,9:	152A.
38,5:	43.150.209f.
38,22:	151A.
39,2:	17A.

Ps

13,2f:	124A.
31,16:	9A.
33,7:	151A.
39,5:	8f.11A.12.
39,6:	8.
56,9:	93.
69,29:	134.135.138f.141.
69,28:	135.
79,3:	125A.
79,5:	124A.125A.
79,10:	125A.
80,5:	124A.
86,9:	175A.
87,6:	134.218.
89,47:	124A.
90,10:	10.
102,28:	11.
139,16:	134.218.
135,7:	151A.
147,4:	221.

Spr

7,27:	152A.

Pred

6,10:	218.

Jes

2,3:	175A.
4,3:	139.142.
13,8:	75.
23,15:	27A.
23,17:	27A.
24,13:	77.
25,8:	10.
26,17:	75.
27,11f:	77.
31,8:	185A.
34,11:	209.
40,2:	91f.93.94A.
40,12:	42f.43A.150.209f.219A. 221.
40,26:	221.
41,8:	140A.
42,7:	119A.
49,19f:	146.

56,5:	136.
56,7:	175A.
65,20:	9f.
66,8:	75.

Jer

3,17:	175A.
5,24:	66A.
10,13:	151A.
13,21:	75.
18,7ff:	59.
22,13:	136.
22,23:	75.
25,9:	23f.
25,11:	47A.
25,12:	22-26.27.94A.
25,34:	22.
27,5-7:	23.
27,6:	23f.
27,7:	22-26.27.94A.
29,10:	22-26.28.94A.
29,11:	25.
31,37:	150.
31,39:	209.
33,22:	201.221.
34,14:	17A.
43,10:	23f.
50,25:	151A.152A.
51,16:	151A.

Klgl

2,8:	209.
4,18:	10f.12.

Ez

4,8:	22A.
5,2:	22A.66A.
9,1ff:	196f.
13,9:	135f.
40-48:	207A.208A.209.210.

Dan

1,12.14:	50f.50A.
2,28.29:	3A.49A.
2,21f:	28A.
2,37f:	28A.
2,45 (θ):	3A.49A.
2,47:	28A.
3,15:	28A.
4:	26f.34.
4,13:	27.
4,14:	27f.

Dan

4,16:	61A.
4,20.21:	27.
4,22:	27f.
4,23.25:	61A.
4,29.31f:	27f.
4,32(Θ):	61A.
4,34:	28.
4,34(LXX):	94.
5,21.23:	28A.
6,26f:	28A.
7:	47.114f.118.120
7,9:	114.
7,9f:	114.138.
7,10:	114.138.
7,12:	13A.36.
7,14:	28A.
7,18:	115A.
7,25:	33.51A.61.
8,10f:	28A.
8,13:	30.
8,13f:	35.208A.
8,14:	34.
8,17:	29A.
8,19:	29A.31.
8,23:	35f.97f.
9:	28-33.35.92.117.
9,2:	28.
9,4-19:	29f.
9,19:	30.117.
9,24-27:	30.34A.53A.
9,24:	31-33.34.39.45.98.
	115f.116A.122.
9,25:	29A.
9,26:	29A.
9,27:	61A.
10,3:	17A.
11,27.35:	29A.
11,36:	28A.31.
11,40:	29A.
12,1:	92.136f.139A.
12,1f:	138.
12,1ff:	137.
12,4:	29A.
12,5-13:	35.
12,6:	30.
12,7:	33.51A.61.
12,9:	29A.
12,11:	34.51A.
12,13:	29A.34.

Hos

2,1:	201.221.
13,13:	75.

Am

7,7-9.17:	209.

Jo

4,13:	77.78A.84.

Jona   59.167A.

Mi

2,4:	209.
4,9f:	75.

Hag

2,7:	175A.

Sach

1,12:	26A.
1,16:	209.
2,5:	148A.149A.
2,5-9:	149A.210.
2,6:	208A.209.
2,7:	146.
2,7-9:	209.
7,5:	26A.
10,10:	146.
12,3(LXX):	53A.
14,16:	175A.

Mal

3,14f:	137.
3,16:	137f.
3,17:	137.

Tob

4,7-11:	152A.
8,20:	17A.
9,4:	12A.
14,5:	37f.

Jdt

8,16:	44.

1Makk

9,10:	15.

2Makk

6,12-16:	96.97.
8,3:	113.113A.
9,8:	43.43A.219.

4Makk

18,19:	13A.

Weish

4,8:	12A.
4,13:	14A.
11,20:	43.221.
19,4:	93.

Sir

1,2.9:	221.
17,2:	11f.46A.61A.
18,9:	12A.13A.
22,12:	13A.
26,1:	12.12A.13A.
26,26:	12A.13A.
33,10:	58A.
33,24:	13A.
36,10:	114A.
37,25:	11f.12.
39,30:	151A.152A.
41,13:	11f.12.
43,14:	151A.
44,7:	13A.

EpJer

2:	27.32.

Jub

1,29:	140.
2,20:	140.142f.
3,9:	17A.
3,10:	17.140.
3,17:	17A.
4,3:	113A.
4,23f:	140.
4,30:	17A.
5,8:	10A.
5,13f.17f:140.
6,14:	12A.
6,31.35:	140.
13,26:	12A.
14,6:	142A.
14,16:	95.
15,25:	12A.140.
16,3:	140.
16,9.28f:140.
16,30:	12A.
18,19:	140.
19,9:	140.
23,8:	13A.14A.
23,9ff:	56.
23,10f:	17A.
23,11:	10A.

23,27:	13A.14.56.
23,29:	13A.14A.
23,32:	140.
28,6:	140.
29,11:	95.
30:	141.142A.
30,5.9:	140.
30,10:	12A.
30,17:	142.142A.
30,19:	142.
30,20:	141.144.
30,20-23:	141f.
30,21:	142.
30,22:	141.
30,23:	142.
31,21f:	140.
31,23:	142A.
31,28.32:	140.
32,10:	12A.140.
32,12:	13A.
32,15:	140.
33,10:	140.
33,17:	12A.
35,6:	13A.14A.
35,8:	13A.
36,9f:	141A.144.
36,18:	17A.
39,6:	140.142.142A.
47,9:	17A.
49,8:	12A.140
50,13:	140.

Sib

III,	
55.60.63.	
117.173.197.	
206.265:	67A.
280f:	27.
300-302:	93.
367.373f.	
388f.464.	
470:	67A.
495:	12A.
505:	67A.
562:	93.
569:	38A.
611.649.	
670f.673f:	67A.
728:	13A.
741:	38A.
780.797:	67A.
807:	38A.

IV,	
10	43A.
40f.86.97.	
101.115.125.	
131.137f.	
145:	67A.

152-177:   59.
172:        67A.

V.
474f: 202A.

TestXIIPatr

TestRub
6,8:   38A.

TestLev
3,6:   114A.
5,6:   114A.
10,1:   38A.
E 62:   17A.

TestSeb
7,9:   38A.
9:          53A.

TestDan
6,2   114A.

TestNaph
2,2ff: 221A.
2,2:   43.
2,3:   221A.
2,9:   221A.

TestBen
10:         53A.

äHen

5,5:   56
5,9:   12A.13.13A.56.
7,4:   121.
7,6:   121.123.
8,4-11,2:   112.114A.121-123.
            124-129.
8,4:   121.123.
9:          114A.122.
9,1-4:   121.
9,1:   125.
9,2-10:   127.
9,3:   121.123.125.127.
9,4-11:   121.121A.124.
9,4f: 124.
9,9:   125.
9,10:   121.123.127.
9,11:   124.
10f: 122.
10,1ff: 122.
10,1-14:   123.
10,3:   123A.
10,4ff: 122.
10,5:   123.
10,6:   123.
10,7:   123A.
10,9f: 122.123.
10,11ff: 122.

10,12:   39.122.123.126.126A.130.
10,15ff: 123.
10,15:   123.
10,16-11,2: 123.
10,16-19:   122.
10,16:   122.
10,17:   14A.
10,20:   122.
10,21:   122.
10,22:   122.
11,1f: 122.
11,1:   152A.
16,1:   38A.
17,3:   152A.
18,1:   152A.
18,16:   93f.
21,6:   93f.
22:         128.147.
22,4:   147A.
22,5:   127A.
22,5-7:   113A.114A.128.
22,7:   127A.
27,2:   147.
32,2f: 148A.
38,2:   113A.120A.147.152A.
39,4f: 120A.131A.147.
39,5:   119A.
40,6:   114.
41,2:   120A.147.
41,4f: 152A.
42,3:   152A.
43,2:   43A.221.
45:         118.
45,3:   118.118A.120A.147.
46:         114A.118.138.
46,1:   114A.
46,4-8:   118.
46,8:   119A.
47:         112-120.121.121A.122.
            124-129.130f.138.156.
            159.161.226.
47,1:   113.113A.115A.124A.
            125A.131.131A.138.
47,1f: 113.
47,2:   113.113A.114A.115A.116.
            117.119.119A.121.124A.
            125A.126A.130.131.131A.
47,3:   117.122.131.138.142A.
47,3f: 113.117.
47,4:   39.113.113A.114A.115A.
            116A.117.119.119A.122.
            124A.125A.126.130.178A.
48,1-7:   118.
48,1:   119A.120A.147.
48,2:   114A.
48,4:   119A.
48,7:   118.119A.
48,8-10:   118.
48,9:   119A.
49:         118.
49,4:   118.

50:	118.	82,4:	12A.
50,1:	119A.	82,5ff:	54A.
51:	118.	82,6:	17A.
51,1:	120A.150.	87,1:	121.
51,3:	118A.	89,59ff:	32.
52,5:	119A.	89,76:	114A.
53,6:	113A.	90,1.5:	14A.36.
53,7:	119A.	90,34.36:	146.
54,6:	118A.	92,2:	44.
54,7:	152A.	93,13:	43.
55,1:	114A.	93,14:	221.
55,4:	118A.	97,3.5:	114A.
56,1:	148A.	99,3:	114A.
57,2:	119A.	103,2-4:	138.
58,3:	12.13A.	103,4:	138.
58,5:	148A.	104,1:	137.138.
58,6:	12.	104,2.6.7:	137.
60,2:	114A.	108,3:	<u>137</u>.141.144.
60,4:	119A.		
60,8:	120A.147.		
60,11f:	43A.221.	CD	
60,11:	152A.		
60,14:	43A.	3,2-4:	141.
60,19-21:	152A.	4,3-5:	140.142.
60,22:	43A.	4,4f:	92.
61,1-5:	<u>147-151</u>.208A.	4,8-10:	38.
61,1-4:	120A.<u>152</u>.	4,8:	38.
61,1f:	149.150.151.	4,10:	37A.
61,1:	148.148A.	10,8f:	14.56.
61,2:	148.148A.	10,9f:	13A.
61,3f:	149.150.151.	10,10:	14A.38.
61,3:	148.149.		
61,4:	115A.149.		
61,5:	43A.149.150.151.209f.	1QH	
61,8:	118.118A.		
61,10:	119A.	1,12f:	151A.152A.
61,12:	119A.120A.147.	1,18:	221.
62,2f:	118A.	1,29:	43A.
62,7:	119A.	2,20:	153A.
62,11:	118A.119A.	3,7ff:	75.
63,8:	119A.	5,30f:	75.
65,10:	119A.	8,21f:	43A.
68,4:	114A.	10,34:	152A.
69,23:	152A.	13,18:	13A.
69,27:	118.118A.	17,15:	13A.
69,29:	118A.		
70,3:	120A.<u>147-151</u>.152.	1QS	
71,10:	114A.		
71,17:	13A.	3,15-17:	44.
72,1:	54A.	6,17ff:	17A.
72,16:	17A.	7,20f:	17A.
74,12:	54A.	10,1f:	151A.
74,17:	17A.54A.		
75,1.2.4.7:	54A.		
77,3:	148A.	1QSa	
78,4:	54A.		
79,2:	54A.	1,12:	14A.
80,2-8:	54.	1,19:	12A.
80,2:	<u>54f</u>.56.57.		

21:	76.
21,10:	220.
21,19:	76.
21,23:	152A.
22:	76.
22,3.4.5f.	
5-7.7.	
8:	76.
23,3-5:	193A.214-216.220.222.
23,4:	152A.214A.215.
23,5:	215.216.
30,2:	152.152A.193.
32,3:	53A.
40,3:	38.38A.
42,6:	40.
44,14:	152A.195A.
48,2ff:	220.
48,6:	220.
48,16:	152A.
48,19:	56.
48,46:	220.
50,2:	152A.
50,15:	195A.
51,10f:	152A.
51,11:	152.
59,4:	38A.
59,8:	38A.152.152A.
70,2:	77.
74,1:	81A.
75,6:	193.
83,1:	58A.
85,10:	74.

AntB

3,2:	10A.13A.40.220.
3,3:	96.
3,9:	38.
3,10:	37.
6,9:	17A.
9,5.6:	17A.
9,8:	10A.
13,6:	111A.219.
13,7f:	40.
13,8:	10A.
14,4:	41.
15,5:	152A.
16,3:	219.
18,11f:	13A.
19,2.7:	53A.
19,8:	10A.13A.14A.17A.
19,13:	54.55f.55A.57.
19,14:	38.
21,1:	13A.15.
21,2:	221.
23,1:	13A.15A.
23,12:	13A.
23,13:	38.152A.
26,12f:	53A.

26,13:	96f.103.
28,1:	13A.15A.
28,9:	38.
29,4:	14.14A.
32,13:	152A.
33,2:	13A.
33,3:	12.13A.14A.
36,1:	96f.
40,7:	12A.13A.14f.56.
40,4:	44.
41,1:	96f.
44,5:	13A.
44,8:	220.
47,9:	96f.
48,1:	10A.
59,1:	14A.
61,3:	17A.
62,2:	14A.

5Esr

2,13:	57.
2,25f:	205f.
2,38-42:	205f.
2,38.40.42:	206.

ApkBar(gr)

9,7:	56f.
15/16(sl)	152A.

slHen

5,1;6,1;7,1;	
9,1;10,4:	152A.
23,5:	152A.214A.
40,10f:	152A.
58,5:	214A.
65,1:	44.

ApkAbr

29,11-13:	57.
29,13:	54.57.

äthPetrApk

3:	220.
4:	150A.

PetrApk(akm)

17:	145A.

16,24:   20A.105f.
16,25.32: 67.
17,1:   20A.67.
17,13:   20A.105f.

Apg

1,7:   3A.47.
1,10:   157A.
2,1:   19A.
2,2:   21A.
2,20:   67.
2,28:   21A.
3,20:   67.
5,28:   21A.
7,23:   17A.
7,30:   17A.21A.
9,23:   17A.21A.
12,25:   21A.
13,25:   21A.160.
14,16:   175.
14,26:   21A.
15,17:   175.
17,33:   165.
19,21:   21A.
20,11:   165.
20,24:   160.
24,27:   17A.21A.

Röm

1,29:   21A.
1,5:   175.
2,4:   86A.
4:         184A.
8,22:   75.100.
9-11:   104.164.169.
9,1-13:   180A.
9,2:   169.
9,6:   169.179.180A.
9,22:   86A.
10,1:   169.
11:        164-188.194.225f.
11,1-10:   181.184.
11,4:   179A.
11,5:   179A.181.
11,7:   181.
11,11-32: 181-185.
11,11-15: 167.172A.183.186.
11,11:   181.183f.186.
11,12:   2.185-187.164A.181.
           183.184.
11,13f: 183.
11,13:   167.
11,15:   183.184.186.
11,16-24: 180A.181.
11,17-24: 181.
11,23:   183.
11,24:   183.

11,25-27: 167.172.180A.183.185.
11,25f: 2.53A.65.164-181.186.
11,25:   164A.168.170.175.176A.
           177.178.183.184.185.191.
           191A.
11,26f: 166A.176A.184.
11,26:   164A.173A.184.187.
11,28-32: 172A.
11,28:   180A.183.184.
11,29:   180A.184.
11,30-32: 184.
11,30:   183.
11,31:   183.184.
11,32:   184.
11,33ff: 170A.
13,8:   19A.
13,10:   185.
13,11-14: 78A.
15,11:   175.
15,13:   21A.
15,19:   20A.
16,26:   175.

1Kor

3,7:   80A.
4,5:   89.
4,8:   163.
6,7:   185A.
7,29:   58A.61.
7,31:   6.
9,22:   183.
11,26:   166A.
13,2:   170.
13,4:   86A.
15,20-28: 71.
15,25:   166A.
15,36-38: 80A.
15,51ff: 158.

2Kor

1,4:   101A.
1,6:   102f.
1,8;2,4:   101A.
4,12:   102f.
4,17;6,4: 101A.
6,6:   86A.
7,4:   101A.
8,2.13:   101A.
10,6:   20A.

Gal

3,8:   175.
3,19.23.25: 68.
4,1f: 68f.78A.
4,1:   63A.

Barn

4,3   57A.

Herm

mand 8,6: 145.145A.
vis 1,3,2: 145.145A.
sim 5,3,2: 145.
sim 9,24,4: 145.

Studien zur Umwelt des Neuen Testaments

Vandenhoeck & Ruprecht in Göttingen und Zürich